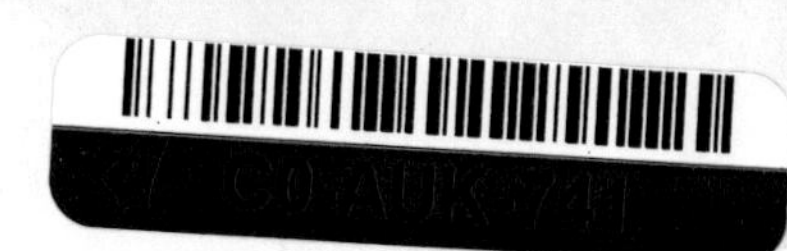

Reinhard Nordsieck

Reich Gottes – Hoffnung der Welt

Das Zentrum der Botschaft Jesu

Neukirchener Verlag

Neukirchener Studienbücher, Band 12

CIP-Kurztitelaufnahme der Deutschen Bibliothek

Nordsieck, Reinhard:
Reich Gottes, Hoffnung der Welt: d. Zentrum
d. Botschaft Jesu / Reinhard Nordsieck. –
Neukirchen-Vluyn: Neukirchener Verlag,
1980.
(Neukirchener Studienbücher; Bd. 12)
ISBN 3–7887–0613–9

Umschlag: Kurt Wolff, Düsseldorf
Gesamtherstellung: Breklumer Druckerei Manfred Siegel
Printed in Germany – ISBN 3-7887-0613-9

Geleit

Das Buch von R. Nordsieck »Reich Gottes – Hoffnung der Welt« ist der wichtige Versuch, das Thema des Reiches Gottes wieder in das Zentrum theologischer Aussagen und Hoffnungen zu stellen. Es ist eine Einführung in eine heute nötige und wiederzugewinnende Theologie des Reiches Gottes. Hier wird die Herrschaft Gottes, wie sie in Jesu Verkündigung und Person schon Gegenwart ist, nicht auf die individuelle Umkehr des Menschen beschränkt, sondern eindrücklich herausgearbeitet, daß das Reich Gottes »auch in real-materieller Weise, als Inbegriff neuer Verhältnisse«, »als universale Verfassung und Ordnung Gottes« kommt. In seiner Verkündigung der Umkehr ist es Jesus deshalb auch um die »qualitative Umgestaltung und sogar Umkehrung alter, das Gottesreich hindernder Strukturen« zu tun.

Dieser Ansatz hat u.a. Konsequenzen für die von Jesus gefeierten eschatologischen Mahle, die ein Vorgriff auf die neue Menschengemeinschaft in Gestalt einer gerechten Weltgesellschaft darstellen, und für die Hoffnung des Reiches Gottes, das »gleichzeitig der Tag des Menschen und seines Rechts« sein wird.

Dabei ist das Buch nicht nur dadurch von besonderem Interesse, daß es von einem Richter aus jahrelanger Beschäftigung mit den Texten und der theologischen Literatur heraus geschrieben worden ist. Es hat seine Faszination auch darin, daß in dieser Interpretation der Verkündigung Jesu aus einem juristischen Erfahrungs- und Erwartungshorizont heraus Dimensionen und Aspekte der kommenden Herrschaft Gottes wieder zum Leuchten gebracht werden, die der Zunfttheologie exegetischer und systematischer Provenienz entweder entgangen, von ihr vergessen oder verdrängt worden sind.

Bertold Klappert

Inhalt

Einleitung

Zu Eingang meiner Ausführungen möchte ich von einer Grunderfahrung des menschlichen Lebens reden, die wohl jeder nachvollziehen kann: Das ist das Erlebnis des Ungenügens, der Unbefriedigung an dem, was vorgefunden wird, und der Zwiespalt zwischen dem, wie es ist und wie es sein könnte. Wir haben kein Genügen an dem Leben, wie es sich darstellt, mit seinen Unzulänglichkeiten, seinen Nöten, ja seinem Schmerz und Elend, und wir spüren die Kluft zwischen diesem Leben und dem, wie ein unentfremdetes und erfülltes Sein aussehen könnte. Diese *Entfremdung* des menschlichen Lebens von seinem eigentlichen Sein kann man versuchen wie folgt zu umschreiben:

In *leiblich-seelischem* Sinne treten immer wieder Wünsche und Hoffnungen auf, die über das Vorhandene hinausgreifen, nach Aufhebung von Angst und Sorge, von Hunger, Armut und Not, von seelischen und körperlichen Leiden bis hin zum Angehen gegen den Tod. Ebenso ist ein Streben festzustellen, das sich auf Kraft und Fülle der Gesundheit, auf Wohlbehaltenheit und endlich auf ein gelungenes und befriedigendes Leben richtet.

Eine weitere Entfremdung des Menschen ist in *sittlicher* Hinsicht zu bemerken durch die das vorfindliche Dasein überschreitende Forderung, die ethische Norm, das Sollen des Menschen. Diese Forderung bezieht sich auf die Überwindung von Ungerechtigkeit und Lieblosigkeit und sozialen Mißständen, auf die Beseitigung von Unterdrückung und Ausbeutung, schließlich darauf, daß die Zerstörung des menschlichen Lebens durch Verbrechen und Kriege aufhört. Man spricht in diesem Zusammenhang auch von der Schuld des Menschen. Das Streben des Menschen richtet sich hier ebenso auf die Aufhebung der Schuld, die Befreiung von unterdrückendem und zerstörerischem Verhalten wie auf ein Leben in Zuwendung und Liebe.

Zum dritten ist noch ein Ungenügen, eine Entfremdung des Menschen in einem *umfassenden* (nach *Tillich geistigen*) Sinne zu spüren, nämlich in dem Suchen nach einer allgemeinen Sinngebung des Lebens. Einerseits ist damit gemeint die Besiegung von Dumpfheit und Unwissenheit, auch die Überwindung des Zweifels und schließlich der Sinnlosigkeit. Andererseits ist zu erkennen ein Verlangen, das sich auf Bildung und individuelle Sinnerfüllung und ebenso auf die Herstellung eines überge-

ordneten Lebenszusammenhangs und Einfügung in eine höhere Einheit aller Menschen, der Gesellschaft und der Welt richtet.
Die genannte Unzulänglichkeit des Menschen, sein Ungenügen und seine Entfremdung sind im geistigen und sittlichen Bereich oft nur ansatzweise sichtbar. Sie erscheinen in diesen Sphären vielfach unauffällig. Deutlich und handgreiflich werden sie sowohl im psychischen als auch im körperlichen Bereich, zumal wenn man die soziale Seite mitberücksichtigt. Das zeigt sich drastisch in der weiten Verbreitung psychischer Krankheiten, in den körperlichen Leiden, im aggressiven und kriminellen Verhalten einzelner Menschen und menschlicher Gruppen und schließlich in den großen mörderischen Kriegen der Völker.
Wo liegt nun die *Ursache* dieser Entfremdung, wie stellen sich ihre *Hintergründe* dar?
Die verschiedenen Formen der Entfremdung, wie sie aufgezeigt worden sind, können *nicht* nur *aus dem Bestehenden und Vorfindlichen* heraus gedeutet werden. Sie weisen vielmehr in allen ihren Varianten weit darüber hinaus. Das gilt nicht nur deshalb, weil in ihnen Strebungen, Tendenzen gegenwärtig werden, die das Dasein des Menschen überschreiten. Auch die Herkunft, der Ursprung der Entfremdung ist dem Menschen letztlich nicht verfügbar wie auch nicht ihr Ausgang.
So weist das Bestreben des Menschen nach einer Überwindung des Zweifels und einer allgemeinen Sinngebung auf eine höhere Einheit, drängt nach über das Vorhandene hinausgehenden Zusammenhängen. Es kann sich nur in seinsmäßigen Beziehungen erfüllen, die über das bestehende Dasein des Menschen hinausgreifen. Die Schuld des Menschen, seine Verfehlung und Verkehrtheit in ethischer Hinsicht setzen einen über den Menschen hinausreichenden Maßstab voraus, nach dem sie sich richten. Sie erfordern ein Sein, an dem sie letztlich gemessen und korrigiert werden können. Die Angst, die Not und das Leiden des Menschen in ihren vielfältigen Formen können sein Hoffen auf eine Überwindung und das ständige Drängen und Trachten danach nicht vertreiben. In allen diesen Fällen deutet nicht nur das Streben nach Aufhebung der Entfremdung auf ein über das Dasein des Menschen hinausgehendes Sein. Auch die Herkunft der Entfremdung und ihr Ausgang führen zum Suchen nach einem das menschliche Dasein übergreifenden Sein, über das wir nicht befinden können.
Da nun alle Entfremdung, alles Ungenügen des Menschen über sein vorfindliches Dasein hinausweist, erscheint auch eine Heilung des Menschen, seine Befreiung nur aus eigener Kraft und Substanz nicht möglich, ja aussichtslos. Sie ähnelt dem Versuch des Freiherrn von Münchhausen, sich am eigenen Schopfe aus dem Morast zu ziehen. Damit erhebt sich hier die *Frage* nach einem den Menschen *überschreitenden Sein,* nach einer Macht, die den Menschen transzendiert und ihm nicht verfügbar ist. Eine ›Erlösung‹ des Menschen und seine letzte Befreiung erfordern das Wirken einer solchen Macht, die ihn dem erfüllten Leben

nahebringen kann, ohne dieses Sein ist sie letzten Endes nicht denkbar. Die verschiedenen Formen der ›Selbsterlösung‹ zeigen deutlich, wie wenig es dem Menschen gelingen kann, sich allein, ohne Bezug zu einer transzendenten Macht zu befreien. Die primitiven Arten der Selbstbefreiung sind offensichtlich erfolglos: so die Leugnung der entfremdeten Situation, ihre Verdrängung und Verschleierung und schließlich die massive Betäubung des Menschen, sogar mit Rauschmitteln. Aber auch die differenzierteren Varianten der ›Selbsterlösung‹ sind unzureichend. Ich denke etwa an die Aufstellung geschlossener theoretischer Systeme und die daraus folgende Praxis der Menschen- und Weltgestaltung. Dabei kommen supranaturalistische und mythologisch geprägte religiöse Auffassungen in Betracht, die die Transzendenz vergegenständlichen und menschlicher Verfügungsgewalt unterwerfen wollen, aber auch philosophische Anschauungen, die eine Totaldeutung, eine ganzheitliche Interpretation der Wirklichkeit des Seins einseitig und voreilig verwirklichen möchten. Alle diese Versuche sind nicht nur ohne Erfolg, sondern auch gefährlich, weil sie unter Umständen noch tiefer in die Entfremdung und Gebundenheit hineinführen anstatt aus ihr zu befreien.

In die geschilderte Situation des Menschen, in seine Entfremdung und sein Ungenügen – die Bibel bevorzugt dazu den Terminus ›Sünde‹ im Sinne von Sonderung, wobei keineswegs nur die moralische und ethische Entfremdung angesprochen ist – trifft die ›*Verkündigung*‹ des jüdischen Rabbi und Propheten *Jesus* (eigentlich: Jehoschua oder Josua = Gott befreit) aus Nazareth in Galiläa. Seine Predigt und sein Wirken sprechen den Menschen Befreiung aus ihrer entfremdeten Situation zu durch ein sie überschreitendes Sein, nämlich den von ihm verkündeten Gott und dessen Zuwendung zu den Menschen. Gleichzeitig sagt Jesus den Menschen an, daß sie von diesem Gott in Anspruch genommen und gefordert seien. Zusammengefaßt kann man sagen, daß Jesus, wie des näheren noch zu zeigen sein wird, den Menschen die Herrschaft Gottes verkündet.

Welchen *Inhalt* hat nun im einzelnen diese Verkündigung des Jesus von Nazareth, die uns treffen soll? Ist sie identisch mit dem gesamten Gehalt der tradierten Bibel, also dem Alten und dem Neuen Testament, womöglich noch zusätzlich mit einer christlichen Überlieferung? Das erscheint zweifelhaft, weil Jesus ausdrücklich den Vorrang seines Worts gegenüber dem Alten Testament betont hat (so eindeutig Mt 5,21ff: »Ihr habt gehört, daß zu den Alten gesagt ist: . . .«; »Ich aber sage euch: . . .«; im einzelnen s. dazu später!). Auch das Neue Testament ist aber keineswegs einheitlich. Es gibt eine ganze Reihe von Schichten, die sich deutlich voneinander abheben wie etwa diejenigen Teile des Neuen Testaments, die im Heidenchristentum entstanden sind, die, welche dem Judenchristentum entstammen, und die Verkündigung aus Jesu direkter Umgebung bzw. von Jesus selbst.

Auf die letztere gilt es, soweit uns das noch möglich ist, von den übrigen Schichten her zurückzufragen. Die eigentliche Predigt Jesu, die naturgemäß auf der Tradition des Alten Testaments, sicher aber auch auf sonstigen jüdischen und wohl auch nicht-jüdischen Ursprüngen aufbaut, und die ihren Widerhall in den später niedergelegten Lehren und Auffassungen seiner Jünger und Apostel sowie der christlichen Gemeinde gefunden hat, ist als Kern herauszuschälen.
Sie findet sich nach allgemeiner Auffassung am echtesten im *Markus*-Evangelium, dem ältesten neutestamentlichen Evangelium, das etwa 30–40 Jahre nach dem Tode Jesu entstanden ist. Auch in den beiden weiteren sogenannten synoptischen Evangelien *Matthäus und Lukas,* entstanden um etwa 70–80 n.Chr., ist der Kern der Verkündigung Jesu gesichert; sie fußen außer auf Markus noch auf weiteren Quellen, insbesondere der sogenannten *Logienquelle* Q, einer nicht überkommenen Sammlung von Sprüchen Jesu, und zeigen nur wenige Umbildungen durch ihre Verfasser bzw. die juden- oder heidenchristliche Gemeinde, die von bedeutendem Gewicht sind. Einen erheblichen Bestand echter Verkündigung Jesu enthält weiter das apokryphe *Thomas*-Evangelium (wohl noch vor 100 n.Chr. entstanden), ebenfalls eine Spruchsammlung, die vollständig erst 1945 bei Nag Hammadi (Ägypten) aufgefunden wurde. Es ist noch keineswegs ganz erschlossen und verarbeitet; klar ist jedoch, daß es neben authentischem Gut auch starke spekulativ-gnostische Einflüsse aufweist. Eine vom historischen Standpunkt aus ebenfalls gravierende Umgestaltung im Sinne einer Verklärung, ja Mystifikation, zeigt schließlich das *Johannes*-Evangelium (entstanden um etwa 100–110 n.Chr.); hier sind bedeutende Einflüsse des hellenistischen Christentums und besonders der Gnosis unverkennbar.
Die weiteren Schriften des Neuen Testaments, besonders die Briefe des Paulus, Petrus und Johannes sowie die Apokalypse Johannis, zeigen ein deutliches Desinteresse an der historischen Person Jesu von Nazareth und seiner Verkündigung. Sie kreisen vorrangig um den ›erhöhten‹ Christus und die Bedeutung von Kreuz und Auferstehung für die Befreiung des Menschen. Trotzdem enthalten auch sie noch manch ursprüngliches Gut aus der Predigt Jesu und orientieren sich im übrigen weitgehend an seinen Intentionen und Zielen.
Die Predigt Jesu und sein Handeln sind somit in ihrem *authentischen Gehalt* aus dem biblischen (und verwandten) Material, wie es uns in seiner Gesamtheit vorliegt, herauszuarbeiten und darzustellen; die entfernteren zeitgenössischen Quellen können hier wegen ihrer geringen Ergiebigkeit weggelassen werden. Dabei ist das Schwergewicht auf die Prüfung der Synoptiker Markus, Matthäus und Lukas zu legen, und es wird ergänzend und bekräftigend auf Johannes und das apokryphe Thomas-Evangelium sowie die weiteren neu- und alttestamentlichen Schriften einzugehen sein. Inhaltlich ist darauf zu achten, den Unterschied der Verkündigung Jesu von charakteristischen Eigentümlichkeiten des zeit-

genössischen Judentums und der Urchristenheit zu berücksichtigen sowie den sinnvollen Zusammenhang der einzelnen als echt in Frage kommenden Elemente der Jesus-Überlieferung ins Auge zu fassen. Mit alledem ist eine Konzentration auf die Verkündigung einschließlich des Wirkens des *historischen Jesus* anvisiert (nach *Jeremias* u.a.) – was das Weiterwirken Jesu in seiner ›Erhöhung‹, wie noch zu zeigen sein wird, nicht aus-, sondern einschließen soll.

Auf diese Weise wird freilich der herkömmlichen Behauptung widersprochen, daß die gesamte Botschaft der Bibel etwa von gleicher Wertigkeit und von gleichem Rang sei. Die Predigt Jesu von Nazareth ist vielmehr erstrangig, wobei die Relevanz der übrigen Teile der Bibel keineswegs herabgemindert werden soll. Wenn aber ein unterschiedlicher Rang verschiedener Teile vorliegt, geht es auch nicht ohne Widersprüche ab und muß u.U. eine Entscheidung für oder wider den einen oder andern Teil getroffen werden. Dies ergibt sich schon ganz einfach aus den gegenüber dem Alten Testament stark zugespitzten und somit veränderten Zusagen und Forderungen Jesu. Es läßt sich ferner z.B. gegenüber den paulinischen und johanneischen Schriften im Neuen Testament nachweisen; auch sie sind danach zu beurteilen, ob sie die Höhe der Verkündigung Jesu durchhalten. Demgegenüber mag man zwar einwenden, dadurch werde der (absolut gedachte) Wahrheitsgehalt der Bibel insgesamt relativiert. Das ist jedoch aus den ausgeführten Gründen unvermeidbar. Außerdem wird dazu die Auffassung vertreten, daß eine absolute Wahrheit dem Menschen (jedenfalls bislang) ohnehin nicht erkennbar ist. Was erkannt wird, ist nur Wahrheit im Ansatz und im Vollzug. Weiter kann man gegenüber der hier vertretenen Anschauung noch behaupten, sie widerspreche der herkömmlichen Lehre von der göttlichen, womöglich verbalen Inspiration der Bibel. Aber auch hier muß bedacht werden, daß auch dann, wenn Gott in der Bibel spricht, er durch Menschen in all ihrer Endlichkeit und Unvollkommenheit spricht; diese können sich der Wahrheit immer nur annähern, und zwar am besten im praktischen Wirken.

Wie wird nun die Verkündigung Jesu, die auf die obengenannte Weise herausgestellt worden ist, für den *heutigen Menschen* von Bedeutung? Nachdem sie den bezeichneten Quellen entnommen und von nachträglichen Neu- und Weiterbildungen oder auch Rückfällen der juden- oder heidenchristlichen Gemeinde gereinigt worden ist, gilt es, sie in die neuzeitliche Sprache, ja die gesamte Welt des heutigen Menschen zu übersetzen. Dabei muß wie folgt unterschieden werden: Die Sprache der Verkündigung Jesu und der Bibel überhaupt, etwa die Begriffe ›Sünde‹, ›Buße‹, ›Glaube‹, auch die begrifflichen Aussagen von ›Gott‹, ›Christus‹, dem ›Reich Gottes‹ usw. bedürfen der *Übersetzung*, Verdolmetschung in heute verständliche und gebräuchliche Begriffe. Des weiteren ist in der Bibel eine Unzahl von Bildern enthalten, sie kennt Mythen, in ihr sind magische Vorstellungen und archaische Strukturen vorhanden.

Diese erfordern *Auslegung*, Interpretation und Deutung. Das gilt z.B. für die biblische Sprache von Gott als ›Vater‹, ›Herr‹ und ›Richter‹ der Welt, von Jesus als ›Gottes Sohn‹ und ›Menschensohn‹, von vergangenen mythischen Geschehnissen (z.B. Jungfrauengeburt und Verklärung Jesu) und zukünftigen erhofften Ereignissen (wie die Parusie = Wiederkunft Christi). Dabei werden einerseits die modernen Hilfsmittel der Psychologie, Soziologie, Historik usw. zu berücksichtigen sein. Andererseits ist sicherzustellen, daß der eigentliche theologische oder philosophische Gehalt nicht verkürzt oder gar eliminiert wird. Schließlich muß auch noch versucht werden, soweit dies eben möglich ist, zu einer eindeutigen und gesicherten Verkündigung zu kommen – in der Vergangenheit konnte sich nahezu jede Geistes – und Ungeistesrichtung auf die Bibel berufen! – und tatsächlich vorhandene, der Sache nach unauflösliche Paradoxien klar herauszustellen.

Auch mit dieser Anschauung von der Auslegungsfähigkeit archaisch-magischer und besonders mythologischer Vorstellungen wird noch einmal die Wahrheitsfrage berührt. Es ist indessen nicht zu bezweifeln, daß nicht nur in der Bibel allgemein, sondern in gewissem Umfang auch in der Verkündigung Jesu sich die mythische Weltvorstellung seiner Zeit widerspiegelt. Diese kann jedoch nicht verabsolutiert werden, sondern stellt bloß den äußeren Rahmen der Verkündigung dar, in dem die eigentliche Aussage Jesu möglich wird. Sie bedarf somit der Entmythologisierung, wie dies im übrigen Jesus selbst bereits angedeutet hat (s. im einzelnen später!). Freilich muß auch bei der Transformation einer mythisch geprägten Aussage in die heutige Vorstellungswelt beachtet werden, daß jede einseitige Überführung in die bloß existentiale oder soziale bzw. geschichtliche Dimension und überhaupt eine voreilige Totaldeutung unterbleibt, weil dies einer neuen Mythologisierung gleichkäme. Die hier vor uns liegende Aufgabe ist zwar, wie schon aus den vorstehenden Andeutungen zu entnehmen ist und hier näher nicht behandelt werden kann, mit zahlreichen Schwierigkeiten und Gefahren verbunden, sie kommt auch nur zu begrenzten Lösungen. Trotzdem muß sie in Angriff genommen werden und wir dürfen auch (nach einem Jesus in Joh 16,13 zugeschriebenen Wort) darauf vertrauen, daß dies nicht vergebens sein wird: »Wenn aber jener kommt, der Geist der Wahrheit, wird er euch in alle Wahrheit leiten; denn er wird nicht von sich aus reden, sondern was er hört, wird er reden, und das Zukünftige wird er euch verkündigen!«

I

Die Grundlagen des Reichs Gottes

1 Das Zentrum der Verkündigung Jesu: das Reich Gottes (die Gottesherrschaft)

Im Mittelpunkt der so verstandenen Verkündigung Jesu von Nazareth, die uns im folgenden beschäftigen soll, steht seine Lehre vom *Reich Gottes*[1] (griech. *basileia tou theou*, aram. *malkuta di jahwe*). Das ergibt sich zunächst einmal rein äußerlich aus dem ungewöhnlich häufigen Gebrauch des Wortes Reich Gottes (bzw. Himmelreich oder Reich) durch Jesus, besonders in den synoptischen Evangelien (so bei Markus 13mal und in den Matthäus/Lukas-Worten 9mal, darüber hinaus bei Matthäus noch 27mal und bei Lukas 12mal), aber auch bei Thomas, dagegen kommt es im Johannes-Evangelium nur noch 2mal vor. Es folgt aber auch aus dem gesamten Sinn und Gehalt der Predigt Jesu, die durchgängig, wie noch auszuführen sein wird, das Reich Gottes zum alles tragenden und erhellenden Zentrum hat und nicht etwa andere Themen wie z.B. Gott als solchen oder Jesus selbst oder den (christlichen) Glauben.

Wenn hier vom Reich Gottes gesprochen wird, so ist zunächst klarzustellen, daß diesem Begriff auch eine Reihe *anderer Bezeichnungen* entsprechen, die alle dasselbe wie Reich Gottes bedeuten. So wird Reich Gottes z.B. vielfach als Herrschaft Gottes oder auch als Königreich (bzw. Königsherrschaft) Gottes übersetzt. In den Evangelien ist daneben oft einfach vom Reich die Rede. Im Matthäus-Evangelium wird regelmäßig vom Himmelreich (Reich der Himmel oder Himmelsherrschaft) gesprochen, wobei zu beachten ist, daß diese Bezeichnung von Matthäus nur aus Scheu vor der Nennung des Namens Gottes gebraucht wird, aber

1 Vgl. Bultmann, Theologie, 3: »Der beherrschende Begriff der Verkündigung Jesu ist der Begriff der Gottesherrschaft (basileia tou theou)«, im Anschluß an Weiß und Schweitzer; des weiteren Braun, Jesus, 54 (»Die ›Königsherrschaft Gottes‹ ist das Zentrum der Endverkündigung Jesu«); Bornkamm, Jesus, 62 (»Einziger Inhalt seiner Botschaft«); Jeremias, Theologie, 99 (»Das zentrale Thema der öffentlichen Verkündigung Jesu«); Kümmel, Theologie, 30 (»Der für Jesu Verkündigung kennzeichnendste Begriff«); Bartsch, Jesus, 58 (»Jesus verkündigte das kommende Gottesreich, sonst nichts«) u.v.m. Zur näheren Begründung auch Wenz, Reich Gottes, 16ff.

keinen gegenüber der Bezeichnung Gottesreich abweichenden Inhalt hat. Dasselbe gilt manchmal auch für das Wort Himmel. Schließlich wird das Reich Gottes gelegentlich, besonders bei Johannes, als Leben bezeichnet. Auch hier geht es aber in der Regel um nichts wesentlich anderes.

Was ist nun mit der Bezeichnung Reich Gottes gemeint?

Ganz allgemein gesprochen kann man sagen, daß Jesus mit dem Reich Gottes, der Gottesherrschaft eine *besondere Beziehung Gottes* anspricht, die zur *Welt* und besonders zum *Menschen* besteht. Dieses Verhältnis ist zunächst dynamischer Natur. Es beinhaltet ein gestaltendes Wirken Gottes – dem entspricht das Wort Gottesherrschaft am besten. Diese Beziehung hat in ihren jeweiligen Ergebnissen aber auch statischen Charakter; das wird durch die Bezeichnung Reich Gottes oder Himmelreich festgestellt, in das man ›eingehen‹ kann.

Es ist zu überlegen, welchen Inhalt dieses Verhältnis, diese Beziehung zwischen Gott und den Menschen hat. Sie kann vorläufig als *Führung* oder *Herrschaft Gottes* über die Menschen und die Welt bezeichnet werden. Damit ist ihr Gehalt auf der Seite Gottes gekennzeichnet. Was das im einzelnen heißt, soll zuerst in den folgenden Kapiteln erörtert werden.

Auf Seiten des Menschen liegt in dem Verhältnis mindestens eine *Bejahung* der Führung durch Gott. Man kann auch von einer Annahme der Herrschaft Gottes sprechen. Die Annahme dieser Führung Gottes soll eine Umgestaltung, eine Neuwerdung von Mensch und Welt bewirken und in letzter Vollendung die Erfüllung des Willens Gottes durch den ›Neuen Menschen‹ in einer ›Neuen Welt‹. Auch den hiermit zusammenhängenden Fragen sind mehrere der folgenden Kapitel gewidmet.

Jesus ruft die Menschen auf: »Kehrt um, denn das Himmelreich ist nahe herbeigekommen!« (s.z.B. Mt 4,17 und viele ähnliche Stellen). In diesem grundlegenden Wort[2] ist zunächst die schon angesprochene *Zweigliedrigkeit* des Begriffs Reich Gottes spürbar: einerseits wird von ihm gesagt, daß es gerade als Herrschaft Gottes nahe herbeigekommen, herangenaht sei. Andererseits wird das Kommen dieses Reichs von Gott aus ergänzt durch die Forderung an den Menschen, sich in bestimmter Weise auf dieses Reich hin zu verhalten, also sich zu ändern und umzukehren. Erst wenn beide Momente zusammentreffen, soll es zu einer Entfaltung und schließlichen Vollendung der Gottesherrschaft kommen.

In dem Wort Jesu, daß das Reich Gottes nahe herbeigekommen sei, steckt aber auch die Aussage, daß es sich hier um einen Entwicklungs-

2 Dieses Wort (und die Par Mk 1,15) bezeichnet das Programm der Verkündigung Jesu in sachlich zutreffender Zusammenfassung, auch wenn die Formulierung möglicherweise von der Gemeindeterminologie geprägt ist (s. Braun, Jesus, 58.59; Jeremias, Theologie, 99.100 u.a.).

vorgang, einen Prozeß handelt. Das wird ebenso in anderen Logien deutlich. So sagt Jesus z.B., daß das Reich bereits jetzt »hereinbreche« (Mt 11,12, s.S. 163) und daß den Menschen »in Bälde Recht geschaffen« werde (Lk 18,8). Er bittet, daß das Reich Gottes endgültig »kommen« möge (so beim Vaterunser in Mt 6,10 Par: »Dein Reich komme«; ferner sprechen vom Kommen des Reichs Gottes z.B. Mk 9,1 Par; Lk 22,18 Par u.v.m.). Schließlich folgt dies auch aus den sogenannten Wachstumsgleichnissen, bei denen Jesus die Gottesherrschaft mit einem Senfkorn oder einem Sauerteig oder auch einer Saat vergleicht, die zur Ernte reif wird (z.B. Mt 13,31ff Par; Mk 4,26ff; 4,3ff Par u.a.). Andererseits gibt es eine dem gegenüberstehende Auffassung, die Jesus, im Anschluß an das Alte Testament, ebenfalls gehabt haben dürfte. Diese geht vom ewigen Bestehen der Herrschaft Gottes aus (s.z.B. Mt 11,25 Par, im Anschluß an Ps 145,13: »Dein Reich ist ein Reich für alle Ewigkeit, und deine Herrschaft währt von Geschlecht zu Geschlecht« und ähnliche Stellen). Inwieweit im Kommen des Reichs Gottes nun ein Prozeß in der Zeit zu sehen ist und in welcher Beziehung dieser zum ewigen Bestehen des Reichs steht, wird noch später zu erwägen sein. Im vorliegenden Zusammenhang mag genügen, daß der angesprochene Entwicklungsvorgang als ein Prozeß der Offenbarwerdung der Gottesherrschaft gedacht werden kann, der sich im *Fortlauf der Zeit* abspielt, möglicherweise über diese aber auch noch hinausgreift.

Eine weitere Spannung besteht in der Frage, *wo*, an *welchem Ort* das Reich Gottes, die Gottesherrschaft, Platz greifen soll. Jesus spricht davon, daß das Reich zu den auf dieser Erde Lebenden kommen werde (s. Mk 9,1 Par) und daß im Rahmen seines Eintreffens der »Menschensohn« »auf einer Wolke« zur Erde kommen solle (Mk 13 Par und öfter). Er sagt, daß das Reich mit ihm, dem Menschen Jesus, bereits in dieser Welt eingeleitet worden sei (z.B. Lk 11,20 Par: »Wenn ich dagegen durch den Finger Gottes die Dämonen austreibe, so ist ja das Reich Gottes zu euch gekommen«). Zum anderen herrscht Gott auch im ›Himmel‹, als Raum der Ewigkeit verstanden, wie schon in dem obigen Psalmwort angedeutet wurde. Auch mit dieser Gegenüberstellung wird augenscheinlich angezeigt, daß das Reich Gottes sich auf dieser Erde offenbaren soll, es aber in seiner ganzen Bedeutung und mit seinem vollen Gewicht die irdische Endlichkeit überschreitet. Auch das soll im einzelnen noch später erläutert werden.

Wie bereits angesprochen, steht das Kommen der Herrschaft Gottes in unmittelbarem *Zusammenhang* mit dem *historischen Kommen Jesu von Nazareth*. Das ahnen einige Menschen bereits bei seiner Geburt (vgl. dazu die Weihnachtsgeschichte bei Mt 1,18ff; Lk 2,1ff mit ihren mythisch gefärbten Begleitumständen). Mit seinem Wirken, z.B. den Krankenheilungen und Dämonenaustreibungen, gewinnt das Reich Gottes Geltung und Konturen (Matthäus zeigt diesen Zusammenhang etwa in Mt 4,23: »Und er zog umher in ganz Galiläa, lehrte in ihren Synagogen, predigte die frohe Botschaft vom Reich und heilte jede Krankheit und jedes Gebrechen im Volke«). Das Reich Gottes trägt mit der Kreuzigung Jesu, seiner ›Auferstehung‹ und ›Himmelfahrt‹ einen Sieg davon (s.z.B. Lk 23/24 Par). Dieser wird wirksam in dem von der Apostelgeschichte des Lukas (Apg 2) geschilderten Pfingstereignis. Das Reich Gottes soll sich letztlich und voll durchsetzen in der ›Wiederkunft‹ des auferstandenen Jesus Christus, der mit dem kommenden ›Menschensohn‹ gleichgesetzt wird (s.z.B. Mk 14,62 Par u.a). Hier wird (vielfach in Mythen eingekleidet) ausgesprochen, daß Jesus die Gottesherrschaft nicht nur einfach verkündet hat, sondern mit ihr auch in besonderer Weise als Person verbunden ist. Das Reich Gottes ist damit nicht nur ein sachliches Verhältnis, das zwischen Gott und der Welt besteht, sondern hat auch eine entscheidende *personale Komponente.* Diese Fragen sollen im einzelnen ebenfalls noch in den späteren Kapiteln geklärt werden.

Welches *Ziel* soll nun die Herrschaft Gottes im einzelnen für die Menschen und die Welt haben?

Auch das ist in vielen Ausführungen von Jesus erläutert worden. Das Reich Gottes soll dem *Menschen* und der *Welt,* allgemein gesprochen, das *Heil* bringen. Es wird die Zeit der Freude, nicht des Trauerns und Fastens, sein (s.z.B. Mk 2,19 Par). Glück, Frieden und ›Seligkeit‹ sollen herrschen (vgl. die Seligpreisungen in Mt 5,3ff Par). Kurz, es wird die Hoch-Zeit des Menschen sein (s. das Gleichnis vom großen Hochzeitsmahl bei Lk 14,15ff Par und ähnliche Mahl-Vorstellungen). Das Reich Gottes bedeutet somit die ›Erlösung‹ des Menschen und der Welt und das heißt, ihre Befreiung von allem Bösen, von Leiden, Schuld und Knechtschaft (vgl. z.B. Lk 4,16ff, s.S. 24).

Wie sich *im einzelnen* das Reich Gottes zuletzt gestalten wird, ist damit *nicht* gesagt und soll auch nicht gesagt werden[3]. Zwar wird die endgültige ›Erlösung‹ des Menschen auch nach Jesu Vorstellung von dem eschatologischen (endzeitlichen) Drama eines übernatürlichen Eingriffs Gottes in die Welt vorbereitet und begleitet werden. Desgleichen hat Jesus über den Endzustand des Reichs Gottes Anschauungen, die mythologisch geprägt sind (vgl. besonders die Predigt von den apokalyptischen ›Wehen‹ und vom Kommen des ›Menschensohns‹ in seiner Herrlichkeit, Mk 13 Par, im einzelnen s. später). Jesus gewinnt jedoch Abstand von den zeitgenössischen jüdischen Vorstellungen über die Endzeit, die sich in Berechnungen und vielfach widersprüchlicher Spekulation und Fantastik ergehen, und betont, daß die Begleiterscheinungen und der Endzustand im einzelnen sowie die genauen zeitlichen und örtlichen Umstände

3 In diesem Sinne auch Bultmann, Jesus, 31, wonach Jesus die »ganze Weisheit der apokalyptischen Spekulation ablehnt«; ebenso Bornkamm, Jesus, 60.84 (»Verzicht auf das Ausmalen der künftigen Welt«); Jeremias, Theologie, 139 u.a.

unseren Feststellungen entzogen sind und bei Gott stehen. Damit *entmythologisiert* Jesus bereits deutlich[4].

Hierzu sei zunächst auf das alte Logion Lk 17,20.21 hingewiesen: »Das Reich Gottes kommt nicht so, daß man es beobachten könnte. Man wird auch nicht sagen: Seht hier! oder dort!« Für die Zeitfrage sind wichtig Mk 13,32 Par: »Über jenen Tag aber oder die Stunde (des Reichs) weiß niemand etwas, auch die Engel im Himmel nicht, auch der Sohn nicht (!), sondern nur der Vater« und Mt 25,13 Par: »Darum wacht! Denn ihr wißt weder den Tag noch die Stunde« (ähnlich noch Mt 24,42.44.50 Par; ferner als Nachklang Apg 1,7). Auch zur Ortsfrage äußert sich Jesus kritisch. So in Mt 24,26–28 Par: »Wenn man nun zu euch sagt: Seht, er ist in der Wüste, so geht nicht hinaus, seht, er ist in den Gemächern, so glaubt es nicht. Denn wie der Blitz vom Osten ausfährt und bis zum Westen leuchtet, so wird die Ankunft des Sohns des Menschen sein. Wo das Aas ist, da werden sich (auch) die Geier sammeln.« Schließlich sei noch auf die Stelle Lk 13,24 hingewiesen, wo Jesus die Frage nach der Zahl der Erlösten im Reich Gottes mit der Aufforderung abschneidet: »Ringt danach, daß ihr durch die enge Tür eingeht!« Zu anderen Modalitäten des Reichs, die von Jesus ebenfalls entmythologisiert wurden, s. später.

Mit Jesu Verkündigung über das Kommen und den Endzustand des Reichs Gottes ist letztlich jede spekulative Berechnung des Wie, Wann und Wo der Gottesherrschaft ausgeschlossen. Entscheidend ist und bleibt die *Verheißung der ›Erlösung‹* und somit der *Befreiung vom Übel* und der *Fülle des Lebens.* Diese ›Erlösung‹ ist nicht nur als Abschluß und Vollendung des bisherigen Lebens auf dieser Welt gedacht, sondern auch als das dem bisherigen und jetzigen Leben Entgegengesetzte, ganz Andere, eben Göttliche, das aber paradoxerweise in dieses Leben eingehen und es völlig umwandeln und neu gestalten soll. Die Gottesherrschaft in diesem Sinne bedeutet also ein völlig neues Sein, eben die Bindung von Mensch und Welt an Gott und seinen Willen und nicht nur an das vergängliche Äußere ihrer eigenen Erscheinung, und daraus resultierend die wirkliche, endgültige und umfassende Heilung sowie Befreiung von Mensch und Welt.

2 Die Herrschaft Gottes als Zuwendung und Forderung

Im folgenden sollen nun die wesentlichen Elemente, Bestandteile der Verkündigung Jesu vom Reich Gottes, wie sie unter Kapitel 1 nur kurz

4 Als Mythos wird hier die Erzählung über das Wirken Gottes (bzw. von Göttern) angesehen, die in die Form eines bestimmten (zeitbedingten) Weltbildes gekleidet ist; er vermengt die Gegenständlichkeit mit den eigenen, aus dem Unbewußten stammenden Wünschen und Ängsten, s. Niederwimmer, Jesus, 42ff (nach C. G. Jung). Das Gemeinsame der zitierten Worte Jesu, somit ihre entmythologisierende Tendenz, liegt in der Zurückdrängung der unkontrollierten Mächte des Unbewußten.

angedeutet worden sind, des näheren betrachtet werden. Es ist danach zunächst zu erwägen, was nach Jesu Auffassung eigentlich Gottes *Herrschaft* über den Menschen und die Welt bedeutet. Welchen Herrschaftsanspruch erhebt Gott über Mensch und Welt? Mit welchem Herrschaftsbegehren kommt er ihnen nahe? Wie führt er sie?

2.1 Die Zuwendung (›Gnade‹) Gottes

Die Herrschaft Gottes besteht nach Jesu Verkündigung in der *Zuwendung Gottes* zum *Menschen* und zur *Welt*, in seinem Entgegenkommen ihnen gegenüber, in seiner Verbundenheit und Gemeinschaft mit ihnen. Ja, man kann die Zuwendung Gottes auch als Unterordnung und sogar als Aufopferung gegenüber den Menschen und der Welt beschreiben. Damit besteht ein radikaler Gegensatz zum Wesen der Herrschaft im üblichen Sinne, die bekanntlich in der Unterordnung der Beherrschten und oftmals ihrer Aufopferung zu liegen pflegt. Hier kommt Gott dagegen den Menschen entgegen und hat Verbindung mit ihnen, er dient ihnen und steht zurück. Hier besteht die Führung darin, daß Gott den Menschen aus ihrer Not und Entfremdung hilft, sie sich in Freiheit entwikkeln läßt und ihnen nicht in autoritärer Weise Vorschriften macht. Dies ist als entscheidendes Paradox zu erfassen und, auch mit Bezug auf die nachfolgenden Ausführungen, im Sinne einer tiefgreifenden Kritik jeder anderen Herrschaft und Macht festzuhalten[5].
In diesem Zusammenhang ist zunächst der durchgängige *Vorrang* der *Zuwendung*, des Entgegenkommens Gottes *vor* der *Forderung*, dem Anspruch Gottes gegen den Menschen zu betonen. Die Herrschaft Gottes im so verstandenen Sinne besteht also in *erster* Linie in seiner Zuwendung zu den Menschen. Damit ist im einzelnen gemeint: in seiner *Vergebung der ›Sünde‹ und Schuld*, in der *Befreiung von Leiden, Not und Elend* sowie in der *Verheißung eines unentfremdeten Lebens* und der *Zusage voller Sinnerfüllung*. Erst in *zweiter* Linie besteht sie in seinem *sittlichen Anspruch*, in seiner *Forderung*, im *ethisch-moralischen Sollen* des Menschen[6]. Dabei darf allerdings nicht verkannt werden, wie noch

5 Die *grundlegende* Bedeutung der Zuwendung oder (wie es meist formuliert wird) der Gnade Gottes betonen besonders Braun, Jesus, 133ff (138) (»Die radikale Gnade Gottes«, aus der »die Dankbarkeit und Liebe des Menschen erwächst«, »die Grundgenerosität Gottes«); Bornkamm, Jesus, 68ff (70). 132 (»Die Gottesherrschaft« als »gnadenvolles Tun«, als »Zuruf und Zuspruch« [von Gnade] und als »Barmherzigkeit«, die »keine Grenze kennt«); ferner Bartsch, Jesus, 105 (»Die Herrschaft Gottes bedeutet seine Zuwendung in Liebe zu jedermann unangesehen seiner Stellung«) u.a.

6 So auch Braun, Jesus, 135.137.141, wonach »der Gehorsam der Liebe aus der Gnade [Gottes] hervorwächst«; weiter Bornkamm, Jesus, 76 (»Die Umkehr entsteht an der Gnade [Gottes]«) u. Kümmel, Theologie, 49 (»Die Erfahrung der Liebe Gottes in der Begegnung mit Jesus ist die Voraussetzung und Ermöglichung des Gehorsams gegen die durch Jesus verkündete Forderung Gottes«) usw.

darzulegen sein wird, daß beide Punkte, nämlich der Zuspruch Gottes an den Menschen und sein Anspruch ihm gegenüber, unlösbar zusammenhängen.
Die Zuwendung Gottes, seine ›Gnade‹ (wie es traditionell oft heißt), wird in der Darstellung Jesu besonders deutlich bei seiner *Annahme der ›Sünder‹*, also in erster Linie der *Ungerechten* und *Rechtsbrecher*, und der an sie gerichteten Zusage der *Vergebung ihrer ›Sünde‹*.

Dazu vergleiche man nur Mk 2,17 Par, wo Jesus (gewissermaßen als Repräsentant Gottes) zu Pharisäern sagt: »Ich bin nicht gekommen, um Gerechte (zur Gottesherrschaft) zu berufen, sondern Sünder. Nicht die Starken bedürfen des Arztes, sondern die Kranken (!)« und Lk 19,10 im Zusammenhang mit dem großen Mahl bei dem Zolleintreiber Zachäus: »Denn der Sohn des Menschen ist gekommen, um das Verlorene (!) zu suchen und zu retten.« Entsprechend verkündet Jesus den Kranken und Leidenden die Vergebung ihrer ›Sünden‹, bevor sie geheilt wurden, ebenfalls stellvertretend für Gott (s. etwa Mk 2,5 Par; ähnlich Lk 7,48: »Deine Sünden sind dir vergeben«; zur Frage der Stellvertretung s. später).

Das Entgegenkommen Gottes wird in der Predigt Jesu weiter ausgestaltet in den sogenannten *Seligpreisungen*, die sich an die *Elenden* und *Notleidenden* allgemein richten und ihnen die *Aufhebung ihrer Armut, Not und Verzweiflung* und eine *unentfremdete und sinnerfüllte Existenz* verheißen.

Besonders eindringlich ist die – im wesentlichen ursprünglichere[7] – Formulierung bei Lukas (6,20–23; ähnlich EvThom 49a.54.68.69a und b):
»Und er erhob seine Augen auf seine Jünger und sprach:
Selig seid ihr Armen; denn euch gehört das Reich Gottes.
Selig seid ihr, die ihr jetzt hungert; denn ihr werdet gesättigt werden.
Selig seid ihr, die ihr jetzt weint; denn ihr werdet lachen.
Selig seid ihr, wenn euch die Menschen hassen und wenn sie euch ausschließen und schmähen und euren Namen als einen bösen ächten (um des Sohnes des Menschen willen – möglicherweise ein späterer Zusatz!).
Freut euch an jenem Tage und frohlockt; denn seht, euer Lohn wird groß sein im Himmel . . .«
Die Darstellung bei Matthäus (5,3–12) ist demgegenüber zwar umfassender, sie ist zum Teil jedoch überarbeitet. Sie läßt den ursprünglichen Gedanken der Zuwendung Gottes gerade zu den Armen und Verlorenen nur noch bruchstückhaft erkennen und betont eher den sittlichen Anspruch Gottes und die damit verbundene Verheißung.
Jesus wendet sich in dieser Version an die ihm folgende Volksmenge und verkündet ihr:
»Selig sind die geistlich (d.h. um des Geistes willen) Armen; denn ihrer ist das Himmelreich.
Selig sind die Trauernden; denn sie werden getröstet werden.
Selig sind die Sanftmütigen (soll heißen: die Gewaltlosen); denn sie werden das Erdreich besitzen.

7 S. z.B. Jeremias, Theologie, 114; Bultmann, Jesus, 23.138 (mit weiterer Begründung in Tradition, 114ff); Bartsch, Jesus, 114ff.

Selig sind, die hungern und dürsten nach der Gerechtigkeit; denn sie werden gesättigt werden.
Selig sind die Barmherzigen; denn sie werden Barmherzigkeit erlangen.
Selig sind, die reinen Herzens sind; denn sie werden Gott schauen.
Selig sind die Friedfertigen (also: die Friedensstifter); denn sie werden Söhne Gottes heißen.
Selig sind, die um der Gerechtigkeit willen verfolgt werden; denn ihrer ist das Himmelreich.
Selig seid ihr, wenn sie euch schmähen und verfolgen und alles Arge gegen euch reden (um meinetwillen) und damit lügen.
Freut euch und frohlockt, weil euer Lohn groß ist im Himmel . . .«
In dieselbe Richtung wie die Seligpreisungen weist ferner die programmatische Ansprache Jesu in der Synagoge von Nazareth (Lk 4,16–21), wo er die Stelle Jes 61,1.2 anführt: »Der Geist des Herrn ruht auf mir, weil er mich gesalbt hat; er hat mich gesandt, den Armen frohe Botschaft zu bringen, den Gefangenen Befreiung zu verkündigen und den Blinden das Augenlicht, die Zerschlagenen zu befreien und zu entlassen, ein Gnadenjahr des Herrn zu verkündigen« und fortfährt: »Heute ist dieses Schriftwort erfüllt vor euren Ohren« (in ähnlichem Sinn ferner Mt 11,2–6 Par, s. später).
Ganz allgemein und umfassend ist schließlich der Zuspruch des Reichs Gottes in Mt 11,28–30 Par EvThom 90, einem Logion, das vielleicht aus einer jüdischen Weisheitsschrift übernommen worden ist: »Kommt her zu mir alle, die ihr mühselig und beladen (eigentlich: schwer Arbeitende und Lastträger) seid; ich will euch Ruhe geben. Nehmt mein Joch auf euch und lernt von mir; denn ich bin sanftmütig und von Herzen demütig; so werdet ihr Ruhe finden für euch. Denn mein Joch ist sanft und meine Last ist leicht.«

In entsprechender Weise bringt Jesus die *Zuwendung Gottes zum Menschen, seine Solidarität und Gemeinschaft mit ihm,* in zahlreichen *Gleichnissen* zum Ausdruck[8].

Besonders charakteristisch ist die bekannte Parabel vom verlorenen Sohn, der fern von seinem Vater »sein Gut mit Prassen umbrachte«, den dieser aber nach seiner Rückkehr trotzdem wieder mit Freuden in sein Haus aufnahm (s. im einzelnen Lk 15,11–32). Ebenso äußert sich Jesus in den Gleichnissen vom verlorenen Schaf und vom verlorenen Groschen (Lk 15,4–7 Par und 8–10): Auch hier geht ein Mensch dem verlorenen Schaf nach bzw. sucht das verlorene Geldstück, bis er es gefunden hat und mit Freuden an sich nimmt. In der Parabel von den zwei Schuldnern erläßt der Geldverleiher den Schuldnern ihre Schuld unentgeltlich (s. Lk 7,41ff). Das Gleichnis von den Arbeitern im Weinberg schließlich (Mt 20,1–15) spricht aus, daß auch den kurzfristig bestellten Arbeitern trotz ihrer geringen Leistung vom Hausherrn ein voller Lohn ebenso wie den ganztätig beschäftigten Arbeitern zuteil wird.

Die Verkündigung Jesu wird verdeutlicht durch sein *persönliches Verhalten gegenüber seiner Umwelt,* womit er dem zuwendenden Verhalten Gottes zu den Menschen entspricht.

8 Die Gleichnisse Jesu sprechen regelmäßig Aspekte der Gottesherrschaft an, oft auch direkt, s. Mk 4,26 und 30 Par; Mt 13,33 Par; 13,24; 13,44.45.47; 18,23; 20,1; 22,2; 25,1. Sie sind auch überwiegend als authentisch anzusehen, s. Jeremias, Gleichnisse, 15ff (grundlegend); Bornkamm, Jesus, 62ff u.v.m.

Jesus verstößt ›*Sünder*‹, z.B. Zöllner, also Steuereinnehmer, die als Betrüger bekannt und verfemt waren, sowie Dirnen und Ehebrecher, die ebenfalls aus der zeitgenössischen Gesellschaft ausgestoßen waren, nicht, sondern nimmt sie in seine Gemeinschaft auf und gibt ihnen die Möglichkeit eines neuen Lebens.

Dazu sei beispielsweise auf die Erzählungen von der Zöllnermahlzeit, Mk 2,15ff Par und vom Besuch bei dem Zöllner Zachäus, Lk 19,1ff, ferner auf die Geschichte von der Salbung durch die ›Sünderin‹, wohl eine Prostituierte, Lk 7,36ff Par und, besonders anstößig, auf den Bericht vom Gespräch mit der Ehebrecherin, Joh 7,53ff, hingewiesen.

Jesus heilt in unzähligen Fällen *Kranke, körperlich und seelisch Leidende,* und führt sogar *Sterbende* ins Leben zurück.

Zum Beleg sei nur auf die zahlreichen Heilungen und Dämonenaustreibungen, von denen das Markus-Evangelium erzählt, verwiesen: so die Heilungen von Geisteskranken, Mk 1,23ff; 5,1ff; 7,24ff; eines Aussätzigen, 1,40ff; eines Gelähmten, 2,1ff; von Blinden, 8,22ff; 10,46ff; eines Stummen, 7,31ff; des Mannes mit der »verdorrten Hand«, 3,1ff; der blutflüssigen Frau, 5,25ff; und des fallsüchtigen Knaben, 9,14ff. Bei Mk 5,22ff wird sogar von der Auferweckung einer Toten erzählt (wahrscheinlich Heilung einer Sterbenden, vgl. die Andeutungen in Mk 5,23 und 39). In den anderen Evangelien, auch bei Johannes, wird eine große Anzahl weiterer Heilungen und Dämonenaustreibungen berichtet, die ebenfalls in großem Umfang authentisch sein dürften.

Jesus wendet sich den *Armen* und *Notleidenden* zu und speist *Hungrige.*

Dazu seien die Erzählungen von der Speisung der 4000 und der 5000 genannt (Mk 6,30ff; 8,1ff Par). Besonders in der ersteren, s. Mk 8,2, wird ausdrücklich geschildert, wie Jesus »das Volk jammert; denn sie verharren schon drei Tage bei mir und haben nichts zu essen«. Diese zeichenhaften Handlungen, über die im einzelnen noch später Ausführungen zu machen sein werden, wollen jedenfalls auch die Solidarität Jesu mit den Hungrigen und Armen dartun.

Auch den *Fremden,* die von den Juden (wegen kultischer ›Unreinheit‹) gemieden wurden, ist Jesus nahe.

Das zeigen die Heilung des Knechts des römischen Hauptmanns von Kapernaum und der syrophönizischen Frau (Mt 8,5ff Par; Mk 7,24ff Par), wohl auch die Begegnung Jesu mit den Bewohnern des samaritanischen Dorfs (Lk 9,51ff) und sein Gespräch mit der samaritanischen Frau am Jakobsbrunnen bei Sychar (das durch seine genaue topographische Fixierung belegt ist, Joh 4).

Jesus pflegt betont den Umgang mit *Frauen* und *Kindern,* die ebenfalls im damaligen Judentum mißachtet, ausgenutzt und unterprivilegiert waren, und zeigt ihnen ihren Wert[9].

9 Wegen der Zuwendung Jesu zum Kinde, s. Machoveč, Jesus, 117ff und zur Frau, vgl. Braun, Jesus, 102.103.

Wegen der Frauen sind z.B. die Erzählungen von den Nachfolgerinnen Jesu in Lk 8,1ff und Mk 15,40ff Par zu erwähnen. Kennzeichnend ist auch die Episode vom Gespräch mit Maria und Martha, Lk 10,38ff. Was die Kinder betrifft, so sei auf die Begebenheit in Mk 10,13ff Par verwiesen. Dabei sagt Jesus in prononcierter Weise zu seinen Jüngern: »Laßt die Kinder zu mir kommen und verwehrt es ihnen nicht; denn solchen gehört das Reich Gottes« (ferner Mt 18,4; 21,15ff; Mk 9,37 und 10,15 Par).

Jesu Eintreten gilt allgemein der großen Masse des sozial schwachen und unterdrückten *Landproletariats*, den »*Kleinen*« und »*Geringen*« (oder »Geringsten«), wie Jesus sie nennt[10].

So heißt es z.B. in Mt 18,10.11.14: »Seht zu, daß ihr keinen dieser Kleinen verachtet! Denn ich sage euch: Ihre Engel schauen allezeit das Angesicht meines Vaters im Himmel . . . So ist es nicht der Wille eures Vaters im Himmel, daß einer dieser Kleinen verloren gehe« und in Mk 9,42 Par: »Und wer einen dieser Kleinen, die (Mt: an mich) glauben, zur Sünde verführt, für den wäre es besser, wenn ihm ein Mühlstein um den Hals gelegt und er ins Wasser versenkt wäre« (s. auch Mt 10,42: »Geringe«; 25,40.45: »Geringste«).

Die Masse des Landvolks war *arm, machtlos* und wegen seiner *Ungebildetheit verachtet,* weshalb Jesus sich besonders zu ihnen gerufen weiß: »Ich preise dich, Vater, Herr des Himmels und der Erde, daß du dies (das Geheimnis des Reichs Gottes) vor Weisen und Klugen verborgen und es Unmündigen geoffenbart hast« (Mt 11,25 Par).
Eine ganz andere, noch *tiefere Seite der Solidarität, ja Auslieferung Jesu an die Menschen* wird schließlich in seiner Hinnahme der Verhaftung, des Urteilsspruchs und seiner Vollstreckung im *gemeinen Verbrechertod* offenkundig (s.z.B. Mk 14 und 15 Par; im einzelnen s. später). Hier ist wiederum entscheidend zu berücksichtigen, daß Jesus insoweit auch als Repräsentant Gottes handelte (vgl. das – freilich allegorisch überarbeitete – Gleichnis von den bösen Weingärtnern, die von ihrem Herrn einen Weinberg gepachtet hatten und, als der Herr seine Knechte [Sklaven] zu ihnen schickte, diese umbrachten und schließlich sogar den Sohn und Erben des Herrn töteten, Mk 12,1ff Par, auch in EvThom 65). Wenn Jesus in dieser Weise Gott vertrat, hat nach seiner Vorstellung *Gott selbst* die schmähliche Verwerfung durch die Menschen auf sich genommen und auf *Herrschaft, Ansehen und Gewalt* ihnen gegenüber *verzichtet,* um damit diese Mächte der Vorläufigkeit ad absurdum zu führen. Ein größeres Entgegenkommen Gottes, eine stärkere Unterordnung und Erniedrigung Gottes ist kaum noch denkbar und nicht mehr zu überbieten.

Die so bezeichnete ›Gnade‹ Gottes setzt, jedenfalls in dieser Formulierung, eine Verurteilung des Menschen voraus. Spricht man – umfassender – von der Zuwendung Gottes, von seinem Entgegenkommen, so

10 Über die Stellung Jesu zu den »Kleinen« und »Armen«, s. Jeremias, Theologie, 113.115; Kümmel, Verheißung, 85ff.

wird an eine *Trennung* und *Entfremdung des Menschen von Gott* gedacht. Diese bedeutet, daß der Mensch von Gott abgesondert, von ihm entfernt ist und sich auch als solcher empfindet.
Jesus bezeichnet diesen Zustand des Menschen, der zeitgenössischen Redeweise entsprechend, als ›*Sünde(n)*‹ des Menschen, in engerer Bedeutung auch als seine zu verantwortende *Schuld*.

In diesem Zusammenhang soll besonders auf die Worte Jesu an den Gelähmten hingewiesen werden: »Mein Sohn, deine Sünden sind dir vergeben . . . Damit ihr aber wißt, daß der Sohn des Menschen Macht hat, auf Erden Sünden zu vergeben – sagt er zu dem Gelähmten: Ich sage dir: Steh auf, hebe dein Bett auf und geh in dein Haus« (Mk 2,5.10.11 Par; ähnlich auch zu der Prostituierten in Lk 7,47.48, S. 23). Von den Zeitgenossen Jesu allgemein heißt es mehrfach, daß es sich um ein »sündhaftes und abtrünniges Geschlecht« handele (s. Mk 8,38; Mt 12,39 Par u.a.). Kennzeichnend sind schließlich auch Jesu Worte im Vaterunser: « Und vergib uns unsere Schuld« (Mt 6,12), während Lukas auch in diesem Kontext von Vergebung der ›Sünde‹ spricht (vgl. die Par in Lk 11,4).

Jesus denkt, wenn er von ›Sünde‹ handelt, zwar zunächst an die *Verkehrtheit* des Menschen, seine *Verfehlung in ethisch-moralischer Hinsicht.* Er betrachtet aber als vielfach damit *zusammenhängend* auch sein *Leiden*, seine *Krankheit* und *materielle Not*, wie Armut und Hunger, seine *Unfreiheit*, Unterdrückung und Ausbeutung, seine *Angst* und *Sinnleere*. Umfassend gehört dazu die *ganze Entfremdung* des Menschen von Gott[11] (wie sie in der Einleitung geschildert worden ist und sich auch aus den im vorigen Absatz gemachten Ausführungen ergibt), und das heißt gleichzeitig: auch seine Entfremdung von der eigenen Bestimmung, von seinen Mitmenschen und der ihn umgebenden Welt.

Die Zuwendung Gottes zum Menschen, seine ›Gnade‹ enthält also insbesondere den *Zuspruch der ›Sündenvergebung‹*, und zwar nicht nur im engeren, sondern besonders auch im hier aufgezeigten weiteren Sinne. Danach soll zunächst dem Menschen die ›Sünde‹ im eigentlichen Sinne, seine Schuld oder Verfehlung in ethischer Hinsicht nicht angerechnet und ihm die Kraft zu einem neuen Anfang gegeben werden. Im weiteren und umfassenden Sinne (oft im Zusammenhang mit dem ersteren) sagt Gott dem Menschen die *Aufhebung seiner gesamten Entfremdung* zu und gibt ihm auch die tatsächliche Möglichkeit und Fähigkeit zur Befreiung aus dieser Entfremdung.
Die Zuwendung Gottes in diesem Sinne bedarf freilich nach Jesu Verkündigung *keiner Leistung* des Menschen; sie geht letztlich allein von

11 Daß Jesus, wie sein gesamtes Reden und Tun, z.B. in den Seligpreisungen, beweist, die *ganze* Entfremdung des Menschen im Auge hat und nicht nur ihre ›Sünde‹ im ethisch-moralischen Sinn, wird, bes. in der evangelischen Theologie, viel zu wenig berücksichtigt. Meist wird einseitig auf die Vergebung der ›Sünde‹ i.e.S. abgestellt, vgl. etwa Braun, Jesus, 133ff. Umfassender dagegen z.B. Jeremias, Theologie, 110ff, und Blank, Jesus, 76.

Gott aus. Eher fordert sie ein Fehlen von Leistung. Der Mensch soll nicht glauben, aus eigener Kraft befreit werden zu können, sondern nur auf die Zuwendung Gottes setzen und von ihr Rettung erwarten[12].

Das ergibt sich besonders aus dem Gleichnis vom Pharisäer und Zöllner (Lk 18,9–14a), das Jesus »etlichen sagte, die sich selbst zutrauten, gerecht zu sein, und die übrigen verachteten«. In dieser Beispielerzählung wird der Zöllner, der Gott lediglich um Gnade wegen seiner Verfehlung bat, als gerechtfertigt und ›erlöst‹ bezeichnet, dagegen nicht der fromme Pharisäer, der Gott vermeintlich eigene Leistungen wie Almosen (also Sozialleistungen) und Fasten vorrechnen zu können glaubte, um ›Erlösung‹ zu erlangen. Ähnliches folgt aus dem Gleichnis vom verlorenen Sohn, was das Verhalten des älteren Sohnes betrifft (Lk 15,11ff.25–32). Dieser erwartete besonderen Lohn dafür, daß er dem Vater viele Jahre gedient und nie ein Gebot von ihm übertreten hatte; dennoch wendet sich der Vater dem verkommenen Bruder zu, der nur noch auf seine Barmherzigkeit vertraute. Auch hier begegnet uns dieses Leistungsdenken, das sich auf eine Gewinn- und Verlustrechnung mit Gott einlassen will, dabei jedoch den Gnadencharakter jeder scheinbar eigenen Leistung verkennt.

Aus beiden Gleichnissen ergibt sich also, daß eine Leistung, die auf die *eigene Kraft* baut, auf sie vertraut, *verfehlt* ist. Jeder eigene Aufschwung aus der ›Sünde‹ und Entfremdung ist unzureichend. Das betrifft die Befreiung aus persönlicher oder allgemeiner Not, die Rechtfertigung durch sittliche Vollkommenheit oder Gläubigkeit und auch die geistige Sinnerfüllung. Alles dies reicht jedenfalls nicht aus. Das Leistungsprinzip führt nicht weiter. Vielmehr droht die Gefahr, daß es zu blinder Geschäftigkeit, Hochmut und elitärem Bewußtsein und schließlich zu Machtverhalten kommt. Nicht zufällig heißt es im Anschluß an das Gleichnis vom Pharisäer und Zöllner in V.14b: »Denn jeder, der sich selbst erhöht, soll erniedrigt werden.«

Diese Ausführungen bedeuten nun allerdings *nicht*, daß ein Tätigwerden des Menschen zur Befreiung aus der ›Sünde‹, der Entfremdung nicht erwartet werde. Ganz im Gegenteil, der Mensch soll selbst das Erforderliche und Angemessene zur Überwindung der Entfremdung, zur Befreiung aus Not und Elend (wie später noch im einzelnen zu zeigen sein wird) tun. Ein solches Tätigwerden muß aber in jedem Falle als von Gott ›begnadigt‹ und Auswirkung seiner Zuwendung angesehen werden und nicht als Leistung aus eigener Kraft, da es sonst nur mißraten kann.

Nach allem bisher Gesagten kann nun *zusammengefaßt* werden, daß Jesus die Zuwendung Gottes radikal auffaßt, und zwar insbesondere darin, daß sie *gerade den Elenden und Niedrigsten* entgegengebracht wird, die sie am nötigsten brauchen. Sie erstreckt sich dabei auf die *gesamte Entfremdung* des Menschen, *all sein Leiden und seine Not*, und sie verzich-

12 S. Braun, Jesus, 68: das Wohlverhalten der Menschen soll nicht als »Leistung« verstanden werden, »auf die sie sich etwas zugute tun können«; ähnlich Bultmann, Jesus, 58, und Bornkamm, Jesus, 131.

tet auf jedes *eigene Leistungsstreben* im bezeichneten Sinne. In allen diesen Punkten stimmt Jesus nicht mehr mit der zeitgenössischen jüdischen Lehre und Praxis, zumal der Pharisäer und Sadduzäer, überein, sondern geht in endzeitlicher Zuspitzung über sie hinaus.

2.2
Die Forderung Gottes, sein Gesetz

Die Zuwendung Gottes in ›Gnade‹ hängt unlösbar zusammen mit seiner *Forderung* an den Menschen, die ebenfalls, wie noch zu zeigen sein wird, als radikale verstanden werden muß.
Jesus hat die *sittlichen und kultisch-religiösen Forderungen, Gebote und Verbote des Alten Testaments,* das mosaische *Gesetz* (die Tora), in ihrer *bestehenden Fixierung zerbrochen*[13].
Dazu muß zunächst auf seine unerhörten Formulierungen in der Bergpredigt hingewiesen werden, s. Mt 5,21ff mit 5maliger Wiederholung: »Ihr habt gehört, daß zu den Alten gesagt ist: . . . Ich aber sage euch: . . .«; hier haben wir es wegen der Unvergleichlichkeit der Aussage sicher mit einer authentischen Wendung Jesu zu tun[14]. Auch seine vielfache Ausdrucksweise: »Wahrlich (= Amen), ich sage euch: . . .«, die eine außerordentliche Ermächtigung in Anspruch nimmt, ist echt und weist in die gleiche Richtung, vgl. z.B. Mk 3,28; 8,12; Mt 10,15; Lk 4,24. Mit beiden Formulierungen stellt sich Jesus in eindeutiger und unverwechselbarer Weise über Moses und das Gesetz und bezieht sich vollmächtig *unmittelbar auf Gott selbst und seinen Willen.* Keine Mächte, und seien es das Gesetz und der aus ihm hergeleitete Kultus, sollen mehr zwischen Gott und den Menschen stehen und die Verbindung zwischen ihnen unterbrechen.
Diesem Gedanken steht Mt 5,17 keineswegs entgegen:

»Meint nicht, daß ich gekommen bin, das Gesetz oder die Propheten aufzulösen. Ich bin nicht gekommen, aufzulösen, sondern zu erfüllen.« Dieses Wort, das bereits eine starke Umbildung durch die judenchristliche Gemeinde erfahren hat[15], muß unter Berücksichtigung der (wesentlich älteren) Stelle in Lk 16,16 (mit Par in Mt 11,12.13) ausgelegt werden:

13 Vgl. Braun, Jesus, 85.95; er spricht von der Außerkurssetzung des alttestamentlichen Gesetzes, »wo es notwendig ist«; Bornkamm, Jesus, 88ff (89.91): »Freiheit Jesu gegenüber dem Gesetz« »ohne Beispiel«, »Kritik« auch der »Schrift selbst«; Niederwimmer, Jesus, 53ff.84: Bruch »mit der Torafrömmigkeit und dem Gott der Torafrommen«, Überwindung »der Gesetzlichkeit als solche[r]«; ferner Goppelt, Theologie, 146; Jeremias, Theologie, 200; Schweizer, Jesus, 36; Stauffer, Jesus, 63ff u.a. *A. M.* Flusser, Jesus, 43ff (Kein Verstoß Jesu »gegen die damalige Gesetzespraxis«, vielmehr Hervorhebung der »sittliche[n] Seite des Lebens gegenüber der rein formellen Seite der Gesetzespraxis«) und andere jüdische Autoren. Die kritische Exegese ergibt jedoch klar eine Negierung der geschichtlich ausformulierten und praktizierten Gesetzesnormen durch Jesus, allerdings *nicht* eine Aufhebung der von Gott ursprünglich intendierten Schöpfungs- und Bundesordnung, die sich gerade im Reich Gottes vollenden soll.

14 S. Käsemann, Versuche I, 206; Jeremias, Theologie, 240.242 u.a.

»Das Gesetz und die Propheten galten *bis zu* Johannes; von da an wird die Botschaft vom Reich Gottes verkündet . . .!« Es meint somit nur die Geltung des Gesetzes, bis mit dem Erscheinen Jesu die neue Ordnung der Gottesherrschaft anhebt. Diese ist als Erfüllung des Gesetzes anzusehen und führt damit zugleich zu seiner Aufhebung in der alten Form. In ähnlicher Weise judenchristlich abgeändert ist das Logion Mt 5,18 Par[15], wonach »nicht ein Jota des Gesetzes vergehen wird, *bis* Himmel und Erde (nämlich mit dem Kommen des Reichs Gottes) vergehen werden« und »alles geschehen ist«. Auch hier wird noch die Vorstellung erkennbar, daß mit der hereinbrechenden Gottesherrschaft die Geltung des Gesetzes abgelöst wird.

Kennzeichnend für Jesu Trennung von dem bestehenden Gesetz und zumal von der kultisch-religiösen Forderung sind auch die Worte, die von der *Zerstörung des Tempels* in Jerusalem sprechen. Dieser repräsentierte das Gesetz und den Kultus des zeitgenössischen Judentums in besonders hervorragender Weise[16].

Hingewiesen sei hier besonders auf Mk 13,2 Par: »Kein Stein (des Tempels) wird auf dem anderen bleiben, der nicht zerstört würde« und ähnlich Lk 13,35 Par: »Seht, euer Haus wird euch öde gelassen.« Wahrscheinlich hat sich Jesus sogar in der krassen Form geäußert[17]: »Ich werde diesen mit Händen gemachten Tempel zerstören und nach drei Tagen (d.h. binnen kurzem) einen anderen aufbauen, der nicht mit Händen gemacht ist« (Mk 14,58 Par, auch bei Joh 2,21 und EvThom 71; die johanneische Interpretation vom Tempel des Leibes Jesu dürfte sekundärer Natur sein; vgl. vielsagend ferner Mk 15,29 Par und Apg 6,13). Zur Begründung seines Angriffs auf die jüdische Gesetzlichkeit ist Mt 12,6 von Bedeutung, wo Jesus über das heraufziehende Reich Gottes sagt: »Ich sage euch aber: Hier ist Größeres als der Tempel.«

Mit dem Angriff auf die Tora wird zwangsläufig auch das *staatliche Gesetz* und die *Staats- und Priestermacht* in Israel, aber auch allgemein, getroffen; denn diese beruhten auf ihr und hielten sie aufrecht. Das gleiche gilt von den verschiedenen gesellschaftlichen Gruppen, die das Gesetz und die Staatsgewalt trugen[18].

15 Vgl. Bultmann, Jesus, 47; nach ihm stammen diese Worte aus späterer Zeit, Jesus »kann [sie] nicht wohl gesprochen haben«; ähnlich Braun, Jesus, 36.74.88. Auch Goppelt, Theologie, 154ff, spricht von »redaktioneller« Gestaltung der Präambel zur Bergpredigt.

16 Ähnlich Niederwimmer, Jesus, 75.76, der auch den »Zusammenhang« der Weissagung des Tempeluntergangs mit der »Toraheterodoxie« Jesu hervorhebt; vgl. auch R. Otto, Reich Gottes, 44.45 (»Neuer Tempel« »im Gegensatze zu dem, den Israel kennt und den das ›Gesetz‹ geheiligt hat«) und Lohmeyer, Kultus, 60.76ff; danach ist der Kampf gegen den bestehenden Tempel die »eschatologische Gabe und Aufgabe des Menschensohnes«.

17 S. Jeremias, Theologie, 129.201.238; Niederwimmer, Jesus, 75 u.a.

18 Die Kritik Jesu auch am Staate und seinem Gesetz wird selten ausgesprochen, obwohl sie eine notwendige Konsequenz seiner Torakritik ist. Vgl. aber Ragaz, Reich Gottes, 67, wonach die Herrschaft Gottes sogar »den Staat aufhebt«; freilich »entspricht eine gewisse gesetzliche Ordnung Gottes Willen, solange das Reich Gottes nicht vollendet ist, nenne man das nun Staat oder nicht« (s. auch S. 123). Vorsichtiger Braun, Jesus, 91ff(94); danach scheint sich die Verurteilung Jesu durch den jüdischen Staat »in das Bild von dem Desinteresse [Jesu] an dem religiösen Recht . . . zu fügen«.

So besonders die Partei der Pharisäer. Sie waren die wichtigsten Vertreter des strikten Gesetzesgehorsams, die die Tora durch mündliche Zusätze (Halacha) sogar noch in vielen Punkten verschärften und auch in vielen staatlichen Positionen vertreten waren. Ihnen ist Jesus mit besonderer Heftigkeit entgegengetreten (vgl. Mt 23,13 Par: »Wehe euch, ihr Schriftgelehrten und Pharisäer, ihr Heuchler, daß ihr das Himmelreich vor den Menschen zuschließt; denn ihr kommt nicht hinein, und die, welche hineinwollen, laßt ihr nicht hinein«; ferner allgemein Mt 23,2ff; Lk 11,39ff und gegen die Halacha Mk 7,8 Par).
Für die Sadduzäer gilt ähnliches. Sie standen als Inhaber der bedeutendsten staatlichen und priesterlichen Ämter und Hüter des traditionellen Tempelkults ebenfalls in ausgesprochener Gegnerschaft zu Jesus (s.u.a. Mk 12,18ff Par).
Die römische Besatzungsmacht als Gesetzgeber ist natürlich von Jesus nicht angesprochen, da ihr Gesetz für den Juden mit der Tora nicht zu vergleichen war; die Macht der Römer sollte jedoch um so mehr mit dem Kommen des Reichs Gottes zurückweichen, wie noch zu besprechen sein wird.

Jesus hat insbesondere die vorhandenen *kultischen und rituellen Ge- und Verbote* des Alten Testaments relativiert und zum Teil außer Kraft gesetzt[19]; dabei übt er Kritik daran, daß sie sich in Äußerlichkeiten erschöpfen, das Wesentliche, die Liebe zum Menschen, verdrängen und zur Trennung und Entfremdung des Menschen führen.
Das gilt etwa für die *Reinheitsvorschriften* wie die, bestimmte Tiere und Speisen, aber auch Menschen, nicht zu berühren und z. B. vom Blutgenuß sich zu enthalten.

Jesus sagt dazu in einem umwälzenden Wort (Mk 7,15): »Nichts, was von außen in den Menschen hineinkommt, vermag ihn unrein zu machen, sondern was aus dem Menschen herauskommt, das macht ihn unrein« (vgl. auch die freilich schon etwas abgeschwächte Par in Mt 15,11). Dagegen sagt Lk 11,41 erneut sehr deutlich: »Doch gebt das, was darin ist (nämlich euer Inneres), als Almosen, und seht, alles ist euch rein« (s. wiederum Mt 23,26).

Jesus hat sich entsprechend zu den *Opfersatzungen geäußert*[20].

Hier ist, auch wenn es sich um ein Zitat aus Hos 6,6 handelt, auf Mt 9,13 und 12,7 zu verweisen: »Geht aber hin und lernt, was das heißt: Barmherzigkeit will ich und nicht Opfer.« In Mk 12,33 sagt Jesus ähnlich: »Und ihn (Gott) zu lieben aus ganzem Herzen und aus ganzer Erkenntnis und aus ganzer Kraft und den Nächsten zu lieben wie sich selbst, ist weit mehr als alle Brandopfer und Schlachtopfer.« Jesus kritisiert auch die zeitgenössische Sitte des sogenannten Korban, das heißt, die Ablösung der Kindespflicht gegenüber den Eltern durch eine Opfergabe an den Tempel (s. dazu Mk 7,11–13 Par). Das Wort Mt 5,23.24 bedeutet demgegenüber eine (vielleicht spätere) Einschränkung mit dem Tenor, »zuerst sich mit seinem Bruder zu versöhnen« und »dann die Opfergabe zum Altar zu bringen« (vgl. die Par in Mk 11,25). Die Stelle Mk 1,44 Par hält wohl nur deshalb die Opferpflicht eines

19 Zu diesem Komplex grundsätzlich Braun, Jesus, 72ff, der nur bei der Stellungnahme zu den Opfervorschriften zurückhaltender ist; ähnlich Niederwimmer, Jesus, 66ff.75ff, und Schäfer, Jesus, 48ff; die letzteren legen auch auf Jesu Kritik am Opferkult Wert. Noch weitgehender Lohmeyer, Kultus, s. Anm. 16, der sogar von Jesu »Nein zu allem Kultischen«, »zu Tempel und Opfer« spricht (33ff.70).
20 S. i.e. noch Anm. 128.

geheilten Aussätzigen vor dem Priester aufrecht, um sie »zum Zeugnis gegen sie« (die Priesterschaft) und ihre Hartherzigkeit zu verwenden.

Auch dem *Fasten* steht Jesus reserviert gegenüber.

Hier ist die alte Perikope Mk 2,19 Par von Interesse:
»Da sprach Jesus zu ihnen (den Pharisäern auf deren Frage, warum seine Jünger nicht fasteten): Können etwa die Hochzeitsleute (d.h. die Teilnehmer am Reich Gottes) fasten, während der Bräutigam bei ihnen ist? Solange sie den Bräutigam bei sich haben, können sie nicht fasten.« Der Nachsatz in V.20, daß sie fasten würden, »wenn der Bräutigam von ihnen genommen sein« würde, hebt die Fastenkritik nicht auf, weder wortlautmäßig noch dem Inhalt nach. Außerdem spricht die in ihm enthaltene Todesweissagung dafür, daß es sich hier um eine Gemeindebildung handelt (vgl. auch die Fassung der Par in EvThom 104b). Noch stärkere Bedenken sprechen gegen die Echtheit solcher Sprüche wie Mt 6,16–18 und Mk 9,29, beide ohne Par, die spätere Zusätze der christlichen Gemeinde sein dürften.

Zum *Beten* bezieht Jesus ebenfalls eine andere Stellung als die jüdische Tradition.

Er gibt keine Anweisungen zum kultischen Beten, etwa zu entsprechender Vorbereitung, Gebetszeiten u.ä. und übt Kritik am Beten »vor den Leuten« und »mit vielen Worten«, die er »unnützes Geschwätz« nennt (Mt 6,5ff, freilich nicht unzweifelhaft). Jesus betont vielmehr die innere Haltung des Betenden gegenüber Gott als das Entscheidende, wenn er seine Jünger aufruft, »allezeit zu beten« (Lk 18,1) und paradoxerweise erklärt: »Euer Vater weiß, wessen ihr bedürft, ehe ihr ihn bittet« (Mt 6,8).

Schließlich hat Jesus – und dies wurde im traditionellen Judentum wohl als stärkster Angriff empfunden – die bestehenden Vorschriften über die *Sabbatheiligung* relativiert[21].

Am deutlichsten wird dies in seinen (authentischen) Worten Mk 2,27: »Der Sabbat ist um des Menschen willen geschaffen worden und nicht der Mensch um des Sabbats willen« und 2,28 Par: »Der Sohn des Menschen ist Herr auch über den Sabbat.« Auf die Vorhaltungen der Pharisäer, er heile am Sabbat Kranke, z.B. einen mit einer »erstorbenen Hand« (kein unaufschiebbarer Fall!), fragt Jesus scharf zurück: »Ist es erlaubt, am Sabbat Gutes zu tun oder Böses zu tun, ein Menschenleben zu retten oder zu töten (!)?« (Mk 3,4). In der Par Mt 12,10ff ist hinzugefügt: »Welcher Mensch ist unter euch, der ein Schaf hat und, wenn es am Sabbat in eine Grube fällt, es nicht ergreift und herauszieht? Wieviel mehr wert ist nun ein Mensch als ein Schaf? Somit darf man am Sabbat Gutes tun« (ähnlich noch Lk 13,15 und 14,5).

Alle diese Beispiele, die auch noch vermehrt werden können (z.B. durch entsprechende Logien des Thomas-Evangeliums wie Log 6.14.53.89 und 104), zeigen: Jesus hat die kultisch-religiösen Vorschriften, die im mosaischen Gesetz verankert waren, aber zum großen Teil auch Zusätze des Pharisäismus enthielten, aufgehoben bzw. relativiert, um dem *tatsäch-*

21 S. Braun, Jesus, 78ff; Goppelt, Theologie, 144ff u.a.

lichen Willen Gottes Raum zu geben. Das System des Gesetzes erschien ihm nach einem Gleichnis wie ein »altes Kleid«, auf das »ein Stück neues Tuch« aufgenäht, oder wie ein »alter Schlauch«, in den »neuer Wein« gefüllt werden soll. Beides kann nicht gelingen: »Der Riß (im alten Kleid) würde dadurch nur schlimmer« und »der Wein ginge samt den Schläuchen zugrunde« (Mk 2,21.22 Par); somit muß das Gesetz zurücktreten.

Jesus hat nicht nur die kultischen und zeremoniellen, sondern auch wesentliche *sittlich-moralische Forderungen* des Alten Testaments aufgelöst – jedoch nicht, um den in ihnen steckenden Gehalt zu beseitigen, sondern um sie ebenfalls im Sinne des wirklichen Gotteswillens von Grund auf neu zu gestalten[22]. Diese ethischen Gesetze sind durch ihre Betonung des juridischen Prinzips und ihren Zwangscharakter geprägt. Dadurch sind sie vielfach erstarrt und formalisiert. Sie erschöpfen sich im äußeren Vollzug und lassen das Wesentliche, die Zuwendung zum Nächsten, außer acht. Sie führen letztlich zu falscher Sicherung gegenüber Gott und zu Ungleichheit sowie Herrschaft von Menschen über Menschen (s. Mt 23,4 Par). Jesus statuiert demgegenüber als umfassendes Gebot und grundlegenden Willen Gottes: »Du sollst den Herrn, deinen Gott, lieben mit deinem ganzen Herzen und mit deiner ganzen Seele und mit deinem ganzen Denken!« und »Du sollst deinen Nächsten lieben wie dich selbst!« (Mt 22,37–39 sowie Mk 12,29–31 und Lk 10,27); wer dem entspricht, ist nach Mk 12,34 »nicht fern vom Reiche Gottes«[23].

In beispielhafter Weise hat Jesus einige sittliche Vorschriften des Alten Testaments in seiner Bergpredigt abgeändert und radikal zugespitzt. Nach Mt 5,43.44 Par soll nicht nur der Nächste geliebt werden, wie dies auch schon in Lev 19,18 gesagt war, sondern auch und gerade der Feind. Gemäß Mt 5,38.39 gilt nicht mehr das Gesetz der Vergeltung »Auge um Auge; Zahn um Zahn« (Ex 21,23ff), sondern die Forderung, »dem Bösen nicht zu widerstehen«. Nach Mt 5,33–37 soll nicht mehr die Forderung bestehen, »nicht falsch zu schwören« und »dem Herrn seine Eide zu halten« (Lev 19,12; Num 30,3), sondern es soll überhaupt nicht mehr geschworen werden. Gemäß Mt 5,31.32 Par ist schließlich auch die im mosaischen Gesetz geregelte Ehescheidung (Dtn 24,1ff) nicht mehr dem Willen Gottes und seiner Zuwendung gemäß.
Grundlegend ist auch die in Mt 5,20 überlieferte Zusammenfassung: »Denn ich sage euch: Wenn eure Gerechtigkeit nicht besser ist als die der Schriftgelehrten und Pharisäer, werdet ihr nicht in das Himmelreich

22 Dazu ebenfalls Braun, Jesus, 86ff; Niederwimmer, Jesus, 53ff; Schäfer, Jesus, 48ff; i.ü. s. Anm. 13.
23 Zur Authentizität s. Jeremias, Theologie, 42.201.204ff; Bultmann, Jesus, 80.

eingehen«[24] (für ihre Echtheit spricht die Formulierung vom »Eingehen« in das Himmelreich, durch die auch sonst Jesus ein bestimmtes Verhalten mit dem Einlaß in das Königreich Gottes verknüpft, vgl. besonders Mk 9,43ff Par; 10,15 Par Mt 18,3; Mk 10,23ff Par; Mt 7,21; 23,13 Par). Universalen Gehalt hat schließlich die Forderung Jesu: »Ihr nun sollt vollkommen sein, wie euer himmlischer Vater vollkommen ist« (so Mt 5,48; in der Par Lk 6,36 heißt es eingeschränkter: »Seid barmherzig, wie euer Vater barmherzig ist«; von Vollkommenheit spricht ähnlich auch Lk 6,40)[25].
In allen diesen Worten hebt Jesus die *Liebe* zu Gott und dem Mitmenschen und die *Gerechtigkeit* als den wirklichen Willen Gottes hervor und spitzt sie noch radikal zu. Gleichzeitig damit werden die Gesetzlichkeit und der Moralismus relativiert.

Auch in diesem Zusammenhang ist darauf hinzuweisen, daß Jesus die Forderung Gottes nicht nur verkündigt, sondern *in seinem eigenen Verhalten* als Mensch *gelebt* hat.

Das wird nicht nur deutlich in seiner Brüderlichkeit und Solidarität mit den Schwachen und Ausgestoßenen (s.S. 25) und in seiner Ablehnung der Gesetzlichkeit (s.S. 38). Es zeigt sich auch besonders in seinen zahlreichen Heilungen entgegen dem Sabbatgebot (vgl. z.B. Mk 3,1ff Par; Lk 13,10ff und 14,1ff; ferner Joh 5 und 9), sowie typisch in der Geschichte vom Ährenausraufen am Sabbat, das den Juden als unzulässige Erntearbeit galt, Mk 2,23ff Par. Ferner sei auf Jesu ablehnende Praxis gegenüber den Reinheits- und Fastenvorschriften hingewiesen. Schließlich gehört wohl auch die Tempelaktion (oder Tempelreinigung, Mk 11,15ff Par) in diesen Zusammenhang. In ihr ist wahrscheinlich u.a. eine Attacke gegen den zeitgenössischen Opferdienst zu sehen, da dieser durch Jesu Verhalten, z.B. die Verhinderung des Geldwechselns, unmöglich gemacht wurde.

Zusammenfassend läßt sich sagen: Jesus gestaltet die Forderung der jüdischen Tradition radikal um, indem er sie auf die *konkrete Liebe und Solidarität mit dem Mitmenschen* bezieht und das *kultisch-religiöse* sowie das *gesetzliche Verhalten* in den *Hintergrund* rückt. Er spitzt diese Forderung noch stark zu, insofern als er die Liebe *auch zu den Fernsten* und besonders *zu den Feinden* fordert und dabei den *ganzen Menschen* mit seiner Entfremdung in diesen Willen Gottes einbezieht.

24 Nach Bultmann, Tradition, 161; ferner Braun, Jesus, 62.63, soll es sich bei Mt 5,20 um eine redaktionelle Bildung des Matthäus handeln, a.M. aber zu Recht Jeremias, Theologie, 153, bes. unter Hinweis auf die bezeichnende Ausdrucksweise vom »Eingehen« in das Reich Gottes, s. ferner Bornkamm, Jesus, 92.95.

25 So wie hier Bultmann, Jesus, 83.84 (»Lukas hat [die Mt-Fassung] geändert, um dadurch den Übergang zu den im Zusammenhang folgenden Worten zu gewinnen«); a.M. Jeremias, Theologie, 205, der die Matthäus-Version für eine »paränetische Ausweitung« hält.

2.3
Das Verhältnis von Zuwendung und Forderung Gottes

In welcher *Beziehung* stehen nun die *Zuwendung* Gottes und seine *Forderung* an den Menschen? Denkbar wäre folgender Zusammenhang: Gott verheißt seine Liebe und Zuwendung demjenigen, der seine Forderung erfüllt. Obwohl manche Jesusworte (z.B. solche, die das Bild vom »Lohn im Himmel« gebrauchen) diesen Eindruck erwecken können, dürfte das *nicht* der volle Gehalt, der tiefere Sinn seiner Verkündigung sein. *Gott wendet sich* nach Jesu Auffassung ja *gerade dem ›Sünder‹ und Ungehorsamen zu, ohne eine Vorleistung von ihm zu fordern.* Das zeigt deutlich, daß *Gott* den *ersten Schritt* tun will und ihn nicht vom Menschen erwartet[26].

So sagt Jesus in Mt 5,45: »Er (Gott) läßt seine Sonne aufgehen über Böse *und* Gute und läßt regnen über Gerechte und Ungerechte.« In Lk 6,35 heißt es: »Denn er ist gütig gegen die Undankbaren und Bösen.« Entsprechendes zeigen die Gleichnisse vom verlorenen Sohn, vom verlorenen Schaf und verlorenen Groschen auf (Lk 15): Der Vater geht hier seinem Sohn entgegen, als er noch »ferne von dannen« war. Der Hirte sucht das verlorene Schaf, das sich nicht einmal zur Heimkehr aufgemacht hatte, »solange, bis er es findet«, und läßt dafür die 99 anderen in der Wüste zurück. Die Frau, die das Geldstück (nur eine Drachme) verloren hat, zündet ein Licht an, kehrt das Haus und sucht »mit Fleiß« solange, bis sie es wieder gefunden hat. Auch die Parabel von den zwei Schuldnern (Lk 7,41ff), denen ein Geldverleiher ihre Schulden (von 500 bzw. 50 Denaren) erläßt, gehört in diesen Kontext: Gott schenkt den »sündigen« Menschen ihre »Schuld« ohne Gegenleistung. Die Schuldner »lieben« darum nach dem Gleichnis den großzügigen Geldverleiher, und zwar liebt ihn derjenige am meisten, dem er das meiste geschenkt hat.

Entsprechend war auch wieder die *Praxis,* die Jesus geübt hat; darin folgt er der zuvorkommenden ›Gnade‹ Gottes, die vom Menschen nicht den ersten Schritt erwartet.

Dies wird etwa in der Geschichte von dem Zöllner Zachäus evident, dem Jesus durch seine Einkehr Vergebung und persönliche Gemeinschaft zuteil werden läßt (Lk 19,1ff). Aber auch die Szene von der ›großen Sünderin‹ (Lk 7,36ff) zeigt dies eindrucksvoll: Genauso wie er dies von dem Schuldner mit der größten Schuld erzählt hat, hat Jesus dieser zunächst ihre ›Sünden‹ ohne Vorleistung vergeben und sie in seine Tischgemeinschaft aufgenommen. Ihre dankerfüllte Salbung kommentiert er gegenüber seinem befremdeten pharisäischen Gastgeber mit den Worten: »Ihr sind viele Sünden vergeben, *darum* hat sie mir viel Liebe erzeigt. Wem aber wenig vergeben wird, der liebt wenig.[27]«

26 Vgl. Braun, Jesus, 141, der von der Umkehrung der »Reihenfolge ›Leistung-Gnade‹« redet; Bornkamm, Jesus, 76, auch nach ihm geht die Gnade der Umkehr vor. S. auch Anm. 6.

27 Vgl. Jeremias, Theologie, 210; im Ergebnis ebenso Kümmel, Theologie, 49. A. M. Braun, Jesus, 140.

Nach alledem ist daher die Auffassung vom *Vorrang* der *Zuwendung* Gottes *vor* seiner *Forderung* festzuhalten:
Gott wendet sich besonders dem ›sündigen‹ und seine Forderung nicht erfüllenden *Menschen zu.* Er hebt die ›Sünde‹, also die bestehende Trennung des Menschen von Gott auf und will seine Entfremdung insgesamt beseitigen. *Dadurch führt er den Menschen zur Freiheit* für ein Handeln, das seinem Heil dient und das gerade in der zum Vorteil des Handelnden ausschlagenden Liebe zu Gott und zu den Mitmenschen besteht. Dieses Handeln ist jetzt nicht mehr ein Handeln aus einer Forderung Gottes, die dieser durchsetzt und deren Nichtbeachtung er vergilt und ahndet. Vielmehr ist es ein Handeln aus Dankbarkeit und Einsicht in die Notwendigkeit und letztlich in den Heilscharakter und die befreiende Wirkung dieses Tuns.

Was bedeutet aber die gezeigte *Radikalität* der Forderung, wenn man diese auf die vorgenannte Weise betrachtet? Steht sie nicht mit dieser Anschauung in Konflikt? Das ist keineswegs so. Sie hat vielmehr im Rahmen dieser Auffassung *zweierlei Funktion:* 1. dem Menschen die Tiefe seiner Unzulänglichkeit gegenüber der Erwartung Gottes zu zeigen und 2. damit dem Menschen als ständiger Ansporn und letzte Zielvorstellung seines aus Dankbarkeit und Einsicht geborenen freien Handelns zu dienen, das ihn schließlich zur Befreiung, zu seinem Heil führen soll. Dabei mag durchaus gesagt werden, daß der Mensch diese Forderung zunächst noch gar nicht voll erfüllen konnte und diese Erfüllung auch für die Zukunft durchaus nicht gesichert ist; es darf aber auch nicht verkannt werden, daß Jesus eine umfassende Befolgung seiner Weisungen für die Vollendung der Gottesherrschaft jedenfalls erwartete.

Nach diesen Ausführungen ist es nun angebracht, einen Schritt über das bisher angedeutete Verhältnis von Zuwendung und Forderung hinaus zu tun. Die Forderung, das Gesetz Gottes wird danach nämlich im Rahmen der Gottesherrschaft letztlich ganz hinfällig. Es gibt im Grunde in ihr überhaupt *kein Gesetz,* keine Ge- und Verbote mehr, die Gott gegenüber den Menschen *durchsetzen, vollstrecken* und *vergelten* will. Es gibt schließlich nur noch die durch *Dankbarkeit* und *Einsicht* bestimmte *Freiheit des Menschen.* Diese und das Wirken aus ihr stehen allein der *Zuwendung,* dem *›gnädigen‹ Willen Gottes* gegenüber. Herrschaft Gottes besagt somit, kurz gefaßt, Zuwendung Gottes und daraus erwachsende Freiheit des Menschen[28].

28 Zu dieser Konsequenz der Gottesherrschaft, die schon Jesus zieht, bekennen sich nur wenige Autoren. Ähnlich aber Niederwimmer, Jesus, 69.70, der von der »grundsätzlichen Freiheit des Menschen« (gegenüber dem Kultgesetz) spricht und betont: »Der Mensch ist zum Maß der Tora geworden«; auch Schäfer, Jesus, 86 (»Gott ist für ihn [Jesus] der liebende Vater, der seinen Söhnen Freiheit gibt, daß sie ohne Zwang . . . zu ihm finden. Das Gesetz verliert die Herrschaft über den Gottesgedanken«). Zum Ganzen vgl. auch Jaspers, Jesus, 171: »Ein Grundzug dieses Ethos des Gottesreichs [ist] die Freiheit, mit der Jesus handelt.«

Jesus hebt dies (neben dem bisher Ausgeführten) besonders in der Erzählung von der Tempelsteuer hervor (s. Mt 17,24–26; mit legendärem Anhang in V.27.)

Als die Einnehmer der Doppeldrachmen (Tempelsteuer) danach fragten, ob Jesus keine Steuer entrichte, wendete sich Jesus fragend an Petrus: »Die Könige der Erde, von wem nehmen sie den Zoll oder die Steuer? Von ihren Söhnen oder von den Fremden?« Als Petrus antwortete: »Von den Fremden«, sprach Jesus zu ihm: »Also sind die Söhne frei.«

Damit ist aber nicht nur der Gedanke der *Freiheit der »Söhne Gottes«* von der Tempelsteuer, sondern *vom Gesetz* schlechthin, auch dem nichtjüdischen und nichtreligiösen, ausgesprochen; denn das nahe Verhältnis der Söhne zum Vater macht ein Gesetz zuletzt überflüssig.

Johannes meint etwas ähnliches, wenn er Jesus in Joh 15,15 sagen läßt: »Ich sage nicht mehr, daß ihr Knechte (Sklaven) seid; denn ein Knecht weiß nicht, was sein Herr tut. Euch aber habe ich gesagt, daß ihr Freunde seid; denn alles, was ich von meinem Vater gehört habe, habe ich euch kundgetan.« Paulus kommt zu einem entsprechenden Schluß: Er führt in Röm 6,14 aus, daß die Jesus Nachfolgenden »nicht unter dem Gesetz« seien, sondern »unter der Gnade« und daß ihnen »alles erlaubt, aber nicht alles heilsam« sei (1Kor 6,12); denn, so heißt es in Gal 5,1: »Zur Freiheit hat uns Christus befreit!«.

Die hier gezogene Folgerung wird auch noch durch weitere Erwägungen begründet: Läßt sich der Mensch durch die in der vorgenannten Weise verstandene ›Forderung‹ oder richtiger: den Willen Gottes bestimmen, handelt er somit in dieser Freiheit, so soll er zur Heilung kommen, ist ihm ›Erlösung‹ und ein neues Sein verheißen. Läßt er sich dagegen nicht durch ihn beeinflussen, versagt er sich der ›Gnade‹ Gottes, so bleibt er in dem unerlösten Zustand oder droht immer wieder in ihn zurückzufallen. Er bedarf danach also gar *keiner zusätzlichen Bestrafung* im Sinne einer *Vergeltung durch Gott*, sei es im hiesigen Leben oder danach, weil sein unerlöster Zustand als solcher schon ›Strafe‹ genug ist. Ebenso hat auch derjenige, der in Freiheit die Weisungen Gottes erfüllt, *keine zusätzliche Belohnung* zu erwarten, denn er lebt schon in der sich anbahnenden ›Erlösung‹. Diese wird auch weiter fortschreiten, ebenso wie auch eine Vertiefung des unerlösten Zustandes möglich ist.

Jesus sagt dazu im Gleichnis vom verlorenen Sohn (Lk 15,11ff), daß der jüngere Sohn, der sich fern vom Vater befindet, schon in diesem Zustand ein »Verlorener« sei. Ja, er gilt nach ihm als »tot« und wird erst durch die Rückkehr zu seinem Vater wieder »lebendig« (V.24 und 32; s. auch Mt 8,22). Ähnliches kann für die Gleichnisse vom verlorenen Schaf, das sich »verirrt« hat, und vom verlorenen Groschen gesagt werden. Weiter kann man an eine Jesus in Joh 3,18 zugeschriebene Äußerung denken, die freilich sekundär formuliert ist: »Wer nicht (an den Sohn) glaubt, der *ist* schon gerichtet«; sie wird wie folgt fortgesetzt (3,19): »Das ist aber das Gericht, daß das Licht in die Welt gekommen ist und die Menschen liebten die Finsternis mehr als das Licht, denn ihre Werke waren böse«; ähnlich noch Joh 12,31.

Was die parallel gelagerte Frage nach der zusätzlichen Belohnung betrifft, so ist hier ebenfalls auf Stellen aus dem Johannes-Evangelium zu verweisen (z.B. 3,36: »Wer an den Sohn glaubt, der *hat* das ewige Leben«), während es in Mt 6,2 und 5; Lk 6,24 heißt: »Sie haben ihren Lohn dahin«, nämlich die Reichen und die öffentlich Betenden und Spendenden, die für die Gegenwart und Zukunft nichts mehr zu erwarten haben. Deutlicher noch spricht Jesus es wiederum im Gleichnis vom verlorenen Sohn aus. Dort sagt der Vater zu dem daheim gebliebenen älteren Sohn, als dieser Lohn für seine jahrelangen treuen Dienste erwartet: »Mein Sohn, du bist alle Zeit bei mir, und alles, was mein ist, *ist* dein . . .« Die Logien Mt 5,12 Par; 6,1; ähnlich 10,41 und 42, die bildhaft vom »Lohn im Himmel« sprechen, oder auch das Wort von der »hundertfachen Belohnung« im Reich Gottes, Mk 10,29–30 Par stehen dem nicht entgegen. Sie versprechen nämlich keinen zusätzlichen Lohn, sondern sagen nur aus, daß derjenige, der die Zuwendung Gottes annimmt, bereits jetzt und auch in Zukunft in seiner ›Gnade‹ lebt, die zu wachsender Heilung und Befreiung führt[29].

Besonders klar drückt wieder die *Praxis* Jesu, zumal in der Erzählung von der Ehebrecherin (Joh 7,53–8,11), aus, daß Gott nach Jesu Ansicht keine Forderungen an den Menschen stellt, deren Verletzung er besonders ahndet und vergilt.

Diese Geschichte, die älter ist als die sonstigen Teile des Johannes-Evangeliums und vielleicht aus einer der ursprünglichen Vorlagen des Matthäus-Evangeliums stammt[30], hat folgenden Inhalt: Als Schriftgelehrte und Pharisäer eine Frau zu Jesus brachten, die im Ehebruch ergriffen worden war – einem nach alttestamentlicher Auffassung todeswürdigen Verbrechen, das auch Jesus keineswegs billigt, Mt 5,27ff! –, richtete er sich auf und sprach zu ihnen: »Wer unter euch ohne Sünde ist, werfe den ersten Stein auf sie.« Daraufhin »gingen sie einer nach dem anderen hinaus, die Ältesten voran«. Jesus sprach nun zu der Ehebrecherin: »Frau, wo sind deine Ankläger? Hat dich niemand verurteilt?«, und als sie verneinte, sagte er: »So verurteile ich dich auch nicht. Geh hin und sündige von jetzt an nicht mehr.« Jesus statuiert also in diesem Fall keine Forderung und spricht auch keine Strafe oder sonstige Vergeltungsmaßnahme aus, sondern verläßt sich auf die Dankbarkeit und Einsicht der Frau, die vermutlich durch eine zerrüttete Ehe und die öffentliche Schande schon genug ›gestraft‹ war.
Ähnliche Fälle werden in Lk 12,13–14 und 9,51–56 erzählt. Im ersten Beispiel (s. auch Par in EvThom 72) lehnt Jesus es deutlich ab, über die (zivilrechtliche) Verteilung des Nachlasses eines Verstorbenen richtend zu entscheiden. Was den letzteren Fall betrifft, so wendet sich Jesus dort gegen seine Jünger, die ein Strafgericht mit »Feuer vom Himmel« über ein ungastliches Samariterdorf von ihm verhängt wünschten, und bedroht sie deshalb sogar, wobei spätere Textzeugen die Worte hinzufügen: »Ihr wißt nicht, welches Geistes Kinder ihr seid. Denn der Sohn des Menschen ist nicht gekommen, Menschenleben zu verderben, sondern zu retten.«

29 Ähnlich hebt auch Bornkamm, Jesus, 126ff(131) hervor, daß Jesus den Gedanken von Lohn und Strafe radikal durchbricht und allein die souveräne Güte Gottes verkünden will, der Lohngedanke ist somit völlig in die Botschaft der kommenden Herrschaft Gottes hineingenommen. Die Ausführungen von Braun, Jesus, 70ff, gehen ebenfalls in diese Richtung.
30 S. auch Jeremias, Theologie, 220 mit weiteren Nachweisen; Kümmel, Theologie, 229.

Dieser Auffassung Jesu von der Zuwendung und Liebe Gottes, die dieser den Menschen immer wieder neu zuspricht, und der daraus folgenden Freiheit des Menschen ohne Zwang und Vergeltung scheint allerdings nun doch ein Wort Jesu von der »*Sünde gegen den heiligen Geist*« zu widersprechen; dieses handelt (wie verschiedene andere) sogar von einem Gericht in der »Ewigkeit«: »Wahrlich, ich sage euch: Alle Sünden werden den Söhnen der Menschen vergeben werden und sogar Lästerungen, soviele sie auch aussprechen. Wer aber gegen den heiligen Geist lästert, hat in Ewigkeit keine Vergebung . . .« (Mk 3,28.29 Par, auch in EvThom 44). Mit dieser »Lästerung gegen den heiligen Geist« hat Jesus jedoch wahrscheinlich (wenn das Wort echt ist) an einen *besonderen Fall* gedacht. Es handelt sich nämlich darum, daß ein Mensch für immer, frei und endgültig die eigentliche Wirkkraft Gottes, und das ist seine Zuwendung und Vergebung, seine alle umfassende Gemeinschaft ablehnt, wodurch diese dann freilich verschlossen ist[31]. Ob eine solche Ausschlagung und damit die Verwirkung der ›Gnade‹ dem Menschen allerdings letztlich überhaupt möglich ist, muß fraglich und hier offen bleiben. Es kann aber angesichts des Ernstes dieses Wortes und auch einer Reihe später noch zu behandelnder Gerichts-Logien, besonders über das ›letzte‹ bzw. ›jüngste Gericht‹, auch nicht ausgeschlossen werden.

3 Die Annahme der Gottesherrschaft durch die Menschen

Im folgenden ist nun zu fragen, was die Herrschaft Gottes, sein Reich *auf Seiten des Menschen* bedeutet, wie er sich ihr gegenüber verhalten soll und wird.

Es ist bereits erörtert worden, daß die Herrschaft = Zuwendung Gottes den Menschen ohne ein Vorverhalten, ohne eine irgendwie geartete Vorbedingung trifft, und zwar immer wieder. Sie legt ihm auch, wie gezeigt, keine nachträgliche Verpflichtung oder Belastung auf (so können wir auch Mt 11,30 verstehen: »Mein Joch ist sanft und meine Last ist leicht«). Andererseits kann die Zuwendung Gottes nicht Platz greifen, wenn der Mensch ihre *Annahme* verweigert und sie ablehnt, wenn er der Herrschaft Gottes keinen Raum gibt. Die Verkündigung Jesu von der Zuwendung Gottes stellt den Menschen somit in die *Entscheidung*, jeweils hier und jetzt, *ob er sie annehmen will oder nicht* (so treffend

31 Str., so im Ergebnis Jeremias, Theologie, 149; danach ist die »Sünde gegen den heiligen Geist« »die Sünde, die an der Offenbarung entsteht« und nicht ein bestimmtes moralisches Verhalten. »Unvergebbar ist nur die Ablehnung der Vergebung.« Bornkamm, Jesus, 156.195, spricht von der »Lästerung des Gottesgeistes«, »der sich jetzt in Jesu Taten mächtig erweist«.

Bultmann)[32]. Was ist nun mit dieser Entscheidung für die Annahme der Herrschaft Gottes im einzelnen gemeint? Sie bedeutet, daß der Mensch seine Entfremdung, die schon in ihren vielfältigen Formen gezeigt worden ist, durchschaut und daß er das Angebot Gottes, das seine Entfremdung überwinden will und ihm ein neues Leben verheißt, erkennt und vertrauensvoll bejaht. Dazu bedarf es einer grundlegenden Entschließung des Menschen für oder wider diese Zuwendung, die Gott ihm zusagt, also nicht mehr, aber auch nicht weniger. Es geht um ein radikales *Entweder-Oder*, zu dem der Mensch damit aufgerufen ist.
Jesus hat sich zur Annahme der Zuwendung und ihrem Entscheidungscharakter in folgenden kennzeichnenden Worten geäußert:

In Mt 8,22 Par sagt er zu einem, der wegen des Begräbnisses seines Vaters zaudert, mit ihm zu gehen und im Sinne der Gottesherrschaft zu leben: »Folge mir nach und laß die Toten ihre Toten begraben!« Eindringlich ist auch sein Wort an einen anderen, der vorher Abschied von seinen Verwandten feiern will: »Wer seine Hand an den Pflug legt und sieht zurück, der ist nicht tauglich zum Reich Gottes« (Lk 9,62[33]; zu weiteren Nachfolgeworten s. später).
Das Bildwort von den spielenden Kindern (Mt 11,15–17 Par) weist in eine ähnliche Richtung. Jesus vergleicht die Menschen mit Kindern, die auf dem Marktplatz spielen und, anstatt ja zu sagen, einander immer wieder mit Quengeleien aufhalten: »Wir haben euch aufgespielt und ihr habt nicht getanzt; wir haben Klagelieder gesungen und ihr habt nicht getrauert.« So sind auch die Menschen, die sich nicht zur Anerkennung der Gottesherrschaft entschließen können. Im Gleichnis von den ungleichen Söhnen (Mt 21,28–31) begegnen uns zwei Söhne, deren Vater einen Weinberg besitzt. Jesus rühmt den Sohn, der sich, wenn auch nach anfänglicher Weigerung, noch in letzter Minute dafür entscheidet, den Weinberg dem Willen seines Vaters entsprechend zu bestellen. Dagegen kritisiert er den anderen Sohn, weil dieser zwar zunächst auch dazu bereit war, es sich nachträglich jedoch wieder anders überlegt hat und dem Willen Gottes keinen Raum geben will. Schließlich gehört auch das ebenfalls gut bezeugte Gleichnis vom großen Abendmahl in diesen Zusammenhang (Lk 14,15–24 Par in Mt 22,2–10, s. auchEvThom 64). Hier sind die ursprünglich zum Gastmahl des Königs Eingeladenen durch allerlei private Angelegenheiten, wie einen Acker- und Viehkauf, aber auch eine Heirat, daran verhindert, alsbald an dem Gastmahl teilzunehmen. Der König muß deshalb, um sein Gastmahl durchzuführen, die »Armen und Krüppel, Blinden und Lahmen« von »den Straßen und Gassen der Stadt« hereinrufen. Jesus schließt das Gleichnis warnend mit den Worten des Königs: »Denn ich sage euch: Keiner jener Männer, die eingeladen waren, wird mein Gastmahl zu kosten bekommen.« Es gilt also, sich alsbald, hier und jetzt, für die Annahme der Gottesherrschaft zu entscheiden und nicht »wie Lots Frau« (Lk 17,32; s. Gen 19,26) zurückzuschauen und dadurch Schaden zu erleiden.

Die Entscheidung muß dabei für Gegenwart und Zukunft eine *ganze, umfassende* sein. Eine halbe ist so gut wie gar keine Entscheidung.

32 Vgl. Bultmann, Jesus, 25ff.39.91; ähnlich auch Braun, Jesus, 63, und Bornkamm, Jesus, 75 u.a.
33 Ein altes Jesus-Wort, s. Bultmann, Jesus, 25 und Jeremias, Theologie, 100 u.ö.

Jesus sagt dazu: »Wer nicht mit mir ist, der ist gegen mich, und wer nicht mit mir sammelt, der zerstreut« (Mt 12,30 Par). Auch die Gleichnisse vom Schatz im Acker und von der kostbaren Perle sind derart zu verstehen (vgl. Mt 13,44 und 45.46 Par in EvThom 76,109); ähnlich das Gleichnis vom großen Fisch, das sich nur im Thomas-Evangelium findet, aber ebenfalls Anspruch auf Echtheit erheben darf (EvThom 8). Danach gilt es, alles andere zu »verkaufen«, also dranzugeben, und sich voll und ganz für den »Schatz« und die »kostbare Perle« des Gottesreichs zu entscheiden. Ferner werfe man alle »kleinen Fische« weg, die man aus dem Meer gezogen hat, und wähle den einen »großen Fisch« der zuvorkommenden Herrschaft Gottes.

Diese umfassende Entscheidung für die Annahme der Zuwendung Gottes bedeutet danach die *grundlegende Umkehr, Be-kehrung* des Menschen, der sein altes Leben mit seinen Entfremdungen erkennt und sich für ein *neues* entscheidet, das ihm durch Gottes Angebot verheißen wird[34].

Die Luther-Übersetzung nennt diese Umkehr mißverständlich ›*Buße*‹. So in Mk 1,15 Par: »Die Zeit ist erfüllt, und das Reich Gottes ist nahe herbeigekommen. Tut Buße, d.h., kehrt um und glaubt an das Evangelium«, also die frohe Botschaft vom Reich. Ähnlich lautet Mt 18,3 Par: »Wahrlich, ich sage euch: Wenn ihr nicht umkehrt und werdet wie die Kinder, so werdet ihr nicht ins Himmelreich kommen.« Schließlich sei auch auf die Stellen Mt 11,21 Par; 12,41 Par; Lk 13,1ff und 16,30 verwiesen, die Jesu »machtvolle Taten« und die Verkündigung des Willens Gottes, aber auch aufrüttelnde Unglücksfälle als Anlaß für eine Umkehr bezeichnen.

Diese Umkehr ist nach allem die ernstliche und tiefgreifende Umwandlung des Menschen, seine Kehre oder Wende vom bisherigen Leben in der ›Sünde‹, der Unfreiheit oder sonstigen Entfremdung zu einem neuen Leben im Sinne eines Rucks, eines Sprungs in ein qualitativ anderes Sein.
Dieses neue Leben entfaltet sich *durch* und *auf Grund* der *Annahme der Herrschaft Gottes* als deren *Reflex, Widerspiegelung* zu einem Leben, das den Willen Gottes erfüllt, genauer: das sich dem Mitmenschen zuwendet und ihm nicht mit Forderungen, Repression oder sogar Gewalt gegenübertritt. Hier liegt auch der Bezugspunkt zu dem in Kapitel 2.3 bezüglich der Forderung Gottes und ihrem Verhältnis zu seiner Zuwendung Gesagten. Die Erfüllung des Willens Gottes in dem neuen Leben ist nach diesen Feststellungen nicht die Ausführung eines Gesetzes oder einer Forderung Gottes, sondern Handeln in Freiheit auf Grund der ›Gnade‹ Gottes, als Resonanz seiner Liebe. Daraus folgt auch die Ausgestaltung des neuen Lebens im einzelnen. Dieses wurde bereits als Inhalt der ›Forderung‹ Gottes in Kapitel 2.2 angesprochen und wird des näheren noch später dargestellt werden.

34 Zur Bedeutung der Umkehr, s. Bornkamm, Jesus, 75; Jeremias, Theologie, 151ff u.a.

Zum Beleg des reflexhaften Charakters des neuen Lebens, seiner Entsprechungsgestalt sei nochmal auf Lk 6,36 Par verwiesen: »Seid barmherzig, *wie* euer Vater barmherzig ist.« Auch die Stelle Mt 5,44 ist hier wieder von Bedeutung: »Liebt eure Feinde und bittet für die, welche euch verfolgen, *damit* ihr Söhne eures Vaters im Himmel seid! *Denn* er läßt seine Sonne aufgehen über Böse und Gute und läßt regnen über Gerechte und Ungerechte.« Entsprechend ist schließlich auch das Wort Mt 18,21.22 zu verstehen: Jesus mahnt hier Petrus, seinem Bruder, der gegen ihn »gesündigt« hatte, »nicht bis siebenmal, sondern bis 77mal« »zu vergeben«, und erläutert dies an dem Gleichnis vom »Schalksknecht« (18,23–34); diesem hatte sein König alle Schulden (10000 Talente!) erlassen, weshalb es auch ihm zukomme, seinem Schuldner ebenfalls die Schulden (nur 100 Denare!) zu erlassen.

Wenn der Mensch die Zuwendung Gottes annimmt, wird er also frei zu einem neuen Leben nach dem Willen Gottes, das zu seinem Heil führt, während er durch Verweigerung der Annahme im Un-Heil bleibt und womöglich seine Entfremdung immer weiter vertieft (Mk 4,25 Par). Dabei ist nun zu betonen, daß nicht nur dieses neue Leben des Menschen aus der Hingabe Gottes erwächst, sondern *sogar die Entscheidung* dazu, also die Annahme dieser Zuwendung selbst. Auch sie kann nicht als Leistung des Menschen aus eigener Kraft angesehen werden. Sie entstammt vielmehr gleichfalls der ›Gnade‹ Gottes. Diese verschenkt Gott frei und in großer Fülle, aber ohne daß der Mensch auf einen Rechtsanspruch pochen könnte[35].

Die ganze Einbezogenheit in die Liebe Gottes zeigt deutlich wiederum das (alte) Gleichnis von den Arbeitern im Weinberg (Mt 20,1–15), die trotz unterschiedlicher Leistungen (Arbeit über einen Tag bzw. eine Stunde) von ihrem Hausherrn in gleicher Weise (nämlich wie der Längstarbeitende) großzügig entlohnt werden. Ferner ist in diesem Zusammenhang bedeutsam das Bildwort von den obersten Plätzen, die vom Gastgeber gerade denjenigen zugeteilt werden, die den untersten Platz innehaben (Lk 14,7–10, freilich sekundär als Lebensregel formuliert!), und schließlich das Gleichnis vom dienenden Knecht (Lk 17,7–10); dieser erwartet von seinem Arbeitsherrn keinen Sonderlohn, weil er nur das tat, wozu er verpflichtet war.

Nach alledem bleibt die *Zuwendung* und *Solidarität Gottes* letztlich die *allein wirkende* und *entscheidende Kraft.* Alle menschliche Anstrengung und Leistung, so sehr sie auch dringend gebraucht wird, tritt demgegenüber zurück.

Dies betont Jesus in besonderer Zuspitzung in Mk 10,27 Par: Dort antwortet er auf die Frage seiner Jünger, wer denn angesichts der hohen Anforderungen des Reichs Gottes »gerettet« werden könne: »Bei den Menschen ist es unmöglich, aber nicht bei Gott; denn bei Gott sind alle Dinge möglich.« Er verdeutlicht dasselbe an anderer Stelle mit Bildern aus der uns umgebenden Natur. In dem urwüchsigen Gleichnis Mk 4,26–29 vergleicht er die Herrschaft Gottes mit einer »von selbst wachsenden Saat«, die »sproßt und groß wird, er

35 S. z.B. Bornkamm, Jesus, 76, wonach auch »die Umkehr an der Gnade [Gottes] entsteht«; Braun, Jesus, 69ff u.a.

(der Landmann) weiß selbst nicht wie«. Im – sekundär ausgestalteten – Gespräch Jesu mit Nikodemus (Joh 3), in dem ebenfalls von der »Wiedergeburt« im Reich Gottes die Rede ist, heißt es: »Ihr müßt von neuem geboren werden. Der Wind weht, wo er will, und du hörst sein Sausen wohl. Aber du weißt nicht, woher er kommt und wohin er fährt.«

Durch alle diese Beispiele wird die völlige Gnadenbezogenheit auch der Umkehr des Menschen und seines neuen Lebens angedeutet. In dieser Bezogenheit des Menschen auf die Zuwendung Gottes erweist sich somit die Herrschaft Gottes, sein Reich über ihn.

4 Die Herrschaft gerade Gottes als schöpferische Führung

Im folgenden ist zu behandeln, was es bedeutet, daß gerade *Gottes* Herrschaft nahe herbeigekommen ist, daß es Gott ist, der sich uns ›in Gnade und Forderung‹ naht. Es ist zu fragen, wie Jesus von Gott redet, über dessen Zuwendung zu den Menschen bisher gehandelt worden ist.
Jesus spricht von Gott nicht als solchem, von seinem Sein oder Wesen schlechthin. Er sieht ihn nicht abstrakt und ohne Bezug zu Mensch und Welt. Jesus redet von Gott vielmehr als demjenigen, der gegenüber Mensch und Welt wirkt, der sich ihnen dadurch zuwendet und der sie beansprucht. Jesus spricht also von ihm als von dem tatkräftigen *Urheber* seiner Herrschaft und Zuwendung, und zwar derart, wie dies bereits gezeigt wurde, was aber wegen der umfassenden Beziehung zwischen Gott und Mensch noch der besonderen Grundlegung und Verbreiterung bedarf.
Maßgebend ist für Jesus in dieser Beziehung insbesondere das Moment der *schöpferischen Führung* und *Erneuerung*. Gott ist für Jesus, im Anschluß an das Alte Testament, aber dieses auch, wie noch zu zeigen sein wird, wiederum modifizierend, die *schaffende* und *den Menschen* und *die Welt durch seine Führung* immer wieder *neu gestaltende* und *weiter treibende Macht* (im Anschluß an Ex 3,13.14: »Wie ist sein Name? . . . Ich werde sein, der ich sein werde« und Ps 33,9: »Wenn er spricht, so geschieht es; wenn er gebietet, so steht es da«). Diese Schöpfermacht ist gegenüber Mensch und Welt *frei*, offen und unverfügbar. Sie ist von ihnen nicht zu beherrschen und kann sich allenfalls von sich aus an sie binden.
Gott leitet und erneuert uns nach Jesu Predigt kreativ *sowohl in der Gegenwart*, in unserem Hier und Jetzt, *als auch in der Zukunft*. Er will uns durch seine umfassende Zuwendung und seine Gemeinschaft zum Heil, zur Befreiung führen, sowohl in dieser Zeit als auch später – insofern kann man vom Gott der Gegenwart und der Zukunft sprechen[36]. An un-

serer Annahme dieser Zuwendung und Gemeinschaft Gottes entscheidet sich dann, ob *das Heil, die ›Erlösung‹* zu uns kommt *oder* ob wir *im Un-Heil* bleiben bzw. ob dieses sich noch mehr ausweitet – hier ergibt sich ebenfalls eine entscheidende Zweiteilung[36].

4.1 Gott als Erlösender und Verwerfender

Zunächst ist davon zu handeln, in welcher Weise Jesus Gott als den sieht, der durch seine *umfassende* Zuwendung und Gemeinschaft *die ›Erlösung‹, das Heil* von Mensch und Welt schafft.
Jesus bezeichnet Gott als *Schöpfer* und *Erhalter* von Mensch und Welt.

(Vgl. dazu im einzelnen den Mythos der Schöpfungsgeschichte in Gen 1/2, dem Jesus sich anschließt, z.B. Mk 13,19 Par u.a.: ». . . von Anfang der Schöpfung an, die Gott erschaffen hat, bis jetzt . . .«)

Er sieht ihn als *Herrn* der Geschichte und Natur und besonders als denjenigen, der das Volk Israel führt und sich mit ihm verbindet.

(S.z.B. Ex 20 und 24; Ps 147; entsprechend etwa Mt 11,25 Par, wo Jesus von Gott als »Herrn des Himmels und der Erde« spricht, ferner Mk 12,29 Par; Mt 5,34.35; zum Verhältnis zu Israel beispielhaft Mk 12,26b Par: »Ich bin der Gott Abrahams und der Gott Isaaks und der Gott Jakobs.«)

Jesus spricht von Gott als dem Gott der *persönlichen Vorsehung und Fürsorge* für den Menschen und die Welt.

(Vgl. z.B. Ps 23 sowie das schon endzeitlich ausgerichtete Logion Lk 12,22–28 Par, auch in EvThom 36: »Sorgt euch nicht um euer Leben, was ihr essen sollt, noch um euren Leib, was ihr anziehen sollt! . . . Betrachtet die Raben. Sie säen nicht und ernten nicht, sie haben weder Vorratskammer noch Scheune, und Gott ernährt sie doch. Wieviel mehr wert seid ihr als die Vögel! . . . Betrachtet die Lilien [gemeint sind gewöhnliche Feldblumen]! Sie spinnen nicht noch weben sie! Ich sage euch aber: Auch Salomo in all seiner Pracht war nicht gekleidet wie eine von diesen. Wenn aber Gott das Gras auf dem Feld, das heute steht und morgen in den Ofen geworfen wird, so kleidet, wieviel mehr euch, ihr Kleingläubigen!«; desgleichen s. Lk 12,6.7 Par)

Gott ist für Jesus der *Vater der Menschen,* dem diese als Kinder, besser als Söhne (und Töchter) in einer familiären Gemeinschaft gegenüberstehen.

(S. Jes 63,15ff; das Vaterunser Mt 6,9–13 und Lk 11,2–4; ferner wiederum eschatologisch Mt 5,9 u.a.: »Selig sind die Friedfertigen; denn sie werden(!) Söhne Gottes heißen.«)

36 So bes. Bultmann, Jesus, 93ff(96.98), der beide Zweiteilungen (analog) hervorhebt, aber auch Bornkamm, Jesus, 108ff.

Eine entsprechende Muttervorstellung für den heiligen Geist wird gelegentlich angedeutet (s. EvThom 101,105 und EvHebr; zw.)[37].

Jesus kennt eine *Offenbarung Gottes* gegenüber den Menschen. Gott eröffnet sich den Menschen in ihrem Leben, in ihrer Beziehung zu anderen Menschen und auch in der Schöpfung allgemein. Er zeigt sich im Leben und Sterben sowie der Auferstehung Jesu, und er wird sich zum Schluß aller Welt in seiner vollen Herrlichkeit offenbaren.

(S. z.B. Jes 52,10; im einzelnen s. Mk 4,11 Par: »Euch (den Jüngern) ist das Geheimnis des Reichs Gottes gegeben . . .« und Mk 4,22 Par: »Denn nichts ist verborgen, außer damit es offenbar wird, und nichts ist ein Geheimnis geworden, außer damit es an den Tag kommt . . .«)

Schließlich tritt Gott – und das ist für Jesu Predigt das Entscheidende – als *endzeitlicher ›Erlöser‹ und Befreier* in Erscheinung, der dem Menschen und der Welt sein Reich, die Gottesherrschaft bringt. Er vergibt mit ihrem Kommen den Menschen ihre ›Sünden‹ bzw. Schuld, befreit sie aus ihrem Elend, ihrer Krankheit und Not und bietet ihnen ein erfülltes Leben an, indem er sich ihnen voll zuwendet, sich seiner Macht entäußert und die Menschen reflexhaft veranlaßt, sich ebenfalls ihren kranken und elenden Mitmenschen zuzuwenden, auf Gewalt zu verzichten und auf diese Weise an der allgemeinen Befreiung und Heilung von Mensch und Welt mitzuwirken.

Statt vieler Zitate sei dazu beispielhaft auf die Einladung des Gleichnisses vom Scheiden der Schafe von den Böcken hingewiesen[38] (Mt 25,31–46, speziell 34–40): »Kommt her, ihr Gesegneten meines Vaters, ererbt das Reich, das euch von Grundlegung der Welt an bereitet ist! Denn ich (der König) war hungrig, und ihr habt mir zu essen gegeben. Ich war durstig, und ihr habt mich getränkt. Ich war fremd, und ihr habt mich beherbergt. Ich war nackt, und ihr habt mich bekleidet. Ich war krank, und ihr habt mich besucht. Ich war im Gefängnis, und ihr seid zu mir gekommen. Dann werden ihm die Gerechten antworten und sagen: Herr, wann sahen wir dich hungrig und haben dich gespeist? Oder durstig und haben dich getränkt? Wann sahen wir dich als Fremden und haben dich beherbergt? Oder nackt und haben dich bekleidet? Wann sahen wir dich krank oder im Gefängnis und sind zu dir gekommen? Und der König wird ihnen antworten und sagen: Wahrlich, ich sage euch: Was ihr einem dieser meiner geringsten Brüder getan habt, habt ihr mir getan.«

37 Diese Vorstellung ist von der christlichen Tradition völlig verdrängt worden und wird durch die nicht jesuanische Mariologie des Katholizismus nur unzureichend ersetzt. Die patriarchalische Einstellung, die dieser Verdrängung entspricht, paßt jedoch nicht zur Predigt Jesu, s. S. 93.

38 Ob die Einzelzüge dieses Gleichnisses durchgehend als echt anzusprechen sind, ist zw., doch beharrt Jeremias, Gleichnisse, 137, mit Recht darauf, daß die entscheidenden Linien authentisch sind; ähnlich Goppelt, Theologie, 176. A. M. Braun, Jesus, 127, der das Gleichnis als »Denkmal« bezeichnet, »welches die Gemeindetradition dem Anwalt der schrankenlosen Nächstenliebe errichtet«.

Gegenüber dieser Verkündigung, die Gott als denjenigen zeigt, der sich den Menschen und der Welt in umfassender Weise zuwendet und sie ›erlöst‹, gibt es freilich auch Worte, die Gott als von Mensch und Welt *abgewendet* sehen, der zuletzt sogar zu ihrer *Verwerfung* schreitet.
Das sei an folgenden Beispielen erwiesen:
Gott schafft und erhält Mensch und Welt nach einem Plan, der diesen *verborgen* ist, und führt sie zu einem Ziel, das sie nicht kennen.

(S. z.B. Jes 55,8ff; ähnlich Jesus, wenn er von dem »Geheimnis« der Gottesherrschaft spricht, das denen, die »draußen« sind, nur in verhüllter Weise zuteil werde, Mk 4,11ff Par.)

Gott wird als der Herr gesehen, der Mensch und Welt gegenüber ferne ist, Macht ausübt und ihnen schlechterdings *überlegen* ist.

(S. z.B. Ex 20,1ff; Ps 80; auch Jesus kann ihn so ansehen, s. z.B. Mk 12,29, wonach Gott »allein Herr« ist.)

Gott wird als derjenige bezeichnet, der den Menschen in die ›*Versuchung*‹ führt und *Schuld* zuläßt.

(Vgl. beispielsweise Gen 22,1; aber auch bei Jesus, s. Mt 6,12.13 Par u.a.)

Gott duldet *keine Abbildung* von sich, »kein Bildnis oder Gleichnis *(Luther)*«, da jede Abbildung Gottes eine Anmaßung des Menschen bedeuten würde, der Gott für erkennbar hielte (Ex 20,4).
Entscheidend zeigt sich der vorliegende Gedanke schließlich darin, daß Gott dem Menschen als *endzeitlicher Richter* entgegentritt, der sich dem Menschen endgültig verweigert, ihn verurteilt und verwirft, so daß er vom Reich Gottes ausgeschlossen ist.

(Vgl. z.B. Ex 20,5; Jes 30,27; 35,4, wo allgemein von »Zorn« und »Rache« Gottes die Rede ist; dagegen Jesus, die Verwerfung auf das ›letzte Gericht‹ beschränkend, z.B. in den Gleichnissen vom Unkraut unter dem Weizen und vom Fischnetz, Mt 13,24ff und 47ff.)
Statt weiterer Zitate sei nochmals auf das Gleichnis in Mt 25,31ff Bezug genommen, wo es in V.41–46 heißt: »Geht hinweg von mir, ihr Verfluchten, in das ewige Feuer, das mein Vater dem Teufel und seinen Engeln bereitet hat! Denn ich war hungrig, und ihr habt mir nicht zu essen gegeben. Ich war durstig, und ihr habt mich nicht getränkt. Ich war fremd, und ihr habt mich nicht beherbergt. Ich war nackt, und ihr habt mich nicht bekleidet. Ich war krank und im Gefängnis, und ihr habt mich nicht besucht. Dann werden auch sie antworten: Herr, wann sahen wir dich hungrig oder durstig oder als Fremden oder nackt oder krank oder im Gefängnis und haben dir nicht gedient? Dann wird er ihnen antworten: Wahrlich, ich sage euch: Was ihr einem dieser Geringsten nicht getan habt, habt ihr auch mir nicht getan.«

Ob Gott für die Menschen nahe ist und ihnen das Heil bringt oder ob er ihnen fern erscheint, das hängt davon ab, wie zunächst im Sinne von Kapitel 3 zu bemerken ist, ob die Zuwendung und Liebe Gottes, die sich den Menschen zuvorkommend eröffnet, von ihnen *angenommen* oder *abgelehnt* wird.

Für den *annehmenden* Menschen ist Gott der ›*Erlöser*‹. Er erfährt seine Zuwendung in der Schöpfung und Erhaltung von Mensch und Welt, in ihrer Führung auch durch Entfremdungen, in seiner Offenbarung und schließlich in der endgültigen Heilung und Befreiung im Reich Gottes. Für den *ablehnenden* Menschen erscheint Gott dagegen *ferne*. Er sieht sich in unendlichem Abstand zu ihm, im Dunkel und in der Verhüllung und letztlich in der Verdammung. Es kommt in diesem Zusammenhang also darauf an, daß sich der Mensch der im einzelnen so verstandenen ›Gnade‹ Gottes öffnet, sie annimmt und sich ihr nicht verweigert. Dann tritt Gott als ›erlösender‹, als befreiender Gott in Erscheinung, der dem Menschen und der Welt das eschatologische Heil bringt[39].

4.2
Die Zuwendung als Führung zur Freiheit. Gott als Gegenwärtiger und Zukünftiger

Wenn es für die Befreiung, das Heil des Menschen so wesentlich auf seine Entscheidung ankommen soll, so erhebt sich doch die Frage, ob hier dem Willen des Menschen, der doch im Endlichen befangen und unfrei ist, nicht zuviel zugemutet und auch zugetraut wird, ob hier das Wirken Gottes, seine Zuwendung nicht zu sehr in den Hintergrund gedrängt wird.

Hierzu ist folgendes zu sagen: Die Unfreiheit des menschlichen Willens und seine Abhängigkeit sollen zwar nicht geleugnet werden, ebenso wichtig ist die Vorrangigkeit des Handelns Gottes. Doch eröffnet gerade dieses nach der Verkündigung Jesu dem Menschen in entscheidender Weise die *Freiheit*, die *Möglichkeit* und *Kraft* zu seiner *Befreiung* aus der *Abhängigkeit*, aus *Unterdrückung* und *Entfremdung* und damit zum *Heil*[40].

Durch das Wirken Gottes, seine Gemeinschaft werden die versklavenden

39 Ähnlich Bultmann, Jesu 133ff; s. auch Bornkamm, Jesus, 74ff. Danach wird auch die Gotteslehre Jesu von der Eschatologie bestimmt.

40 Vgl. Bultmann, Jesus, 137.143: danach bedeutet Gottes Vergebung, daß der Mensch »wiederum seine Freiheit hat« und daß Gott Gnade und Anspruch nicht fahren läßt; Gott »gibt dem Menschen [damit] für das Jetzt der Entscheidung Freiheit«; Jaspers, Jesus, 183 (»Glaubt der Mensch, so wird er wirklich frei.« »Das Wesen dieses Glaubens ist die Freiheit«). Freilich darf die Freiheit, die von Gott kommt, nicht auf das Freisein von internen Mächten beschränkt werden, sondern bezieht sich in gleicher Weise auch auf die Befreiung von äußerer Sklaverei, Unterdrückung und Manipulation, vgl. Bartsch, Jesus, 125. Grundlegend Kraus in »Reich Gottes – Reich der Freiheit«, dessen Titel bereits die maßgebliche Aussage enthält: »Das kommende, zukünftige (eschatologische) Reich Gottes ist Inbegriff des Heils und der Freiheit« (16); »Das Evangelium . . . stößt das Tor der Freiheit auf. Im Reich Gottes herrscht Freiheit«(22).

Bedingtheiten und Hemmnisse *im Menschen*, wie etwa sein Macht- und Sicherheitsstreben, der Drang zu Gewalttätigkeit, seine ichhafte Lustbefriedigung und seine Angst im Ansatz und grundlegend gebrochen. Auch die Unterdrückung und Repression *durch äußere Mächte*, von der brutalen Versklavung bis zu der feineren Manipulation und Verführung, sollen aufgehoben werden. Nunmehr bietet Gott den Menschen Erfüllung ihres Lebens und Aufhebung von Herrschaft und Unterdrükkung. Seine kommende Herrschaft soll bedeuten: Freiheit der Menschen durch Zuwendung Gottes.

Was die Befreiung des Menschen von *externen* Mächten betrifft, so sei zum Beleg auf Lk 4,18 verwiesen, wonach Jesus »gesandt« ist, »den Gefangenen Befreiung zu verkündigen« und »die Zerschlagenen (= Mißhandelten) zu befreien und zu entlassen«. Dieses Wort spricht eindeutig die Lösung aus äußerer Sklaverei, aber auch allgemein aus sonstiger unmenschlicher Herrschaft oder Verknechtung aus. Jesus sieht fernerhin Krankheit und Leiden sowie ähnliche Formen der Entfremdung als Unfreiheit des Menschen. So »befreit« er nach Lk 13,16 eine »Tochter Abrahams«, »die der Satan 18 Jahre lang gebunden hielt«, am Sabbat »von der Fessel« ihrer Krankheit.
Zur Frage der Unterdrückung durch *seelische* Mächte ist auf die Jesus zugeschriebene Verkündigung in Joh 8,31–36 hinzuweisen, die zumindest seine Intention deutlich trifft: »Ihr (seine Jünger) werdet die Wahrheit (nämlich über die Gnade Gottes) erkennen, und die Wahrheit wird euch frei machen.« Da antworteten sie ihm: »Wir sind Abrahams Kinder und niemals jemandes Knecht (Sklave) gewesen. Wie kannst du sagen: Ihr sollt frei werden?« Jesus antwortete ihnen: »Wahrlich, wahrlich, ich sage euch: Jeder, der Sünde tut, ist der Sünde Knecht. Der Knecht aber bleibt nicht für immer im Hause; der Sohn bleibt für immer. Wenn nun der Sohn euch frei macht, werdet ihr wirklich frei sein.«

Schließlich gehört auch noch die Predigt von der *Vergebung der ›Sünde‹* (i.e.S.) bzw. der Schuld durch Gott in diesen Zusammenhang (vgl. dazu schon die Zitate S. 27; ferner Mk 11,25 Par; Lk 11,4 Par u.a.). Bei der Sündenvergebung geht es ebenfalls darum, daß Gott den Menschen zur *Freiheit von versklavenden Mächten* führt, die ihn von Gott und von sich selbst und seinen Mitmenschen trennen.
Im einzelnen bedeutet die Sündenvergebung nach dem Evangelium Jesu, daß die Abkehr von Gott und auch die einzelnen Verfehlungen, die dem Menschen zur Last fallen, nicht mehr in Betracht gezogen werden sollen, so daß das Schuldgefühl des Menschen seiner zerstörenden Kraft beraubt wird. Das destruktive Strafbedürfnis des Menschen (nach *Freud*) fällt damit weg. Gleichzeitig wird dem Menschen die *Freiheit zu einem neuen Beginn*, die Kraft zur neuen Entscheidung nach dem Abfall und damit zu einer Überwindung der alten Abhängigkeit und Führung eines neuen Lebens geschenkt.
Diese Wiederherstellung des ursprünglichen, durch Zuwendung geprägten Verhältnisses, diese ›Versöhnung‹ geschieht dem Menschen *nicht erst in der Zukunft*, sondern *auch schon hier und jetzt* (vgl. z.B. Mk 2,10 Par, wo von der Macht des Menschensohns gesprochen wird, »auf Erden« Sünden zu vergeben; ferner Mt 12,32; hier ist von der Sün-

denvergebung »in dieser« und »in der zukünftigen Welt« die Rede; in der Formulierung sekundär). Die Vergebung der ›Sünde‹ geht von Gott aus. Sie erfolgt unter Vermittlung durch andere Menschen und kann auch über die eigene Person Wirklichkeit werden[41].

Dieser Gedanke, daß Gott den Menschen aus seiner Abhängigkeit und den verschiedenen Formen seiner Entfremdung und ›Sünde‹ zur Freiheit führt, leitet zugleich über zu der Vorstellung von der *Gegenwart* und der *Zukunft Gottes.*

Gott ist, wie sich danach aus den bisherigen Ausführungen ergibt, die schaffende Macht, die den Menschen durch seine Zuwendung und Gemeinschaft *sowohl in der Zukunft als auch in der Gegenwart bestimmt*[42].

Er wirkt auf ihn in der Zukunft ein, insofern als er ihn dann vollends befreien und ›erlösen‹ wird. Er wird nicht nur das Heil des Menschen als einzelnem schaffen, sondern auch die Menschengemeinschaft und die gesamte Schöpfung vollenden. Er wird sich schließlich in Mensch und Welt ganz offenbaren und enthüllen.

Nach dem Vorgenannten ist Gott aber auch die die Gegenwart gestaltende Macht. Er wirkt auf den Menschen ein, indem er ihm Freiheit und Kraft zum Tun seines Willens gibt. Das geschieht besonders im Wege der Sündenvergebung, aber auch durch die Gewährung von Chancen und Möglichkeiten der Befreiung aus Armut, Not und Sinnlosigkeit. Durch all dies will Gott den Menschen sowie seine Gemeinschaft zur vollen ›Erlösung‹ und Heilung führen, die jetzt bereits angebahnt wird. Desgleichen ist auch schließlich die Erhaltung und Lenkung der übrigen Schöpfung Sache der Gegenwart.

In beidem erweist sich Gott daher als eine Macht der *Freiheit*, die dem Menschen und der Welt *zugewandt* und *verbunden* ist, und somit als ›begnadigender‹ Gott.

4.3 Die Zeichenhaftigkeit der Zuwendung Gottes. Seine Führung auch durch Entfremdung und ›Sünde‹

41 S. wiederum die Formulierungen von Bultmann, Jesus, bes. 143, wonach der Mensch durch die Vergebung »neu zum Gehorsam wird«; ähnlich Braun, Jesus, 133ff(145), der in der Sündenvergebung die Annahme des Menschen und die Eröffnung neuer Zukunft für ihn sieht, Jesus »ermächtigte und ermutigte [damit] zu rechter Nächstenliebe«. Vgl. ferner Jeremias, Theologie, 115ff (Sündenvergebung als »Wiederherstellung der Gemeinschaft mit Gott«). Den sozialen Gesichtspunkt betont erneut Bartsch, Jesus, 97: »Sündenvergebung ist . . . als ein Prozeß der Sozialisierung – oder, wie wir heute sagen würden, der Resozialisierung – zu verstehen.«

42 Vgl. Bultmann, Jesus, 143; auch Bornkamm, Jesus, 85. Beide betrachten allerdings die Zuwendung Gottes vorwiegend in dem Sinne, daß er den Menschen existentiell in die Entscheidung stellt und fordert, vernachlässigen aber die äußerlich-reale und soziale Seite der Zuwendung, die auch in der Gegenwart schon zur Geltung kommen soll.

Hier erhebt sich aber nun eine erneute Frage: Ist die Zuwendung Gottes, die den Menschen zur Freiheit führt, auch hier und jetzt schon voll in die Tat umgesetzt, kann man von einer gegenwärtigen Verwirklichung der ›Gnade‹ Gottes sprechen?
Das wird man nicht behaupten können. Vielmehr ist die Zuwendung (Herrschaft) Gottes *in unserer Gegenwart* vorerst nur *zeichenhaft* und *verschlüsselt* sichtbar (nach einer Formulierung von *Jaspers*)[43]. Die Macht der Entfremdung, die Kraft von ›Sünde‹ und Unfreiheit ist nur im Prinzip gebrochen. Man kann es auch folgendermaßen sagen: Die Freiheit des Menschen gelingt bislang nur *im Ansatz, in der Tendenz*[44]. Sie kann in den vielfältigen Zwängen des Lebens wieder verloren gehen, ebenso wie die Zuwendung Gottes in der Fülle der Entfremdung immer wieder verschleiert werden kann. Die Zuwendung Gottes und die daraus erwachsende Freiheit werden jedoch auch immer wieder neu geschenkt. Sie entfalten sich und schreiten unauffällig weiter fort.

Jesus deutet diesen Sachverhalt in Mk 4,11 Par dadurch an, daß er die Herrschaft Gottes ein »Geheimnis« nennt, das in Rätseln kundgetan werde[45]. Eine ebenfalls in diese Richtung weisende Bemerkung begegnet uns in Mk 4,22 Par, auch in EvThom 5 und 6b: »Denn nichts ist verborgen, außer damit es offenbar wird, und nichts ist ein Geheimnis geworden, außer damit es an den Tag kommt.« Auch dies besagt, daß das Reich Gottes und seine damit gegebene Zuwendung noch verborgen sind, sich aber in der Zukunft voll und »mit Macht« offenbaren werden (s. auch Mk 9,1). In diesen Zusammenhang gehört schließlich noch das Logion Mt 5,8, wonach erst die, die »reinen Herzens« sind, »Gott schauen« und damit die ganze Manifestation seiner Herrschaft erfahren werden.

Ebenso wie die Zuwendung Gottes zunächst nur im Ansatz, partiell Gestalt gewonnen hat, ist *auch die Forderung, das Gesetz Gottes* noch *nicht schlagartig weggefallen*, um der Freiheit der »Söhne Gottes« Platz zu machen (S. 37). Das Gesetz hat durchaus noch seine begrenzte Bedeutung, bis es einmal ersetzt werden kann. Die Freiheit des Reichs Gottes ist zunächst nur ansatzweise wirksam geworden, jedoch mit der Tendenz zum Wachsen und Sich-Durchsetzen.

43 Vgl. Jaspers, Jesus, 166.167.170.172, der die Taten Jesu und seine Person als »Zeichen des Reiches Gottes« sieht; Dibelius, Jesus, 62ff(73), ferner 89.102.120 (»Die Wirklichkeit Gottes . . . erscheint innerhalb der Zeitlichkeit nur in der Form des Zeichens«).

44 Zu dieser Fortführung des Gedankens, s. auch Bloch, Auswahl, 170ff; er hält die »rechte Hoffnung« für »geschichtlich-tendenzhaft vermittelt«. Vgl. auch Moltmann, Kirche, 214, nach dem Gottes »geschichtlich-befreiende Herrschaft auf ihre eigene Vollendung im kommenden Reich angelegt [ist], wie umgekehrt das kommende Reich sein Licht in die Konflikte der Geschichte vorauswirft.«

45 Das Wort vom »Geheimnis« der Gottesherrschaft ist zwar vom Evangelisten in einen sekundären Zusammenhang eingefügt, dürfte im Kern aber authentisch sein. Es entspricht der Struktur der Jesus-Verkündigung und ist voneinander unabhängig bei Mk, in der Mt-Lk-Par sowie in EvThom 62 bezeugt. So im Ergebnis auch Jeremias, Gleichnisse, 10.11; Goppelt, Theologie, 222; Schnackenburg, Gottes Herrschaft, 126ff; dagegen Bornkamm, Jesus, 64.183.

Dies wird ebenfalls in der Predigt Jesu deutlich. So z.B., wenn er von der grundsätzlichen Aufhebung des Gesetzes ausgeht, das »bis zu Johannes dem Täufer galt« und dann der Freiheit der »Söhne Gottes« weichen muß, gleichzeitig aber eine begrenzte Fortgeltung des Gesetzes nicht ausschließt. Vgl. etwa Lk 11,42 Par: »Wehe euch Pharisäern, daß ihr die Minze und die Raute und jegliches Gartengewächs (dem Gesetz entsprechend!) verzehntet und das Recht und die Liebe zu Gott außer acht laßt; vielmehr sollte man diese (gewichtigeren! s. Mt 23,23) Dinge tun und jene nicht lassen.« Ähnlich Worte wie Mk 12,33 und Mt 23,16–22, die noch ein beschränktes Weiterbestehen kultischer Vorschriften erkennen lassen, sowie Mk 12,17 Par, das ein vorläufiges Fortwirken der Staatsmacht ergibt, bis sie voll von der freiheitlichen Struktur des Reichs Gottes abgelöst sein wird (s. näher S. 123).

Soweit nun die an sich in Kraft getretene Liebe und ›Gnade‹ Gottes noch nicht sichtbar und vollwirksam, sondern in der Entfremdung und Unfreiheit verborgen ist, entspricht auch dies der *Bestimmung Gottes.* Auch hier ist noch eine *Führung Gottes* erkennbar. Gott will den Menschen ebenso in dieser Weise aus seiner Vorläufigkeit und Begrenztheit herausführen. Er stellt ihn auch so in die Entscheidung und macht ihn dadurch mündig zum vollen Tun seines Willens. Auch auf diese Art will er ihm letzten Endes das volle Menschsein, die ganze Freiheit der Gottesherrschaft schenken[46].
Diesen Sinn der Führung *auch durch die Entfremdung* und besonders *durch die ›Sünde‹* kennt die gesamte biblische Verkündigung.

Dazu sei zunächst auf die Predigt von der ›Versuchung‹ des Menschen hingewiesen, die, wenn Gott als allmächtig und beherrschend angesehen wird, nur von ihm und nicht von einer selbständigen Macht des Satans o.ä. abgeleitet werden kann. Bereits in Gen 22,1 heißt es, daß Abraham von Gott »versucht« worden sei, und noch in Offb 3,10 wird von der endzeitlichen »Versuchung« aller, die auf Erden wohnen, gesprochen.
Jesus sagt dazu in einem wichtigen apokryphen Wort: »Niemand kann das Himmelreich erlangen, der nicht durch die Versuchung ging« (Tertullian, De baptismo, XX 2; vgl. auch Apg 14,22). Ebenfalls von der eschatologischen Drangsal spricht das Logion in Mk 9,49: »Denn jeder wird mit Feuer gesalzen werden.« Auch dieses Wort Jesu hat ebenso wie das vorherige im Auge, daß der Weg zur vollen Menschwerdung im Reich Gottes über die ›Versuchung‹ geht. Freilich ist mit diesen Aussprüchen gleichzeitig gesagt, daß diese als etwas Vorläufiges zu durchschreiten und zu überwinden ist. Das bedeutet auch Mt 6,13 Par: »Und führe uns nicht in Versuchung (d.h., laß uns in der Drangsal nicht erliegen!), sondern erlöse (errette) uns von dem Bösen!«; ähnlich noch Mk 14,38 Par u.a.[47].

46 Vgl. auch Bultmann, Jesus, 110ff(118); nach ihm ist die Situation des Leidens wie jede andere auch »die der Entscheidung«, »in der er [der Mensch] Gehorsam bewähren soll«, »auch in ihr ist der Wille des Menschen in Anspruch genommen« zu einer »Bejahung des Willens Gottes, der der Gott der Zukunft ist und Zukunft gibt«; ähnlich Bornkamm, Jesus, 79.80. S. ferner Jeremias, Theologie, 178ff (»Das Leid ist Ruf zur Umkehr«; »es gibt Leid, das der Herrlichkeit Gottes dient«). Wie sich hier zeigt, kann in diesem Zusammenhang die Frage nach dem Sinn des Leidens wie auch anderer Entfremdung beantwortet werden: Ihren Sinn kann man darin finden, daß sie Anruf zur Umkehr sind, aber nicht nur abstrakt, sondern gerade auch zur Veränderung des alten Lebens *mit* all seiner Entfremdung.
47 Zu dieser Bedeutung der Vaterunser-Bitte, s. Jeremias, Theologie, 196; ähnlich Bultmann, Jesus, 124. Wegen der Echtheit des von Tertullian überlieferten Agraphons Jeremias, Jesusworte, 71ff.

Auch andere vereinzelte Logien Jesu lassen einen entsprechenden Sinn der richtenden Führung der Menschen in und durch die Entfremdung erkennen:

So sagt Jesus in Lk 13,1–5 auf die Nachricht, daß der Turm von Siloah 18 Menschen erschlagen und Pilatus das Blut von Galiläern »mit dem (Blut) ihrer Opfer vermischt« habe, zu seinen Zuhörern: »Meint ihr, daß (diese) . . . mehr als alle anderen . . . Sünder gewesen seien, weil sie das erlitten haben?« »Ich sage euch: Nein, sondern wenn ihr nicht umkehrt, werdet ihr alle auch so umkommen!« Hier bedeutet also sogar das (auch unverschuldete) Leiden und Sterben der Menschen einen Aufruf zu radikaler Umkehr und zur Entscheidung für das Tun des Willens Gottes.
In verwandter Weise äußert sich Jesus nach Joh 9,2.3 (ferner 11,4, sek.) auf die Frage seiner Jünger nach dem Sinn der Krankheit eines Blindgeborenen. Die Jünger wollten wissen: »Rabbi, wer hat (hier) gesündigt, dieser oder seine Eltern, daß er blind geboren worden ist?« Jesus antwortete darauf: »Weder dieser hat gesündigt noch seine Eltern, sondern die Werke Gottes sollen an ihm offenbar werden.« Und zwar wodurch? Dadurch, daß Jesus sich aufgerufen weiß, diesen Menschen von seiner Blindheit zu befreien. Das aber bedeutet, daß in entsprechenden Fällen auch die Menschen in der Nachfolge Jesu zur Heilung und somit zum Tun des Willens Gottes aufgefordert sind, damit »die Werke Gottes offenbar werden«.
Schließlich mag zum Dritten noch auf das Logion Mk 4,11.12 Par, auch in Joh 9,39–41 (str.; s.S. 50), hingewiesen werden, wo Jesus seinen Jüngern die Abstumpfung und geistige Entfremdung der Menschen mit einem Zitat aus Jes 6,8–10 erklärt: »Euch ist das Geheimnis des Reichs Gottes gegeben, jenen aber, die draußen sind, wird alles (nur) in Rätselworten zuteil, auf daß sie mit Augen sehen und nicht erkennen und mit Ohren hören und nicht verstehen, damit sie nicht etwa umkehren und ihnen vergeben werde.« Soll das nun etwa das Gegenteil des bisher Gesagten heißen? Hier muß (entsprechend dem zeitgenössischen Brauch) die Fortsetzung in Jes 6,11–13 beachtet werden, wo der Prophet fragt, wie lange dies denn geschehen solle, und er die Antwort erhält, dies werde währen, bis von ihnen »wie bei der Terebinthe oder der Eiche ein Stumpf geblieben sei, der heiliger Samen sein werde«. Auch dieses paradoxe Bildwort läuft also letztlich darauf hinaus, daß die Entfremdung der Menschen zu ihrer Umkehr und Neuwerdung führen soll, auch wenn dies nicht sofort ersichtlich ist.

Nach all diesen Worten können wir festhalten, daß auch in der *richtenden Führung des Menschen* in und durch die Entfremdung, in der (zeitweiligen) Hinnahme von Elend und Schuld und ihrer Aufdeckung noch eine ›*gnadenvolle*‹ *Zuwendung Gottes* gesehen werden kann, wenn auch *dunkel* und *verhüllt*. Sie besteht darin, daß Gott den Menschen *auch auf diese Weise in die Entscheidung stellt* und ihm dadurch *den Weg zur Befreiung gerade aus der Entfremdung* und ihren herabziehenden und knechtenden Gewalten und damit *zur Reife und vollen Menschwerdung* hin*weist* – wobei er ihm ständig helfend und stützend zur Seite sein will. Auch auf diesem Wege will Gott also den Menschen zur voll entwickelten Person führen, die mündig neben Gott selbst steht, als sein »Sohn« oder gar »Freund« (vgl. Mt 17,26; Joh 15,14). Um dieser *Führung zur vollen Freiheit und Menschwerdung* willen bedarf es der Gewährung eines Spielraums, einer tatsächlichen Entscheidungs- und Wahlmöglich-

keit des Menschen und ggf. eines Durchschreitens der Entfremdung. Dieses Spannungsverhältnis konnte nicht von vornherein entfallen oder aufgehoben werden, und zwar um der Mündigkeit der Menschen und ihrer Emanzipation und Freiheit willen; dabei muß auch hier offen bleiben, ob Gott es überhaupt zulassen wird, daß irgendein Mensch endgültig von ihm getrennt wird und dem Nichts anheimfällt oder nicht vielmehr nach schmerzlichen Irrwegen seiner eigentlichen Bestimmung zugeführt wird.
Zum Abschluß dieser Auslassungen über die Führung Gottes in Gegenwart und Zukunft mag noch gefragt werden, ob nicht auch noch eine Führung *nach dem ›diesseitigen‹ Leben* möglich und zu erwarten ist. Auch eine solche Leitung darf jedenfalls nicht ausgeschlossen werden. Wir können nicht von vornherein verneinen oder leugnen, daß möglicherweise Gott auch eine derartige Führung noch ins Werk setzt, um den Menschen an die letzte Vollkommenheit heranzubringen, die er auf der Erde, in ihrer bisherigen Gestalt jedenfalls, nicht zu erreichen vermag.

Aufschlußreich sind dazu die (gewiß mythologisch geprägten) Erwägungen in 1Petr 3,19 und 4,6 darüber, daß Jesus nach dem Tode den »Geistern im Gefängnis«, die »vorzeiten ungehorsam waren«, gepredigt und den Toten die frohe Botschaft von der ›Gnade‹ Gottes verkündet habe. Aus ihnen dürfte hervorgehen, daß auch nach dem ›diesseitigen‹ Leben noch eine Führung des Menschen von Gott aus als möglich vorgestellt wird. Diese Gedanken finden eine gewisse Bestätigung in der Vorstellung Jesu vom »Totenreich«, die sich in Mt 16,18; Lk 10,15 Par erkennen läßt. Dieses wird traditionell als Ort der Läuterung und Führung angesehen, bis die Verstorbenen der Auferstehung gewürdigt werden (s. dazu später!). Auch hier ist zumindest als möglich angesehen, daß eine richtende Leitung des Menschen nicht nur auf der Erde, sondern auch noch in einem Sein stattfindet, das das irdische Dasein überschreitet. Auch diese Führung soll wiederum letztlich zur vollen ›Erlösung‹ des Menschen hinüberleiten, wie dies auch nach der bisherigen Darlegung der Sinn der Führung und Bewährung unter Lebenden ist.

5 Die grundlegende Neuwerdung von Mensch und Welt

Im folgenden ist zu überlegen, in welcher Weise es durch die Herrschaft = Zuwendung Gottes zu einer Umgestaltung, einer *Neuwerdung von Mensch und Welt* kommt. In welcher Weise gewinnt das ›Neue Sein‹ des Menschen *(Tillich)*, der Neue Mensch Gestalt, wie steht es mit einer erneuerten Welt?
Es wurde schon ausgeführt, daß sich das Neue Leben durch und auf Grund der Annahme der Zuwendung Gottes als deren Reflex und Widerspiegelung entfaltet, wobei die Triebfeder Dankbarkeit und Einsicht in die Notwendigkeit dieses Lebens ist. Dieses Neue Leben ist daher ge-

kennzeichnet, ebenso wie sich Gott den Menschen zuwendet, durch *Zuwendung des Menschen gegenüber den Mitmenschen und der Mitwelt.* Diese Zuwendung ist nicht nur individuell zu verstehen, sondern auch sozial und universal; sie zielt auf Gemeinschaft mit dem Mitmenschen und der Mitwelt[48]. Sie sieht von einer Forderung (als Gesetz) und ihrer Durchsetzung ab und ist durch Entgegenkommen und notfalls sogar Unterordnung geprägt. Eine solche Zuwendung und Gemeinschaftlichkeit gegenüber Mitmensch und Mitwelt führt zu dem Neuen Menschen in einer erneuerten Welt.

Diese Solidarität und Gemeinschaftlichkeit des Neuen Menschen ist *gleichzeitig die Erfüllung der ›Forderung‹ Gottes* (im dargestellten Sinne) und – so lautet die Ausdrucksweise Jesu – *das Tun des Willens Gottes* (s. Mk 3,35 Par; Mt 7,21; 21,31a; Joh 7,17 u.ä.). Sie bedeutet damit *das Leben in und entsprechend der Herrschaft Gottes.* In diesem erneuerten Leben, dieser Neuen Welt des Reichs Gottes wird die ›Forderung‹ Gottes letztlich von seiner ›Gnade‹ und Verheißung aufgehoben.

5.1
Die Zuwendung der Menschen (›Liebe‹) als Erfüllung des Willens Gottes

Im einzelnen ist die Zuwendung des Menschen 1. im Verhältnis zu seinen Mitmenschen, 2. auch in der Beziehung zur eigenen Person und 3. im Verhältnis zu Gott und seiner gesamten Schöpfung zu erwägen.

5.1.1

Die Erfüllung des Willens Gottes, die zu einer Neuen Welt führt, weist zunächst zurück auf die *›Forderung‹ Gottes im Alten Testament,* das *»Gesetz und die Propheten«* und speziell auf die sogenannten Zehn Gebote, den Dekalog nach Ex 20. Dieses alttestamentarische Gesetz ist jedoch, auch was seinen Gehalt betrifft, nur *Basis und Vorform der Predigt Jesu.* Es ist aber nicht eigentlicher Inhalt und Ziel seiner Verkündigung (vgl. Mk 7,9ff; 10,17ff; 12,28ff, sämtliche Par; Lk 16,29ff u.a.). Es setzt noch nicht freie Aneignung, beruhend auf Dankbarkeit und Einsicht, voraus, sondern trägt noch starken Sollenscharakter, erscheint weitgehend als zwangsweise durchzusetzende Forderung Gottes. Als Reflex der Zuwendung Gottes wird immerhin andeutungsweise erkennbar: die Bestimmung des Menschen zum Dienst am Leben und anderen Gütern der Schöpfung, zur Förderung des Nächsten und seines Rechts und zur Wahrung des Vertrauens unter den Menschen sowie schließlich zum

48 S. Braun, Jesus, 135.137.141; danach spricht Jesus von dem »aus der Gnade hervorwachsenden Gehorsam der Liebe« (der Terminus ›Gehorsam‹ ist hier allerdings bedenklich, s.S. 55); ferner Bornkamm, s. Anm. 6 u.a. Auch hier wird aber die individuell-existentielle Seite regelmäßig zu stark in den Vordergrund geschoben, in Anlehnung an Bultmann.

Schutz der Ehe und sonstigen mitmenschlichen Gemeinschaft. Es bleibt freilich regelmäßig noch bei der negativen Formulierung des Gebots (»Du sollst nicht . . .!«), der positive Gehalt tritt nicht so deutlich hervor. Klar ist hingegen wieder herausgestellt, daß es für die gesamte Beziehung zu Mitmenschen und Mitwelt entscheidend auf das Verhältnis zu Gott und den Gehorsam zu ihm, *richtiger:* auf das »Hören« des Menschen auf Gott (z.B. Lk 8,21; 11,28; Mt 7,24 Par; Mk 4,12 Par) und somit auf die Annahme seiner Zuwendung ankommt.

Die eigene Verkündigung Jesu wird vernehmbar in der sogenannten *Goldenen Regel,* dann in dem *doppelten Liebesgebot* und besonders in den *Aufrufen der Bergpredigt.*

Auch hier ist zunächst noch der Zusammenhang mit der jüdischen Tradition von großer Bedeutung. Jesus faßt, wie das zum Teil auch im Alten Testament und seiner Auslegung schon geschehen ist, die bisher vorhandenen Forderungen zu prägnanten Formulierungen zusammen und reinigt sie von Äußerlichem. Eine solche Zusammenfassung ist besonders die *Goldene Regel,* vgl. Lk 6,31 Par: »Und wie ihr wollt, daß euch die Leute tun, ebenso sollt auch ihr ihnen tun.« Beachtlich ist an dieser Regel, daß die in ihr enthaltene Weisung eindeutig positiv gefaßt ist. Andererseits mag bemerkt werden, daß dieses Gebot nur vom damit angesprochenen Menschen ausgeht und dann nicht sehr weit reicht, wenn dieser selbst nur geringe Ansprüche an seine Mitmenschen stellt und deshalb auch entsprechend diesen Ansprüchen handeln zu können glaubt.

Einen weiteren Schritt tut Jesus mit dem sogenannten *doppelten Liebesgebot,* s. Mt 22,37–40: »Du sollst den Herrn, deinen Gott, lieben mit deinem ganzen Herzen und mit deiner ganzen Seele und mit deinem ganzen Denken!« und »Du sollst deinen Nächsten lieben wie dich selbst!«[49]

Vgl. ferner die Par in Mk 12,29–31 und Lk 10,27. Es sei auch auf Mk 12,32ff und Mt 9,13; 12,7 verwiesen, wonach die Liebe wichtiger ist als der Kult (betr. Opfer), sowie auf Lk 11,42 Par, wo Liebe und Gesetz gegenübergestellt werden. Schließlich ist noch das Thomas-Evangelium zu zitieren, s. Logion 25: »Liebe deinen Bruder wie deine Seele (= wie dich selbst), bewahre ihn wie deinen Augapfel.«

Ergänzend muß in diesem Kontext ferner das bekannte Gleichnis vom barmherzigen Samariter herangezogen werden (Lk 10,29–37): Auf die Frage eines Gesetzeskundigen, wer denn sein »Nächster« sei, verweist Jesus auf das Tun eines landfremden und verachteten Samariters, der einen Juden, der »Räubern in die Hände gefallen« war, versorgte, beherbergte und pflegte, während ein (jüdischer) Priester und Levit an ihm vorübergingen. Er

49 Jaspers, Jesus, 170 nennt das »Leben der Liebe« »das Zeichen des Gottesreichs«; »Die Liebe ist . . . Wirklichkeit des Gottesreichs«. Bei Jeremias, Theologie, 204ff, heißt es: »Die Liebe . . . ist das Lebensgesetz der Königsherrschaft [Gottes].« S. auch Kraus, Reich Gottes, 20: »Das Reich Gottes ist das Reich der Liebe«; »Das Doppelgebot der Liebe ist das ›Grundgesetz‹ des Reiches Gottes, dessen Präambel die Zusage und Tat der Liebe Gottes zur Welt ist«.

zeigt damit auf, daß »Nächster« jeder, auch der Fremde und Andersgläubige, sein kann, wenn er nur konkret unserer Hilfe bedarf.

Das von Jesus dergestalt hervorgehobene Gebot der Nächsten- und Gottesliebe ist auch noch in der jüdischen Tradition verankert (Dtn 6,5; Lev 19,18). Jedoch ist bei Jesus neu und ungewöhnlich die Zusammenschau beider Weisungen. Dadurch wird deutlich, daß die Zuwendung zum Nächsten entscheidend mit der Beziehung zu Gott und dem Hören auf ihn zusammenhängt. Diese Zuwendung wird umfassend und positiv gekennzeichnet als Liebe, Verbundenheit und Solidarität, und zwar auch zu den Fernsten und Elendesten, denen besonders geholfen werden muß, damit sie aus Not und Elend zur vollen Menschwerdung gelangen. In diesem Inhalt des Liebesgebots wird ganz klar, daß die ›Forderung‹ Gottes nur die Entsprechung seiner Liebe und Zuwendung zu den Menschen darstellt und keinen Zwangscharakter mehr trägt.
Eine Variante dazu ist das *Gebot* Jesu zum *Dienst* gegenüber dem Nächsten und zum Verzicht auf Herrschaft bis hin zur Selbsterniedrigung. Dies ist besonders an die in öffentlicher Macht, in Ansehen und Ehren Stehenden gerichtet, die ihre Herrschaft auf das Notwendige begrenzen und sie im übrigen dem Dienst am Menschen widmen sollen. Es warnt aber auch allgemein vor dem Streben nach (eigener) Herrschaft und Macht, die es als gefährlich ansieht.

Grundlegend ist hier das alte Logion in Mk 10,42–44 Par[50]: »Ihr wißt, daß die, die als Fürsten der Völker gelten, sie knechten, und daß ihre Großen über sie Gewalt üben. Unter euch aber sei es nicht so, sondern wer unter euch groß sein will, sei euer Diener, und wer unter euch der Erste sein will, sei der Knecht aller.« Es muß ferner auf Lk 14,11 Par hingewiesen werden: »Denn jeder, der sich selbst erhöht, wird erniedrigt werden, und wer sich selbst erniedrigt, wird erhöht werden«, sowie auf Mt 18,4: »Wer sich selbst erniedrigt wie dieses (ein) Kind, der ist der Größte im Himmelreich« (str.); ähnlich noch Mk 9,35; Lk 9,48 und EvThom 22. Schließlich polemisiert Mt 23,8–10 treffend gegen das Streben nach Titeln und Würden: »Ihr sollt euch nicht Rabbi nennen lassen; denn einer ist euer Meister, ihr alle aber seid Brüder(!). Nennt auch niemand auf Erden euren Vater; denn einer ist euer Vater, der himmlische. Auch sollt ihr euch nicht Lehrer nennen lassen; denn einer ist euer Lehrer, der Messias« und begründet in V.11: »Wer aber unter euch größer ist (als die andern), soll euer Diener sein.«

Auch in diesem Fall spiegelt das Tun des Menschen resonanzhaft das Verhalten Gottes wider, der dem Menschen im Dienst bis zur Selbsterniedrigung und -aufgabe entgegenkommt.
Eine weitere Variante des Liebesgebots ist die *Aufforderung* Jesu zu *Vergebung* und *Nichtrichten* gegenüber dem Nächsten, womit eine *Abkehr vom Gesetz* schlechthin verbunden ist. Auch dies betrifft nicht nur den Menschen in seiner subjektiven und individuellen Sphäre, wo er vom

50 Dieses Logion, das die Herrschaftskritik Jesu fundiert, ist gemäß Bultmann, Jesus, 77; Goppelt, Theologie, 161 u.a. echt.

Fordern und Strafen absehen soll, sondern ebenso die menschliche Gesellschaft. Auch ihr soll es nicht so sehr um die gerecht erscheinende Sühne und Vergeltung an einem Straffälligen gehen als vielmehr um seine Wiederaufnahme in die soziale Gemeinschaft.

Zum Gebot der Vergebung sei besonders Lk 6,37 genannt: »Vergebt, so wird euch vergeben«, und auf Mt 18,21.22 Par: »Da trat Petrus hinzu und sagte zu ihm (Jesus): Herr, wie oft soll ich meinem Bruder, der gegen mich sündigt, vergeben? Bis siebenmal? Jesus sagt zu ihm: Ich sage dir: Nicht bis siebenmal, sondern bis 77mal.« Ferner vgl. Mt 5,23.24; 6,12 Par; 6,14.15 und Mk 11,25 Par. Ergänzend muß auch hier das Gleichnis vom »Schalksknecht« nach Mt 18,23–35 erwähnt werden, von dem sein König erwartet, daß er seinem Mitknecht eine geringe Schuld erläßt, wie ihm seine viel größere vom König erlassen worden ist, s.S. 42.
Was das Richten betrifft, so heißt es – ebenfalls authentisch – in Mt 7,1.2 Par: »Richtet nicht, damit ihr nicht gerichtet werdet! Denn mit welchem Gericht ihr richtet, mit dem werdet ihr gerichtet werden, und mit welchem Maß ihr meßt, mit dem wird euch gemessen werden.« Ferner ist das Bildwort in Mt 7,3–5 Par, auch in EvThom 26, von Bedeutung: »Was siehst du aber den Splitter in deines Bruders Auge, des Balkens jedoch in deinem Auge wirst du nicht gewahr? Oder wie kannst du zu deinem Bruder sagen: Halt, ich will den Splitter aus deinem Auge ziehen, und sieh, in deinem Auge ist der Balken? Du Heuchler, zieh zuerst den Balken aus deinem Auge, und dann magst du zusehen, daß du den Splitter aus deines Bruders Auge ziehst.«

Auch in diesen Worten zeigt sich die Reflexwirkung des Verhaltens Gottes, der den Menschen nicht richtet, nicht einmal Forderungen an ihn stellt, sondern ihm seine ›Sünde‹ vergibt und ihm damit Kraft und Mut zu einem neuen Leben verleiht.
Jesus überschreitet dann die jüdische Tradition entscheidend in den für ihn so typischen *Weisungen der Bergpredigt* (vgl. besonders Lk 6,27–30 und Mt 5,21–47). Lukas ist hier wesentlich kürzer als Matthäus, der noch größere Ergänzungen aus anderem Spruchgut Jesu aufnimmt[51].

Für die Lukas-Fassung ist das folgende Kernstück kennzeichnend, das bei Matthäus erst den Höhepunkt bildet:
»Liebt eure Feinde! Tut Gutes denen, die euch hassen! Segnet die, welche euch fluchen! Bittet für die, welche euch beleidigen!« (Lk 6,27.28).
»Dem, der dich auf die Backe schlägt, biete auch die andere dar, und dem, der dir den Mantel nimmt, verweigere auch den Rock nicht! Jedem, der dich bittet, gib, und von dem, der dir das Deine nimmt, fordere es nicht zurück!« (Lk 6,29.30).
Charakteristisch für Matthäus sind die folgenden sechs Antithesen, von denen die 5. und 6. der lukanischen Fassung entsprechen:

51 Die genannten Weisungen der Bergpredigt sind nach h.M. als im wesentlichen authentisch anzusehen, s. ausführlich Jeremias, Theologie, 240ff; Goppelt, Theologie, 150ff; Käsemann, Versuche I, 206.Str. ist, ob die antithetische Form bei Mt, für die es keine direkten jüdischen Analogien gibt, in allen sechs Weisungen ursprünglich ist (so Jeremias mit bedenkenswerten Argumenten) oder nur in der 1., 2. und 4. Weisung (so Goppelt und Käsemann im Anschluß an Bultmann); jedenfalls wird nach beiden Auffassungen dem alten Gesetzeswort ein Wort der neuen Zeit entgegengehalten, weil die alte Zeit durch das kommende Reich Gottes überholt wird.

»Ihr habt gehört, daß zu den Alten gesagt ist: Du sollst nicht töten; wer aber tötet, soll dem Gericht verfallen sein. Ich aber sage euch: Jeder, der seinem Bruder zürnt, soll dem Gericht verfallen sein . . .« (Mt 5,21.22).
»Ihr habt gehört, daß gesagt ist: Du sollst nicht ehebrechen. Ich aber sage euch: Jeder, der eine Ehefrau ansieht, um sie zu begehren, hat in seinem Herzen mit ihr schon Ehebruch begangen . . .« (Mt 5,27.28).
»Es ist ferner gesagt: Wer seine Frau entläßt, soll ihr einen Scheidebrief geben. Ich aber sage euch: Jeder, der seine Frau entläßt (außer wegen Unzucht, anders die – ursprünglichere – Par in Lk 16,18), gibt Anlaß, daß mit ihr die Ehe gebrochen wird, und wer eine Entlassene heiratet, begeht Ehebruch« (Mt 5,31.32; s. ferner Mk 10,1ff Par und 1Kor 7,10).
»Wiederum habt ihr gehört, daß zu den Alten gesagt ist: Du sollst nicht falsch schwören, du sollst aber dem Herrn deine Eide halten. Ich aber sage euch, daß ihr überhaupt nicht schwören sollt . . . Vielmehr sei eure Rede: Ja, ja; nein, nein. Was darüber ist, das ist vom Bösen« (Mt 5,33–37; Jak 5,12; die Stelle Mt 26,63ff Par widerspricht dem nicht).
»Ihr habt gehört, daß gesagt ist: Auge um Auge, Zahn um Zahn. Ich aber sage euch, daß ihr dem Bösen nicht widerstehen sollt; sondern wer dich auf die rechte Backe schlägt, dem biete auch die andere dar, und dem, der gegen dich den Richter anruft und dir den Rock nehmen will, dem laß auch den Mantel, und wer dich nötigt, eine Meile weit zu gehen, mit dem geh zwei. Gib dem, der dich bittet, und wende dich nicht von dem ab, der von dir borgen will« (Mt 5,38–42; ein Nachklang findet sich in Röm 12,17 und 21).
»Ihr habt gehört, daß gesagt ist: Du sollst deinen Nächsten lieben und deinen Feind hassen. Ich aber sage euch: Liebt eure Feinde und bittet für die, die euch verfolgen, damit ihr Söhne eures Vaters im Himmel seid« (Mt 5,43–45; rückläufig schon Joh 13,34 u.a.: »Ein neues Gebot gebe ich euch, daß ihr einander lieben sollt, wie ich euch geliebt habe, daß auch ihr einander lieben sollt«).

Jesus spitzt in der Bergpredigt und besonders in den Antithesen die alttestamentlichen Verbote des Tötens, Ehebrechens und Falschschwörens sowie die Gebote der ordnungsmäßigen Scheidung, der gerechten Vergeltung und der Liebe zum Nächsten in unerhörter Weise zu. Er verwirft bereits den willensmäßigen Ansatz zur Schädigung des Mitmenschen und zum Bruch des Vertrauens zu ihm. Ja, er ruft gegebenenfalls zur Aufopferung eigener berechtigter Belange gegenüber dem unrecht handelnden Mitmenschen auf und verbietet auf jeden Fall, ihm ein entsprechendes Übel zuzufügen. Er begehrt die Überwindung selbst der (formal) ordentlichen Scheidung und der gerecht erscheinenden Vergeltung und fordert die *umfassende Zuwendung* und *Gemeinschaft mit dem Mitmenschen, auch und gerade mit dem straffälligen und feindlich gesinnten.*

Damit ergibt sich nochmals eine Widerspiegelung der Zuwendung Gottes im Verhalten des Menschen; denn auch Gottes Liebe überholt gewissermaßen die Antwort des menschlichen Gegenüber: sie beharrt nicht auf dem Rechtsprinzip, sondern wird gerade gegenüber demjenigen wirksam, der von Gott besonders ferne ist, nämlich dem Niedrigsten und Verworfensten und zumal dem, der gar keine eigene Leistung erbringt.
Jesu Weisungen steigern sich in der Bergpredigt zu dem *Aufruf, »vollkommen zu sein,* wie euer Vater im Himmel vollkommen ist« (Mt 5,48;

die Par in Lk 6,36: »Seid barmherzig, wie euer Vater barmherzig ist« ist möglicherweise sekundär, s.S. 34). Diese Aufforderung zur Vollkommenheit, Heilheit und Ganzheit läßt sich auch aus dem Bildwort in Mt 12,33–35 Par, auch in EvThom 45, entnehmen: »Entweder macht den Baum gut, dann ist seine Frucht gut. Oder macht den Baum faul, dann ist seine Frucht faul . . . Wovon das Herz voll ist, davon redet der Mund. Der gute Mensch bringt aus seinem guten Schatze Gutes hervor, und der böse Mensch bringt aus seinem bösen Schatze Böses hervor.«
In der ›Forderung‹ nach Vollkommenheit wird eine besondere Zuspitzung der Parallelität von Gottes ›Gnade‹ und entsprechendem menschlichen Verhalten erreicht. Hier wird aber nun auch endgültig klar (wie dies ja schon auf S. 36 angesprochen wurde), daß insoweit gar *keine Forderung, kein Gebot Gottes* im eigentlichen Sinne besteht. Ein solches wäre ja vom Menschen auch gar nicht zu erfüllen und für ihn eine unerträgliche und zermürbende Belastung. Vielmehr handelt es sich hier um den *Ausdruck* und die *Folge* der *Zuwendung Gottes* und bedeutet eine *Gabe, Erlaubnis* und *Verheißung Gottes.* Diese führt zur *Freiheit des Neuen Menschen,* zur *Befreiung im Reich Gottes* hin, auch wenn dies zunächst nur undeutlich in Erscheinung tritt. Deshalb ist das ›du sollst‹ der Forderung, des Gesetzes treffender mit dem ›du darfst‹ und ›du wirst‹ einer Zusage und einer Verheißung zu übersetzen. Damit zeigt sich hier wiederum die tiefe *Einheit* der *Zuwendung* und der *Weisungen Gottes:* beide sind in ihrer *Radikalität endzeitlich* geprägt und beide *laufen* in der *Königsherrschaft Gottes* als *ihrem Grund, Weg* und *Ziel zusammen*[52].

5.1.2

Bisher war nur vom Verhalten des Neuen Menschen zum Mitmenschen (bzw. zur Gesellschaft) die Rede. In der Beziehung zur *eigenen Person* ergibt sich aber nichts wesentlich anderes. Auf diese Beziehung zielt Jesus auch ab, wenn er dazu aufruft, den Nächsten zu lieben »wie sich selbst« (Mt 22,39 Par). Das schließt ja die *Annahme* und *Zuwendung* zur

52 Der Zusammenhang von Zuwendung und Forderung ist viel diskutiert worden. Die vorliegende Auffassung, nach der die von Jesus geforderte ›Ethik‹ gleichzeitig die Lebensordnung des nahenden Reichs Gottes ist, ähnelt der Anschauung von Jeremias, Theologie, 204ff (»Die Liebe« als »das Lebensgesetz der Königsherrschaft [Gottes]«); ferner auch Bartsch, Jesus, 92 (»In dem Handeln [nach den Weisungen Jesu] bezeugt der Handelnde seine Zugehörigkeit zu dem kommenden Reich«) und Nigg, Reich, 42; danach ist die Erfüllung der Forderung Jesu die »Vorwegnahme jener Einstellung, nach der man im Reiche handeln wird«. Bultmann, Jesus, 91, betont, daß sowohl die Botschaft vom Kommen des Reichs als auch die Forderung Jesu den Menschen hinweisen auf sein Jetzt als Stunde der Entscheidung. Dibelius, Jesus, 120, hebt die »Absolutheit« sowohl der Verheißung als auch der Forderung Jesu hervor. Die Kennzeichnung von Jesu ›Ethik‹ als »Interimsethik« oder »Ausnahmegesetz« (nach Schweitzer bzw. Weiß) trifft schließlich zwar richtig ihre durch und durch eschatologische Eigenart, sie gibt ihr aber fälschlicherweise einen nur vorbereitenden und nicht den endgültigen Charakter, den sie mit dem kommenden Reich haben soll.

eigenen Person ein. Als Paradox dazu ist andererseits nicht die Weisung Jesu zu überhören, sich gegebenenfalls »*selbst zu verleugnen*« und sogar »zu hassen« und »allem zu entsagen, was man (er) hat« (vgl. Mk 8,34–37 und Lk 14,26.27, beide Par, auch in Joh 12,25; ferner Lk 14,33).

Im Zusammenhang mit den letzteren Worten erzählt Jesus (nach Lukas) auch die Gleichnisse vom Turmbau und vom Kriegszug (Lk 14,28–30.31–32). Im ersteren setzt sich der Turmbauer, bevor er einen Turm baut, »zunächst hin und berechnet die Kosten, ob er genug habe zur Ausführung«, und im letzteren hält der Feldherr, der ausziehen will, um mit einem anderen Krieg zu führen, »zuerst Rat, ob er imstande sei, mit 10000 dem entgegenzutreten, der mit 20000 gegen ihn anrückt«. Als entfernte Parallele zum Gleichnis vom Kriegszug kann außerdem noch das Gleichnis vom Attentäter in EvThom 98 angesehen werden, wonach »das Reich des Vaters (= Reich Gottes) einem Menschen gleicht, der vorhatte, einen mächtigen Mann (das Böse) zu töten . . . Er durchbohrte zunächst die Wand, um zu wissen, ob seine Hand stark sein werde; dann tötete er den Mächtigen.«

Alle diese Worte können nur verstanden werden, wenn man bedenkt, daß es auch bei der Beziehung zur eigenen Person nicht um ein statisches Verhältnis geht, sondern letzten Endes um deren Befreiung. Das heißt: es handelt sich um deren *Umformung zum endzeitlichen Neuen Menschen im Reich Gottes*, der ja nicht nur in der Beziehung zum Nächsten, sondern auch und zuerst in der eigenen Person Gestalt gewinnen muß. Zu diesem Zweck muß der *alte Mensch*, der bloß um *sich selbst* kreist, *überwunden* und gewissermaßen »verleugnet« und »gehaßt« werden. Er muß aus seinen alten egozentrischen Beziehungen gelöst werden, was auch Verzicht auf private Güter, Versagung individueller Vorteile, ja in Ausnahmefällen sogar die Aufgabe der eigenen Person bedeuten kann. Dies bedarf jeweils im einzelnen der überlegenen Prüfung und sorgfältigen Planung, wie Jesus besonders in den genannten Gleichnissen einschärft.

Die Überwindung des alten Menschen und seiner von Ichsucht durchsetzten Verhältnisse kann aber nun *nicht durch Repression* oder irgendwelchen *Zwang* geschehen, weder von dritter Seite noch von der eigenen Person aus. Es bedarf vielmehr paradoxerweise der *Annahme der gesamten Person*, auch ihres ›Schattens‹ (nach *C. G. Jung*) und nicht der kurzatmigen Unterdrückung und Verdrängung gewisser Person-Anteile[53]. Dasselbe gilt für die von außen kommende Einwirkung durch Dritte, etwa Erzieher. Auch hier ist die Umformung des alten Menschen nur durch *gegenseitige Zuwendung von Mensch zu Mensch* zu erreichen, nicht aber durch Repression, die nur zum Festkrallen des entfremdeten Ichs führt.

Insoweit ist übrigens wiederum eine Entsprechung des menschlichen

53 S. Braun, Jesus, 168 (»[Der Mensch] muß sich selber annehmen«); vgl. auch Bultmann, Jesus, 137ff. Es geht dabei allerdings um die Veränderung des alten Menschen, also nicht einfach um seine positive Bejahung, noch weniger um negative Askese.

Verhaltens zum Wirken Gottes zu beobachten. Dieser bleibt ebenfalls nicht in sich und für sich, abgewendet von Mensch und Welt, sondern geht in Freiheit aus sich heraus, läßt sich mit ihnen ein und verbindet sich mit ihnen.

5.1.3

Nachdem wir von der Beziehung des Menschen zu seinen Mitmenschen und zu sich selbst geredet haben, kommen wir nun zum Letzten und Entscheidenden. Jesus spricht nämlich mit besonderer Betonung *vom Verhältnis des Menschen zu Gott*. Das ist in seiner Predigt sogar, wie schon angedeutet, das Primäre und Zentrale, die Quelle alles anderen Tuns und Lassens und ihr Ziel, also die alles sonstige umfassende und tragende Achse.

Das wird besonders klar ausgesprochen in der lukanischen Fassung des Liebesgebots: »Du sollst den Herrn, deinen Gott, lieben mit deinem ganzen Herzen und mit deiner ganzen Seele und mit deiner ganzen Kraft und mit deinem ganzen Denken . . .« (Lk 10,27), wobei die Par in Mt 22,38 hinzufügt: »Dies ist das größte und erste Gebot.« Damit ist der Mensch von Jesus aufgefordert, sich Gott zu öffnen und auf ihn zu »hören« (richtiger als das alttestamentarische »Gehorchen«, s.S. 55), Gott zu vertrauen, seinen Willen anzunehmen und ihn ganz zu erfüllen (vgl. S. 40, 55).

Aus dem Inhalt dieses grundlegenden Gebots folgt, daß dieses sich im wesentlichen und entscheidend in der Verwirklichung des »zweiten« Gebots, »seinen Nächsten wie sich selbst zu lieben«, entfaltet. Denn darin wird das Hören auf Gott, der Glaube an ihn, die Annahme und das Tun seines Willens im Kern erfüllt. Man kann also zutreffend sagen: *Die Liebe zu Gott* ist *in der Hauptsache*, im Zentrum *deckungsgleich* mit der *Liebe zum Mitmenschen* und der *Annahme der eigenen Person*[54].

Jesus hat diese Übereinstimmung auch anderweit zu verstehen gegeben, nämlich in den folgenden Logien, in denen er wiederum von sich als dem Repräsentanten Gottes spricht: »Was ihr einem dieser meiner geringsten Brüder getan habt, habt ihr mir getan« (Mt 25,40 und 45) und noch genauer: »Wer ein solches Kind (um meines Namens willen?) aufnimmt, der nimmt mich auf, und wer mich aufnimmt, der nimmt nicht mich auf, sondern den, der mich gesandt hat« (vgl. Mk 9,37 Par). Ähnliches besagen auch die Stellen Mt 10,40 und Lk 10,16, in denen ebenfalls die enge Verbundenheit Gottes und Jesu mit den Menschen hervorgehoben wird. Schließlich sei auch noch auf das in eben diese Richtung weisende apokryphe Wort Jesu aufmerksam gemacht: »Hast du deinen Bruder gesehen, dann hast du deinen Gott gesehen« (nach Clemens Alexandrinus, Stromateis I 19).

54 Zutreffend insoweit Braun, Jesus, 164ff (»Der Dienst an Gott geschieht . . . interlinear auf dem Felde konkreten Handelns [am Nächsten]«), oder Gollwitzer, Revolution, 100, wonach der Mensch immer in dieser doppelten Beziehung existiert, »und seine Beziehung zu Gott realisiert sich ständig . . . in seinen Beziehungen zu den Mitgeschöpfen« gegen andere, die beides wieder trennen wollen. Eine Identifizierung von Gottes- und Nächstenliebe ist dabei *nicht* gemeint.

Da die Gottesliebe als Dienst in der Gottesherrschaft somit im Kern mit der Liebe zum Nächsten und mit der Annahme der eigenen Person übereinstimmt, ist bei ihrer Darstellung im wesentlichen auf das Bezug zu nehmen, was schon zum Verhältnis des Menschen zu seinen Mitmenschen, ferner zur Beziehung zur eigenen Person gesagt worden ist (s. 5.1.1 und 5.1.2).

Ergänzend sind allerdings noch *zwei* weitere Punkte hinzuzufügen, die erweisen, daß die *Gottesliebe* die *Liebe zum Mitmenschen* bzw. *zu sich selbst* noch bedeutend *überschreitet:*

1. ist zu betonen, daß sich das zuwendende Verhalten des Menschen neben dem Mitmenschen auf die *gesamte Schöpfung Gottes* zu erstrecken hat, so auf Tier und Pflanze, Erde und Kosmos. Besonders aktuell ist hier die Verantwortung des Menschen für den Schutz seiner Umwelt.

Diese folgt aus dem fürsorglichen Walten Gottes gegenüber seiner Kreatur, die er nach der Vorstellung Jesu als solche erhalten und fördern will (s. Lk 12,22ff Par, wonach Gott »die Raben ernährt«, auch wenn sie »nicht säen und ernten«, und »die Lilien auf dem Felde« gekleidet sind schöner als »Salomo in all seiner Pracht«, sowie Lk 12,6.7 Par: »Nicht einer von ihnen [den Sperlingen] ist vor Gott vergessen«). In Entsprechung zu diesem Wirken Gottes sind auch die Menschen aufgerufen, die *Natur* zu *schützen* und zu *fördern.* Ihnen ist verboten, sie auszuplündern und dadurch zu zerstören.

Dies gilt um so mehr, weil auch der außermenschlichen Schöpfung entsprechend der apokalyptischen Auffassung, s. Mk 13,24ff Par, eine völlige Erneuerung bis zu kosmischen Dimensionen sowie nach der prophetischen Tradition (Jes 11,6ff; 30,23ff; 65,17ff) der weltumspannende Frieden des Gottesreichs verheißen ist; auch die letztere Anschauung dürfte Jesus gebilligt haben[55].

2. ist daran zu denken, daß nicht nur das äußere Verhalten des Menschen Gewicht hat, sondern auch und gerade *seine innere Haltung als Quelle und Begleitung seines Tuns.* Diese drückt sich besonders in *Kontemplation* und *Gebet* aus, das heißt: im Sich-Ansprechen-Lassen durch den und im Anreden des einen Gottes, der das Reich bringt, sowie in der Verwerfung der anderen Mächte, die den Menschen an seinem Empfang hindern könnten.

Hier ist des *Vaterunsers* zu gedenken als des einzigartigen Gebets Jesu um das Kommen der Königsherrschaft Gottes:

»Unser Vater im Himmel,
dein Name werde geheiligt.
Dein Reich komme.

55 Zu dieser Frage bes. Wenz, Reich Gottes, 81ff; danach betrifft die Verkündigung von der Erlösung »auch die außermenschliche Kreatur«. Klar ebenfalls schon Ragaz, Reich Gottes, 36: Zum Reich Gottes gehört auch »die Erlösung der Natur aus Not und Kampf, Knechtschaft und Tod«.

Dein Wille geschehe, wie im Himmel so auch auf Erden.
Unser Brot für morgen (das Brot der Gottesherrschaft) gib uns heute.
Und vergib uns unsere Schuld, wie auch wir (hiermit) vergeben unseren Schuldnern.
Und führe uns nicht in Versuchung (in die Drangsal),
sondern erlöse (errette) uns von dem Bösen«
(so die Langform des Vaterunsers nach Mt 6,9–13, kürzer die Par in Lk 11,2–4[56]).
Jesus hat weiter auch vom Bittgebet gesprochen, z.B. in Mt 7,7–11 Par und vom Dankgebet, s. Mt 26,26.27 Par und es praktiziert (s. auch Mt 11,25ff Par und Mk 14,36 Par). Dagegen hat er dem Kultus, wie bereits nachgewiesen (S. 31ff) sein entscheidendes Gewicht genommen.

5.2
Die Unvollendetheit der Zuwendung auch der Menschen

Nachdem nun im einzelnen erörtert worden ist, daß die Erfüllung des Willens Gottes den Reflex seiner Zuwendung zum Menschen bedeutet und daher in der Zuwendung zum Nächsten, in der Annahme der eigenen Person und – allgemein gesprochen – in der Neuwerdung des ganzen Menschen in einer erneuerten Welt besteht, ist zum Abschluß dieses Kapitels eine gewisse Einschränkung zu machen.
Es ist früher (s.S. 49ff) ausgeführt worden, daß die *›Gnade‹* und *Liebe Gottes* zu den Menschen vorläufig nur *zeichenhaft und unabgeschlossen* erfolgt. Gott hat anderen Mächten noch ein zeitweiliges Eigenleben gestattet, um den Menschen in die Entscheidung zu stellen und ihn zu bewähren. Dadurch wird der Mensch in die Lage versetzt, selbst darüber zu befinden, ob er sich von diesen Mächten befreien und zum vollen Menschsein gelangen will oder ob er alles beim bisherigen belassen will. Die Barmherzigkeit Gottes steht dem Menschen jedoch helfend und stützend zur Seite, wenn er dabei strauchelt, und befindet sich im steten Aufbruch zur Schaffung dieses Neuen Menschen in einer Neuen Welt als seiner Heimstätte.
Dieses Sich-Entfalten der Zuwendung Gottes aus der Verborgenheit zur Offenlegung und endgültigen Ausbreitung hat Auswirkungen auch auf das antwortende Verhalten des Menschen, zunächst in seiner Beziehung zum einzelnen Nächsten, aber auch allgemein im Verhältnis des Menschen zur Gesellschaft und zur Welt. *Auch der Mensch* wird *die Erfüllung des Willens Gottes nicht sofort, auf einen Schlag* und *vollendet* verwirklichen können. Die Neuwerdung des Menschen kann vorläufig nur ansatzweise und fragmentarisch, jedoch mit der unbedingten Tendenz zum Fortschreiten, Sich-Entfalten und Ausbreiten erfolgen[57].

56 Ausführlich hierzu Jeremias, Theologie, 180ff; ferner Goppelt, Theologie, 120ff, und Bultmann, Jesus, 123ff. Die Authentizität bes. der Bitte um das Kommen des Reichs ist nicht zu bezweifeln.

57 Diese Frage wird zumeist im Zusammenhang mit der gegenwärtigen Realisierung der Forderungen der Bergpredigt abgehandelt. S. Bornkamm, Jesus, 202ff. Dieser bemängelt, daß fast alle ihre Auslegungsversuche den »fatalen Zug« haben, auf eine »Beschränkung ih-

Der Mensch wird etwa in seiner Liebe zum Mitmenschen nicht so weit gehen können, ihm sämtliche Aufgaben und Belastungen zu ersparen, sondern ihn auch in die Bewährung stellen dürfen, um seine Eigenverantwortung zu stärken. Er wird zeitweilig auch, selbst wenn Gefahren für den Mitmenschen auftreten, nicht einzugreifen haben. Grundsätzlich hat der Mensch allerdings Aktivität zu entfalten, wenn es um Leben und Freiheit des Nächsten geht. Er hat auch Strukturen und Ordnungen zu entwickeln, die dem Leben der Menschen und ihrer Gemeinschaft dienen. Dabei muß er wiederum zusehen, daß er ihren Gesetzescharakter abbaut und die Ausbildung von Macht, Gewalt und Vergeltung zurückdrängt. Unter Umständen wird der Mensch freilich *der Repression nicht völlig entraten* können und mit großer Zurückhaltung zur Verteidigung des Mitmenschen, aber auch seiner selbst, *ausnahmsweise* einmal *Macht und Zwang anwenden* dürfen. Jegliche Form von Repression hat jedoch so zu geschehen, daß das grundlegende *Recht des Menschen* und die *Gerechtigkeit* im allgemeinen *gewahrt* bleiben, die *Zuwendung* die *Repression* jeweils *deutlich überwiegt* und dadurch auch der betroffene Mitmensch zur vollen Entfaltung seiner Menschlichkeit und nicht zu Aggression und Destruktion geführt wird.

Dies wird auch in der *Predigt Jesu* und in seinem *tätigen Wirken* deutlich.

Beherrschend ist für ihn, wie gezeigt, das *Liebesgebot.* Insbesondere ist für ihn auch die Regel maßgebend, *jede Gewalt zu meiden* und, anstatt das Unrecht zu vergelten, »ihm nicht zu widerstehen« (Mt 5,38.39) und u.U. sogar seinem Gegner zu »willfahren« (Mt 5,25; ferner 5,39b–41 Par); s. dsgl. Mt 26,52: »Wer das Schwert zieht, der wird durchs Schwert umkommen«, sowie die Seligpreisung der Gewaltlosen und Friedensstifter gemäß Mt 5,5 u. 9.

Dies ist auch in den Gleichnissen vom Unkraut unter dem Weizen und vom Fischnetz ausgesprochen. Hier soll das Unkraut (der Lolch) nicht vom Menschen vor der Zeit aus dem Weizen herausgesucht und verbrannt werden. Es soll also das Böse nicht vom Guten geschieden und mit Gewalt vertilgt werden, vielmehr soll dies Gott für die Zeit des ›letzten Gerichts‹ vorbehalten bleiben (s. Mt 13,24–30; 36–43 Par EvThom 57). Desgleichen sollen erst »am Ende der Welt« die faulen Fische von den guten getrennt und weggeworfen werden (vgl. Mt 13, 47–50; freilich zw.), womit dieselbe Vorstellung ausgesagt wird.

rer Gültigkeit« zu zielen (was auch für das von ihm ausgenommene lutherische Verständnis gilt); dies ist indessen wegen des Ausstehens des vollendeten Reichs Gottes dann nicht tadelnswert, wenn wenigstens die dynamische Tendenz zur kommenden Verwirklichung erhalten bleibt. Goppelt, Theologie, 166ff, sieht ebenfalls »Jesu Gebot« »unmittelbar nur durch ihn selbst gelebt«; das sich aus der Nachfolge ergebende Verhalten sei »immer nur als Zeichen möglich« und zwar als »verborgenes« und »durch Versagen verdunkeltes Zeichen«. Der vorliegenden Darstellung entspricht es, noch weitergehend von konkreten Ansätzen und Schritten im Horizont des kommenden Gottesreichs zu reden, die dem Menschen geboten und auch ermöglicht sind.

Diesem Gedanken entspricht auch schließlich Jesu *praktisches Verhalten* der grundsätzlichen *Gewaltlosigkeit*, wie dies schon im einzelnen gezeigt wurde und seinen Höhepunkt in der Leidensgeschichte hat (s. noch später).

Andererseits ist das gesamte Bestreben Jesu aber letztlich darauf gerichtet, das Böse und seine Macht allgemein zu überwinden und dem Neuen Menschen und der Neuen Welt und damit dem Reich Gottes zum Siege zu verhelfen.

Dazu billigt er auch *in besonders gelagerten Ausnahmefällen Repression* und *Zwang*.

So bei der Vertreibung der Händler aus dem Tempel in Jerusalem, zum Zwecke einer letztmaligen Demonstration seiner Gottesreichs-Predigt zugunsten der »Vielen« unter Einschluß der Fremden und ›Heiden‹ (Mk 11,15ff Par). Ferner bei der Aufforderung an seine Jünger zum Schwerterkauf (Lk 22,35ff), offenbar damit sie sich bei der einsetzenden Verfolgung nach der Festnahme Jesu der ärgsten Bedrohung ihres Lebens erwehren könnten, während er allerdings für sich eine Gegenwehr dieser Art ablehnt (Lk 22,47ff Par). Bedeutsam ist in diesem Zusammenhang weiter, daß er seinen Jüngern rät, (bei der Verfolgung) »klug wie die Schlangen und ohne Falsch wie die Tauben« zu sein (Mt 10,16 Par EvThom 39b), bei Verweigerung der Gastfreundschaft die Ungastlichen zu verlassen und »zum Zeichen (gegen sie) den Staub von den Füßen zu schütteln« (Mk 6,11 Par) sowie allgemein »ihre Perlen nicht vor die Säue zu werfen, damit diese sie nicht zertreten und sich umwenden und sie (die Jünger) zerreißen« (Mt 7,6 Par EvThom 93).

Auch durch diese bruchstückhaften Zitate scheint doch der Leitgedanke hindurch, daß die *Zuwendung* und *Liebe zum Nächsten* der entscheidende Gesichtspunkt, die *dominierende Zielvorstellung* ist. Eine Repression soll nur dergestalt erfolgen, daß sie von der verbleibenden Solidarität umfaßt und überstrahlt wird und sich jedenfalls im Rahmen eines rechten Verhaltens, der Gerechtigkeit hält[58] (s. Lk 11,42 Par). Ohne diese *Gerechtigkeit*, ohne *Recht* kann die Bildung einer wahrhaft menschlichen Ordnung, die dem Willen und der Herrschaft Gottes entspricht, nicht erreicht werden (vgl. Mt 5,20; Lk 18,2–8; die weiteren matthäischen Logien wie Mt 5,6 und 10; 6,33 und öfter fügen die »Gerechtigkeit« sekundär ein).

58 Im vorliegenden wird ›Gerechtigkeit‹ von der Liebe abgesetzt und ihr gegenüber als subsidiär angesehen. Liebe und Gerechtigkeit konstituieren danach zusammen die Neue Welt des Reichs Gottes. Sie sind miteinander Ausdruck des endzeitlichen Willens Gottes (in diesem Sinne auch Lk 11,42). Man kann aber auch (begründetermaßen) den Willen Gottes, das Tun des Richtigen, Rechten (nicht nur ergänzend, sondern umfassend) als ›Gerechtigkeit‹ oder ›Recht‹ bezeichnen (vgl. etwa Mt 5,20). In letzterem Sinn auch Kraus, Reich Gottes, 161ff, der betont, daß in der verheißenen neuen Welt »Recht und Gerechtigkeit das Zusammenleben der Menschen regieren und bestimmen« werden, »die radikale Veränderung des menschlichen Zusammenlebens«. In beiden Fällen wird die Gerechtigkeit und das Recht nicht nur durch die Natur- bzw. Schöpfungsordnung begründet, sondern in erster Linie eschatologisch, also durch das im Kommen befindliche Reich Gottes; in diesem Reich, in dem »man das Recht lieb hat« (Ps 99,4), zieht die göttliche Gerechtigkeit die menschliche Gerechtigkeit nach sich.

Zum Schluß ist nach den gesamten Ausführungen über die Zuwendung Gottes und die daraus hervorgehende Neuwerdung von Mensch und Welt noch einmal vorläufig *zusammenzufassen:*
Gottes Herrschaft, sein Reich entfaltet sich nach allem bislang Gesagten da, wo *seine Zuwendung,* die *den Menschen aus der Entfremdung befreien* will, von diesem *angenommen* wird und zu einem *Neuen Leben* in einer *erneuerten Welt* führt. Dieses *Neue Sein des Menschen* kann inhaltlich als *Liebe* und *Gerechtigkeit gegenüber dem Mitmenschen und der Mitwelt in Freiheit* gekennzeichnet werden.
Dabei haben *Gesetzlichkeit* und *Kultus zurückzutreten.*
Das Reich Gottes ist somit in der *Gegenwart* zeichenhaft, ja tendenziell dort, wo dies im Ansatz geschieht.
Es soll in der *Zukunft* vollendet da sein, wo der Wille Gottes voll verwirklicht werden wird.

II

Die Bedeutung Jesu im Rahmen der Gottesherrschaft

1 Jesus und das Tun des Willens Gottes

In den folgenden Kapiteln ist zu überlegen, welche Bedeutung *Jesus* aus Nazareth für das Kommen des Reichs Gottes hat.
Es ist schon dargestellt worden, daß Jesus das Nahen des Reichs Gottes, der Gottesherrschaft mit seiner Predigt und mit seinem Leben und Wirken verkündigt hat. Er hat damit den Anruf Gottes, seine Zuwendung und seinen Anspruch zu den Menschen gebracht.
In Jesus ist aber auch Gott bereits geantwortet worden. Die Zuwendung Gottes und seine Weisungen sind von Jesus angenommen worden. Das Neue Sein entsprechend dem Willen Gottes ist durch ihn gelebt und ein für allemal dargestellt worden. Dieses Sein ist in ihm Vorbild und Modell für alle Menschen geworden.
Jesus hat somit *das Reich Gottes* nicht nur *verkündigt*, sondern *auch verwirklicht* und *vorgelebt*. Jesus ist also nicht nur Botschafter, Gesandter Gottes und *Verkündiger* seines Willens gegenüber den Menschen und der Welt. Er ist nicht nur Wort und Sprecher Gottes oder auch Bild Gottes und sein Abbildner in der Welt. Vielmehr ist er *auch Vollzieher und Erfüller* des *endgültigen Willens Gottes* und damit des *Neuen Seins der Gottesherrschaft*. Dies schließt in sich, daß Jesus für die Menschen *Darsteller* und *Verdeutlicher*, also *Modell* des *Neuen Menschen im Reich Gottes* ist, der von Gott in der gezeigten Weise ›begnadigt‹ und ›gefordert‹ ist[59].
Das ergibt sich im einzelnen aus den folgenden Tatsachen:

59 Zum Grundsätzlichen s. Bornkamm, Jesus, 52: danach ist in Jesus »die Wirklichkeit Gottes und die Autorität seines Willens unmittelbar da und wird in ihm Ereignis«. Wie Braun, Jesus, 145ff betont, »vertrat und lebte [Jesus] all die [von B. ausgeführten] Dinge«, also die Gnade Gottes und seine Forderung. Er lebte besonders vor, »was er unter rechter Offenheit gegenüber dem Mitmenschen versteht.« Nach Jeremias, Theologie, 243 wußte Jesus »sich selbst als der Heilbringer«; sein »Selbstzeugnis« war »Bestandteil der von ihm verkündigten Frohbotschaft«; ähnlich Goppelt, Theologie, 217ff (s. i.e. später).

1.1
Jesus als Rabbi, Arzt und Prophet

Jesus wirkte zunächst in großem Umfang als religiöser und philosophischer *Lehrer*, damit als *Rabbi* (vgl. z.B. Mk 9,5; 14,14 usw.), und predigte als solcher, daß sich Gott nunmehr den Menschen zuwende, und zwar besonders den Elenden und Unterdrückten. Er rief die Menschen zu konkreter Liebe und mitmenschlicher Gemeinschaft auf, auch mit den Fernstehenden, und stellte das kultisch-rituelle Verhalten sowie das Gesetz in den Hintergrund. Damit zeigte er ihnen den Weg auf, der zu Befreiung und Heilung führen sollte (S. 34).
Jesus war auch als *Arzt* tätig (s. Lk 4,23; Mk 2,17 u.a.). Er heilte zahlreiche körperlich Leidende. Er befreite auch psychisch Kranke von ihren Gebrechen und trieb ›Dämonen‹ aus (S. 25).
Weiter handelte Jesus als *Prophet* im herkömmlichen jüdischen Sinne (vgl. etwa Lk 4,24; Mt 21,11 usw.). Er kündigte das nahe Kommen des eschatologischen Gottesreichs an und griff dementsprechend in das soziale Leben des Volkes ein. Er vergab Ausgestoßenen und Verfemten ihre ›Sünde‹ und nahm sie damit beispielhaft wieder in die mitmenschliche Gemeinschaft auf. Er hielt zu dem gleichen Zweck Mahlgemeinschaften mit solchen Menschen. Er speiste die Volksmassen, was nicht nur zeichenhaft Sättigung bedeuten, sondern ebenfalls dem sozialen Zusammenschluß dienen sollte (S. 25).
Er sandte, wie im einzelnen noch zu schildern sein wird, *Jünger (= Schüler)* aus, die ebenfalls das Kommen der Gottesherrschaft predigen und durch Heilungen vorbereiten sollten, und er gründete eine Menschengemeinschaft oder ›Bewegung‹, besonders aus den Armen, Niedrigen und Unterdrückten, und wollte sie dem bald hereinbrechenden Reich Gottes entgegenführen.

1.2
Jesus als Messias

Jesus aber war nicht nur dies alles, sondern noch wesentlich mehr: Das ergibt sich besonders daraus, daß er in allen vier Evangelien als *Messias* (griech. Christos = Gesalbter Gottes) der jüdischen Tradition bezeichnet wird, d.h. als der von den Juden für die Endzeit erwartete *König Israels* und *»Sohn Davids«*, der *Israel* (und darüber hinaus die *ganze Welt*) von *Gewaltherrschaft und Unrecht befreien* und ihnen das *Heil der Herrschaft Gottes bringen* sollte.
Die Messiaserwartung entstammt der Tradition des jüdischen Volkes und entwickelte sich besonders aus den alten Königsvorstellungen Israels.

Dies sei z.B. an dem prophetischen Hymnus Jes 9,6.7 gezeigt: »Ein Kind ist uns geboren, ein Sohn ist uns gegeben, und die Herrschaft kommt auf seine Schulter. Und er wird genannt: Wunder-Rat, Gott-Held, Ewig-Vater, Friede-Fürst. Groß wird seine Herrschaft sein und des Friedens kein Ende auf dem Throne Davids und über seinem Königreiche, da er es festigt und stützt durch Recht und Gerechtigkeit von nun an bis in Ewigkeit« (ähnlich ferner Jes 11,1ff; Mich 5,1ff u.a.). Die spätere Königserwartung wird in der Weissagung Jer 23,5.6 ausgedrückt: »Seht, es kommen Tage, spricht der Herr, da werde ich dem David einen gerechten Sproß erwecken. Der wird als König herrschen und weise regieren und Recht und Gerechtigkeit im Lande üben. In seinen Tagen wird Juda geholfen werden, und Israel wird sicher wohnen. Und das ist der Name, mit dem man ihn nennen wird: Der Herr unser Heil!«; in diese Richtung gehören auch Am 9,11ff; Hos 3,5ff; Sach 9,9ff usw. Die Bezeichnung »Gesalbter« begegnet zunächst allgemein für den König Israels (s. z.B. Ps 2,2; 18,51) und später dann mit der Bedeutung des verheißenen Befreiers und Heilskönigs der Endzeit (vgl. PsSal 17ff und äthHen 48,10 u.a.).

Was *Jesu Beziehung* zur *Messiaserwartung* betrifft, so treten besonders die Erzählungen in Mk 8,27–30 und 14,61.62, beide Par, auch in Joh 6,67–69; 10,24.25 hervor, deren Authentizität allerdings umstritten ist[60].

In der ersteren Stelle, der Geschichte vom Petrusbekenntnis, fragt Jesus seine Jünger, für wen ihn das Volk halte. Als sie ihm antworteten, die einen glaubten, er sei der (auferweckte) Johannes der Täufer, die anderen, er sei der für die Endzeit erwartete Elia oder ein anderer Prophet, will Jesus weiter wissen, wie ihn seine Jünger beurteilen. Darauf bekennt Petrus: »Du bist der Messias (Christos)!«, was Jesus zunächst zu dem Befehl veranlaßt, sie sollten zu niemandem über ihn reden.
Die andere Stelle betrifft die Vernehmung Jesu vor dem Hohen Rat in Jerusalem. Hier fragt ihn der Hohepriester im Wege des Ausforschungsbeweises: »Bist du der Messias, der Sohn des Hochgelobten?«, worauf Jesus sich ihm gegenüber als solcher zu erkennen gibt und diese Würde ebenso wie vorher (wovon noch zu reden sein wird) mit seiner Menschensohn-Eigenschaft verbindet.
Auf weitere Zitate, die ebenfalls direkt vom Messiastum Jesu handeln (z.B. Mk 9,41; 12,35 Par; Mt 23,10; Joh 4,25.26 u.a.), ist nicht näher einzugehen, da sie zu peripher oder noch zweifelhafter als die vorgenannten sind.

Obwohl die eben behandelten Perikopen möglicherweise bereits Bildungen oder zumindest Umgestaltungen der christlichen Gemeinde darstellen, ist doch auf jeden Fall festzustellen, daß sie den Kern der messianischen Beziehung Jesu durchaus erkennen lassen. Danach hat sich Jesus zwar vielleicht nicht ausdrücklich als Messias bezeichnet, aber er hat doch (bewußt) *als der religiös-politische Heilsbringer der nahenden*

60 Ablehnend z.B. Bultmann, Theologie, 27ff; Dibelius, Jesus, 74ff u.a. In Mk 14,61.62 dürfte aber der messianische Anspruch Jesu jedenfalls im Kern zutreffend zum Ausdruck gekommen sein, wie historisch auch durchaus naheliegend ist. Was Mk 8,27ff betrifft, so zeigt diese Stelle zumindest eine entsprechende messianische Erwartung der Jünger, die Jesus keineswegs ohne weiteres verwirft. S. in diesem Sinne auch Kümmel, Theologie, 61ff.

Endzeit gehandelt, der nur als der *Messias* identifiziert werden kann[61]. Dem entspricht zunächst sein *gesamtes Auftreten* als *Künder und Bringer* des *endzeitlichen Heils im Reiche Gottes*. Er ist die Zentralfigur dieses Reichs. Mit ihm sollte es hereinbrechen.

Wenn er »durch den Finger Gottes« die Dämonen austreibt, so ist das Reich Gottes damit bereits zu den Menschen gelangt (so das urtümliche Logion Lk 11,20 Par[62]). Er war auch der »Kommende«, nach dem Johannes der Täufer fragte (Mt 11,2–6 Par); dieser sollte nach Sach 9,9 und Dan 7,13 »kommen«, um das Reich Gottes in Kraft heraufzuführen (s. auch andere Worte vom »Gekommensein« Jesu wie Mk 2,17 Par; Mt 10,34.35 Par; Lk 12,49 usw.). Wer Jesus »nahe« ist, »der ist dem Feuer (der endzeitlichen Drangsal) nahe«, wer ihm »fern« ist, »der ist dem Reiche fern« (vgl. EvThom 82, für dessen Echtheit ebenfalls viel spricht[63]; im einzelnen sei zu der engen Beziehung Jesu zur Gottesherrschaft auch noch auf S. 95 verwiesen).

Das Messiastum Jesu wird aber auch in den *Worten* und *Taten* deutlich, in denen Jesus die für ihn so typische »*Vollmacht*« und herrscherliche »Gewalt« in Anspruch nahm:

Er sprach immer wieder Menschen das Reich Gottes zu, als befinde er darüber (z.B. Lk 6,20ff Par; Mk 12,34; Mt 21,31b). Er vergab ›Sünden‹ wie Gott selbst (s. Lk 7,48; Mk 2,7.10 Par; vgl. Jes 44,22). Er verfügte vollmächtig über den Kultus und das Gesetz (z.B. Mt 12,6; 5,21ff; Mk 2,28 Par; Lk 16,16 Par). Er heilte mit der Kraft Gottes Kranke und trieb ›Teufel‹ aus (s.S. 25; dazu Jes 49,25ff). Er rief messianische Mahlgemeinschaften zusammen, die zeichenhaft das Leben im Reich Gottes abbilden sollten (s. später). Er sam-

61 Str., vgl. Dibelius, Jesus, 74ff (79); danach »hat sich Jesus als von Gott für die Zukunft erwählter Messias gewußt«; Kümmel, Theologie, 61ff(64), wonach Jesus »die Erwartung eines ›Gesalbten‹ keineswegs abgelehnt, darin aber . . . nicht eine wirklich ausreichend eindeutige Kennzeichnung seiner Sendung gesehen« habe; Schnackenburg, Gottes Herrschaft, 79ff (»Jesus hat, zwar verborgen, um nicht mißverstanden zu werden, aber doch deutlich genug für alle Verstehenden, den Anspruch erhoben, der Messias zu sein . . .«); im wesentlichen bejahend auch Gloege, Tag, 204ff; Betz, Jesus, 58ff; Schäfer, Jesus, 74ff. Eine Zwischenstellung beziehen Jeremias, Theologie, 239ff (danach »wußte sich Jesus als [eschatologischer] Heilsbringer«) und Bartsch, Jesus, 58.72. *Gegen* jegliche messianische Titulatur Jesu die Bultmannschule, z.B. Bornkamm, Jesus, 155ff (»Es gibt tatsächlich keinen einzigen sicheren Beweis, daß Jesus einen der messianischen Titel, die ihm die Tradition anbot, für sich in Anspruch nahm«); Conzelmann, RGG^3 (Reich Gottes), 916; Braun, Jesus, 150ff. Die letztere Meinung kann jedoch nicht verständlich machen, wie die frühe Gemeinde zu ihrer Christologie gekommen ist; sie zerstört völlig die Kontinuität zwischen dem historischen Jesus und dem Christus des Glaubens und reißt zudem aus der gesamten Eschatologie Jesu sowie der Gemeinde das personale Pendant zum Reich Gottes heraus (vgl. in diesem Sinn auch schon Schweitzer und Weiß).

62 Für Echtheit Jeremias, Theologie, 98; Bultmann, Jesus, 23,119 und allgemeine Meinung, wobei meist die lukanische Fassung des Q-Logions wegen seiner undogmatischen Ausdrucksweise vorgezogen wird; die implizite Christologie dieses Wortes ist m.E. unbestreitbar.

63 Nach Jeremias, Jesusworte, 64ff, und Perrin, Jesus, 39, authentisch und ebenfalls implizit christologisch (was den Wert des Thomas-Evangeliums betrifft, so folgt diese Darstellung im wesentlichen der Ansicht von Jeremias und Perrin).

melte aus den Verstoßenen und Deklassierten eine eschatologische »Herde«; diese hatte in ihm persönlich ihren »Hirten« (vgl. Lk 12,32; Joh 10 in Verbindung mit Ez 34,11ff). Er nahm sogar für sich in Anspruch, daß das endgültige Heil der Menschen in der Gottesherrschaft von derEntscheidung für oder gegen ihn und seiner Nachfolge abhängig sei (Lk 12,8 Par; Mk 8,38). Er nannte sich dabei »mehr als Salomo« und »Jona« (Mt 12,41.42 Par) und befand sich für größer als David (Mk 12,37 Par). Er bekundete, Johannes der Täufer sei ihm als Elia, nach Mal 4,5 der letzte Bote des Messias, vorausgegangen (Mt 11,14 Par). Er sprach von sich gleichnishaft wie von dem »Bräutigam«, der während des Hochzeitsmahls bei seinen Gästen sei (Mk 2,19 Par), und bezeichnete sich als den »Sämann«, der ausgegangen sei, den Samen für die große Ernte auf das Land zu säen (Mk 4,3 Par), beidemal in Anspielung auf das mit seinem Kommen hereinbrechende Reich Gottes.
Jesus ließ sich in Bethanien von einer »Sünderin« mit »kostbarem Nardenöl« salben (Mk 14,3ff Par; im Anschluß an Jes 61,1). Er zog als »König Zions« auf einem Eselfüllen in Jerusalem ein. Und er vertrieb Händler und Wechsler aus dem Jerusalemer Tempel, um damit demonstrativ die Herrschaft Gottes auch für die ›Fremdlinge‹ einzuleiten (Mk 11,1ff und 15ff Par; vgl. auch Sach 9,9ff und Jes 56,7).

Durch all dieses Wirken, das sich zum Schluß immer mehr verdeutlichte, trat Jesus als der eschatologische Befreier seines Volkes und auch der ›Heiden‹ auf, in dem nur der Messias gesehen werden kann – auch wenn dies von Jesus nicht voll offenbart wurde, sondern erst bei der Vollendung des Reichs Gottes ganz in Erscheinung treten sollte.

Diesen Tatbestand haben sowohl seine Gegner als auch seine Freunde durchaus begriffen: Jesus wurde als Messiasprätendent verurteilt und gekreuzigt. Der Spruch des jüdischen Hohen Rats, das Urteil des römischen Prokurators Pilatus sowie die Kreuzigung als »König der Juden« sind charakteristische Beweiszeichen für das Handeln Jesu als Messias. Seine Auferstehung setzt ebenfalls sein Wirken als Messias voraus. Ohne ein solches ist das Erlebnis der Jünger von seiner Erhöhung und Inthronisation, die ja eine Erfüllung seines messianischen Anspruchs bedeutete, gar nicht vorzustellen.

Nun besteht allerdings bei Jesu ganzem Handeln die *Besonderheit*, daß er in *eigenartiger, persönlich gestalteter Weise* als *Messias* gewirkt hat. Er hat sich in seinem Verhalten nicht, wie dies zu seiner Zeit erwartet wurde, an die Spitze der Herrschenden und Gesetzesfrommen gestellt. Vielmehr hat er sich in anstößiger Weise den *Niedrigen* und *Unterdrückten zugewandt* (Mt 11,6 Par). Zum Schluß hat er sich durch sein Leiden, seinen Tod selbst zutiefst erniedrigt und gedemütigt. Er wollte somit nicht durch Machtentfaltung zur Herrschaft als Messias gelangen, sondern gerade durch das Gegenteil, indem er den Weg des *Dienens* und der *Gewaltlosigkeit* wählte (vgl. dazu auch Mk 12,35–37 Par, wo Jesus die bloße Davidssohnschaft wegen ihrer machtpolitischen und nationalistischen Beschränktheit für nicht ausreichend erklärt)[64].
In diesem Sinne hat Jesus nicht nur objektiv gehandelt. Vielmehr hat er

64 Vgl. auch insoweit Dibelius, Jesus, 75ff; Kümmel, Theologie, 60ff. Es ist allgemeine Meinung, daß Jesus nicht als Königs-Messias mit nationalen und militanten Zügen aufgetreten ist und ebenfalls nicht als kultisch-religiöser Priester-Messias.

sich auch persönlich als der kommende »Gesalbte« Gottes verstanden, der sein Reich heraufführte. Wenn man anders argumentiert, sind sein gesamtes geschildertes Verhalten, seine aufgeführten Worte und Taten gar nicht erklärbar[65].

Jesus hat seine Messianität allerdings zunächst nicht kundgetan, nachdem ihm die Berufung dazu, wahrscheinlich bei der Taufe des Johannes (Mk 1,9–11 Par; im Anschluß an Ps 2,7), klar geworden war. Das zeigen die das sogenannte *Messiasgeheimnis* betreffenden Stellen, besonders im Markus-Evangelium (Mk 1,23ff bis 8,22ff, ferner 8,30 und 9,9), aber auch bei Matthäus und Lukas, die doch wohl einen echten Kern haben[66]. Diese Zurückhaltung Jesu dürfte ihre Ursache darin gehabt haben, daß er nur durch seine Predigt und Aktion, aber nicht mit dem Hinweis auf einen besonderen Titel, durch Verlangen nach einer festgelegten Würde oder gar Inanspruchnahme von Verehrung wirken wollte (vgl. dazu auch das Streitgespräch über die »Vollmacht« Jesu in Mk 11,27–33 Par). Ferner hat sich Jesus gewiß auch zur Vermeidung von machtpolitischen Mißverständnissen seines Messiastums und entsprechenden Aktivitäten seiner Anhänger nicht offenbart; diese hätten doch nur vorzeitige Attacken seiner Gegner provoziert (s. dazu etwa Joh 6,15). Schließlich hatte die messianische Verhüllung Jesu aber wohl entscheidend ihren Grund darin, daß Jesus sich nur als kommenden Messias sah und seine endgültige Einsetzung erst in Zukunft erwartete (vgl. später S. 179ff).
In der Folgezeit wird dann, wahrscheinlich im Rahmen von messianischen Visionen (wie der »Verklärung« Jesu auf dem Berge und dem sogenannten Seewandel, s. Mk 6,45–52 und 9,2–8, beide Par) jedenfalls den nächsten Jüngern, wenn auch noch nicht dem Volke, deutlich, daß Jesus der erwartete Messias sein wollte (vgl. das Petrusbekenntnis). Durch sein späteres Wirken in Jerusalem, besonders durch seinen Einzug und die Tempelaktion, wird nun anscheinend auch einem größeren Kreis in seiner Anhängerschaft und dem Volke die Messianität Jesu nahegebracht. Zuletzt gibt sich Jesus wahrscheinlich vor dem Hohen Priester und dem Hohen Rat als der in Bälde zu inthronisierende Messias und vor Pilatus als »König der Juden« zu erkennen (s. Mk 15,2 Par), eine Titulatur, die anders als durch den Messiasanspruch nicht zu verstehen ist. Nach der gewaltsamen Hinrichtung Jesu, die wohl seine die offiziellen Vorstellungen umwälzende Messianität zur Ursache hatte, geschieht die vorläufig abschließende Offenbarung und Verherrlichung des »Gesalbten« Gottes in der Auferstehung Jesu, über die noch besonders zu sprechen sein wird.

Zusammenfassend läßt sich sagen: Jesus hat *faktisch als Messias* (Christos), also *als der von Gott berufene*[67] *Herrscher des hereinbrechenden Reichs Gottes, gehandelt,* wenn er dies zunächst auch in der Verborgenheit tat und er seine volle Einsetzung erst für die Zukunft erwartete. Er hat sich ebenso als Messias *gewußt.* Jesus hat seine Herrschaft *inhaltlich* so verstanden, daß er die *endgültige Zuwendung und Gerechtigkeit Gottes* seinem *Volk Israel* und darüber hinaus der *ganzen Welt* bringen soll-

65 Hier kann auf die ausführliche Anm. 61 verwiesen werden.

66 A.M. Wrede, Messiasgeheimnis, 66ff u.a. Gegen ihn schon Schweitzer, Leben Jesu, 389ff, zuletzt u.a. Goppelt, Theologie, 220ff.

67 Zur Begründung sei auf den Gedanken von der Verleihung Jesu mit dem heiligen Geist hingewiesen, vgl. dazu Lk 4,18 in Verbindung mit Jes 11,1ff und 61,1ff sowie Mk 1,9ffPar. S. des näheren Kraus, Reich Gottes, 259ff.

te; diese wollte er durch solidarisches Verhalten mit den Leidenden und Entrechteten sowie gewaltlosen Widerstand gegenüber den Herrschenden in die Tat umsetzen. Er wollte damit – und das ist in diesem Zusammenhang besonders zu betonen – *Gottes endzeitlichen Willen verwirklichen, seinem Reich entsprechen* und *es herbeiführen.* Auf diese Weise sollten Israel, aber auch die ›Heiden‹, aus ihrer ›Sünde‹ und allgemeinen Entfremdung befreit und dem Heil und Leben in einer Neuen Welt zugeführt werden. Dabei spielt eine maßgebliche Rolle die Befreiung von politischer Fremdherrschaft und Unterjochung sowie die Überwindung der inneren Zwietracht des Volkes Israel.

Von großer Bedeutung für das Wirken Jesu sind *drei weitere Vorstellungen der jüdischen Überlieferung,* die mit dem Gedanken der Messianität bzw. des Königtums traditionell eng verknüpft sind, deren rein historischen Bezug jedoch überschreiten. Dies ist die Bezeichnung Jesu als »*Gottesknecht*« und weiter als »*Sohn*« *(Gottes),* mit der der Messias als in besonderer Beziehung zu Gott stehend bezeugt werden soll, und schließlich seine Benennung als »*Menschensohn*«. Bei letzterer Titulatur ist wichtig, daß sie ebenfalls eine endzeitliche und darüber hinaus sogar eine ›überirdische‹ Figur anspricht und Jesus in enger Beziehung zu diesem ›übermenschlichen‹ Wesen der Endzeit stehen soll; dieses Wesen kann als eine Chiffre für den Neuen Menschen aufgefaßt werden.

1.3
Jesus, der Gottesknecht?

Das Bild des »*Gottesknechts*« stammt aus den Visionen (Deutero-) Jesajas und findet sich besonders in den Kap. 42 und 52.53 des Buches Jesaja.

Vgl. z.B. Jes 53,4.5 (in der Luther-Übersetzung): »Fürwahr, er trug unsere Krankheit und lud auf sich unsere Schmerzen. Wir aber hielten ihn für den, der geplagt und von Gott geschlagen und gemartert wäre. Aber er ist um unserer Missetat willen verwundet und um unserer Sünde willen zerschlagen. Die Strafe liegt auf ihm, auf daß wir Frieden hätten, und durch seine Wunden sind wir geheilt.«

Die Vorstellung von Jesus als dem Gottesknecht, der von Gott für die ›Sünden‹ der Menschen geopfert wird, spielt in der christlichen Tradition eine große Rolle, und zwar auch schon in früher Zeit. Sie gibt aber doch zu verschiedenen Zweifeln Anlaß. Es ist zunächst nicht klar, ob dieses Bild traditionell überhaupt auf den Messias und nicht eher auf andere Personen wie etwa den zitierten Propheten oder sogar auf das Volk Israel bezogen war. Auch ist nach den gesamten Quellen *kaum anzunehmen,* daß Jesus sich selbst diese Bezeichnung zu eigen gemacht und sich als Gottesknecht benannt hat; dafür gibt es jedenfalls *keine genügenden Belege*[68].

68 Vgl. z.B. Bornkamm, Jesus, 206ff, im Anschluß an Bultmann, aber auch die Vertreter anderer Richtungen, wie Kümmel, Theologie, 78 (»In der alten Jesus-Überlieferung findet

Die Stellen Mk 10,45 und 14,24 Par, die davon sprechen, daß Jesus sein Leben »für viele« gebe als »Lösegeld« oder zur Besiegelung des »Neuen Bundes«, reichen zu einer derartigen Schlußfolgerung keinesfalls aus, da sie nur einen indirekten Anhalt geben und zudem möglicherweise Bildungen der frühchristlichen Gemeinde sind (s. im einzelnen später). Das Zitat Mk 9,12 und ähnliche Worte, die vom messianischen Leiden Jesu sprechen, sind gleichfalls inhaltlich zu unbestimmt und zudem vielleicht auch Gemeindebildungen. Die vereinzelten direkten Anführungen des zweiten Jesaja, z.B. in Mt 12,18ff und Lk 22,37, spiegeln offenbar nur die Ansicht der urchristlichen Gemeinde oder der Evangelisten wider. Überdies spricht auch gegen die Annahme Jesu als Gottesknecht, daß bei (Deutero-)Jesaja sowohl der strafende Gott als auch das Leiden des Gottesknechts als eines Sühneopfers zu stark betont werden, was Jesu Auffassung nicht entsprach (s. ebenfalls später).

1.4 Jesus, der Sohn (Gottes)

Die weitere Bezeichnung Jesu als »*Sohn*« (gemeint ist: Sohn Gottes) ist gleichfalls nicht voll gesichert. Zunächst ist diese Titulatur zu unterscheiden von der Benennung als »Sohn Gottes«. Diese kommt vielfach, z.B. in Mt 14,33; 16,16 usw. vor und schließt sich bereits deutlich an die griechische Tradition vom Gottmenschen an, so daß berechtigte Zweifel an ihrer Authentizität bestehen. Auch ähnliche Bezeichnungen wie etwa als »Sohn des Hochgelobten« (Mk 14,61) müssen hier aus verwandten Erwägungen außer Betracht bleiben. Es gibt jedoch einige Kernstellen, besonders bei den Synoptikern, die nur vom »Sohn« reden, und zwar in Jesu Munde. Diese sind *wahrscheinlich echt*, wenn auch insoweit noch von manchen Exegeten Bedenken geäußert worden sind[69].

Als ein typisches Wort ist hier Mk 13,32 zu nennen, dessen Echtheit aus seiner Anstößigkeit für die christliche Gemeinde folgt: »Über jenen Tag aber oder die Stunde (des Reichs Gottes) weiß niemand etwas, auch die Engel im Himmel nicht, auch der Sohn nicht, sondern nur der Vater.« Ebenfalls vom »Sohn« spricht das Logion Mt 11,27 Par, das zwar we-

sich nirgendwo ein deutlicher Hinweis auf den leidenden Gottesknecht oder gar ein Zitat aus Jes 53«); Flusser, Jesus, 95 (»Er hat sich auch nicht als der leidende und sühnende Gottesknecht aus Jesaja verstanden«) oder Bloch, Christentum, 158, der sich ebenfalls nachdrücklich dagegen wendet. *A.M.* freilich Jeremias (wie früher z.B. Otto), Theologie, 272ff (»Jesus [hat] sein Leiden in Jes. 53 vorgezeichnet gefunden«). Ein Bezug auf Jes 53 bedeutet aber noch keineswegs, daß Jesus auch alle wesentlichen Züge des Gottesknechts in sich vereinigt wußte – zu diesen gehört ja auch das Sühneopfer –, vielmehr konnte sich Jesus zum Verständnis seines Leidens ergänzend genausogut auf die Worte über den »Durchbohrten« (Sach 12,10) und auf die Leidenspsalmen (22 und 34) beziehen.

69 Str., wie hier Flusser, Jesus, 89ff, danach hatte Jesus das »Bewußtsein der Sohnschaft«; Blank, Jesus, 84ff, nach ihm muß man ebenfalls annehmen, daß »Jesus sich als ›Sohn Gottes‹ verstanden hat«; Gloege, Tag, 207ff, auch er ist der Auffassung, Jesus habe sich für den »Sohn« gehalten, wobei diese Bezeichnung weniger das »Woher Jesu, sondern sein Wozu« bedeute; ferner Goppelt, Theologie, 251ff; Betz, Jesus, 58ff; Schäfer, Jesus, 72ff, und Stauffer, Jesus, 124ff. *A.M.* wiederum Bornkamm, Jesus, 206, und die Bultmannschule; nach ihnen ist der »messianische Titel (Gottes-)Sohn [nicht] schon in den Selbstaussagen des historischen Jesus beheimatet«; ablehnend aber auch Jeremias, Theologie, 246, und Kümmel, Theologie, 67ff.

gen seiner johanneischen Färbung umstritten ist, aber schon früh in der Spruchquelle Q bezeugt wird: »Alles ist mir von meinem Vater übergeben worden, und niemand erkennt den Sohn als nur der Vater, und den Vater erkennt niemand als nur der Sohn und wem es der Sohn offenbaren will.« Weitere Sohn-Worte finden sich im Johannes-Evangelium, s. z.B. Joh 3,36; 5,19; 8,36 usw.; sie sind freilich noch zweifelhafter als die letztgenannten. Desgleichen anzuführen ist hier das vielfach bezeugte Gleichnis von den bösen Weingärtnern (Mk 12,1–9 Par, auch in EvThom 65), das zwar allegorisch überarbeitet ist, in seinem Schwerpunkt aber echt sein dürfte. Es behandelt eindeutig die Sendung des »Sohns« und Erben des Weinbergbesitzers, der den Willen seines Vaters vollziehen soll, jedoch von den Pächtern des Weinbergs getötet wird.

Schließlich muß noch in diesem Zusammenhang auf die nicht seltenen Stellen hingewiesen werden, in denen Jesus Gott vertraulich seinen »Vater« (aram. abba) nennt wie z.B. Mk 14,36 Par: »Abba, lieber Vater, alles ist dir möglich; laß diesen Kelch an mir vorübergehen! Doch nicht, was ich will, sondern was du willst.« Ähnlich auch Lk 23,34 und 46; Mt 11,25 Par; 26,42 sowie das Vaterunser.

Die aufgeführten Worte Jesu weisen eine Beziehung zur alttestamentarischen Sohn-Tradition auf, die mit der Königs- und damit auch mit der Messias-Vorstellung zusammenhing.

Das zeigt z.B. 2Sam 7,12–14: »Wenn einst deine Zeit um ist und du dich zu deinen Vätern legst, dann will ich dir einen Nachkommen erwecken, der von deinem Leibe kommen wird, und ich will sein Königreich befestigen. Der soll meinem Namen ein Haus bauen, und ich will seinen Königsthron auf ewig befestigen. Ich will sein Vater sein, und er soll mein Sohn sein . . .« In verwandter Weise heißt es in Ps 2,7: »Du bist mein Sohn, heute habe ich dich gezeugt.« Vgl. ferner Ps 82,6 und, ausdrücklich auf den König der Endzeit geprägt, die umstrittenen Stellen äthHen 105,2 und 4Esr 13,32.

Jesus hat allerdings die Bezeichnung »Sohn« (Gottes) nicht als exklusiven Würdetitel verwendet, wie dies die Tradition nahelegte und wie es auch von späteren christlichen Deutungen ausgeformt wurde (dies klingt allenfalls in dem hellenistisch beeinflußten Jubelruf Mt 11,27 an). Er hat auch den Gedanken einer ›übernatürlichen‹ Abstammung oder Beziehung zu Gott nicht betont; dieser dürfte ebenfalls erst in der späteren Gemeinde-Theologie beherrschend geworden sein. Vielmehr hat Jesus, auch hier unter Modifizierung der Tradition, deshalb von sich als Sohn und gleichermaßen von Gott als Vater gesprochen, weil er sich, *von Gott ›begnadigt‹, in beispielhafter Weise nach dem Willen Gottes richtete* und *ihn erfüllte*[70]. Er verhielt sich damit gegenüber Gott als Sohn und ließ ihn seinen Vater sein, auch wenn er deshalb leiden mußte. In gleicher Weise führte er seine Jünger zu dieser Beziehung zu Gott, so daß auch sie den Willen Gottes tun und seine »Söhne« werden konnten. Eine Entfaltung der Sohnschaft aus der Verborgenheit zur Vollendung (wie sie z.B. in der vorpaulinischen Formel Röm 1,4 begegnet, wonach Jesus erst durch seine Auferstehung voll zum Sohn Gottes geworden ist) fehlt

70 Nach Gloege, Tag, 207, heißt die Sohnesbezeichnung: »zu einem stellvertretenden Handeln [für Gott] ausersehen sein«; nach Blank, Jesus, 84, ist Jesus der Sohn Gottes, »weil er die wahre, gültige und bleibende Kunde von Gott bringt«.

in den Aussagen Jesu, wenn auch ähnliche Erwägungen in Analogie zur Messias- und Menschensohn-Vorstellung bei ihm vermutet werden dürfen.

1.5
Jesus, der Menschensohn

Von entscheidender Bedeutung ist schließlich das Bild des »*Menschensohns*«. Diese Bezeichnung findet sich in sehr großem Umfang bei den Synoptikern (so bei Markus 14mal, in den Matthäus/Lukas-Worten 10mal, bei Matthäus darüber hinaus 7mal und bei Lukas noch 7mal, wobei die Par nicht mitgezählt sind; hingegen bei Thomas nur 1mal). Auch im Johannes-Evangelium begegnet sie noch 13mal, z.B. in Joh 1,51; 3,14; 5,27; 6,27 usw. Desgleichen tritt sie in der Apokalypse des Johannes auf, s. Offb 1,13; 14,14. Dagegen kommt die Bezeichnung »Menschensohn« bei Paulus schon nicht mehr vor (vgl. etwa 1Thess 4,15ff, wo Paulus ein Jesus-Wort in der paulinischen Terminologie zitiert).
Jesus hat nach diesen Belegen *aller Wahrscheinlichkeit nach von sich am häufigsten* als »*Menschensohn*« (Sohn des Menschen, im Sinne von »der« oder »ein Mensch«; griech. *hyios tou anthropou*, aram. *bar änaša*) gesprochen. Es wird zwar auch hier oft bestritten, daß Jesus diese Bezeichnung auf sich angewandt habe. Indessen spricht für den Gebrauch durch Jesus doch zunächst die ungewöhnliche Häufigkeit dieser Formulierung, und zwar ausschließlich in Jesus selbst zugeschriebenen Worten. Dabei ist bemerkenswert, daß Jesus immer distanziert und in der dritten Person vom Menschensohn redet. Auch dies ist ein Indiz gegen eine Gemeindebildung. Das gilt ebenso für die Tatsache, daß die Theologie der christlichen Kirche den Titel Menschensohn ansonsten gemieden hat, ähnlich wie er auch im Judentum nur in kleinen Randgruppen verwendet worden ist.
Jesus hat aber sicherlich die Bezeichnung Menschensohn *auch auf seine Person bezogen*. Dies legt zunächst die sprachliche Anwendung – im Gegensatz zu einer oft gehörten Meinung – durchaus nahe. Die verhüllende Formulierung hat (ähnlich wie beim Messiasgeheimnis) besondere, noch zu erörternde Gründe. Ferner ist es aus der Tatsache zu folgern, daß eine solche Identität zwischen Jesus und dem für die Endzeit erwarteten Menschensohn, dieser Zentralfigur apokalyptischer Herkunft, der von Jesus in Anspruch genommenen außerordentlichen »Vollmacht« und »Gewalt« (s.S. 70) am besten entspricht[71].

71 Str., wie vorliegend Dibelius, Jesus, 80ff(85), wonach schon Jesus selbst in Verborgenheit »seine Würde als Menschensohn . . . bejaht hat«; Kümmel, Theologie, 68ff(73), nach ihm hat Jesus durchaus »von sich als dem gegenwärtigen und dem kommenden ›Menschen‹ in verhüllter Weise gesprochen«; Goppelt, Theologie, 233 (»Jesus [hat] sehr wahrscheinlich selbst die Menschensohnvorstellung als Modell aufgegriffen und sie so gefüllt, daß sie zentraler Ausdruck seiner Sendung wurde«); Jeremias, Theologie, 245ff (»Die apokalyptischen Menschensohnworte . . . müssen in ihrem Kern auf Jesus selbst zurückgehen«); s. ferner Schnackenburg, Gottes Herrschaft, 116; Cullmann, Christologie, 158ff;

Ein echtes Menschensohn-Wort Jesu ist beispielsweise das charakteristische Logion Mt 11,18.19 Par, das für die christliche Gemeinde unerfindbar war: »Johannes ist gekommen, der aß nicht und trank nicht; da sagen sie: Er hat einen Dämon. Der Sohn des Menschen ist gekommen, der ißt und trinkt; da sagen sie: Seht, ein Mensch, der frißt und säuft, ein Freund von Zöllnern und Sündern!« Ähnliche Worte vom Menschensohn, der »Macht hat, Sünden zu vergeben« und »Herr über den Sabbat ist«, werden später noch behandelt werden (s.S. 151).

Neben diesen Logien, die vom gegenwärtig wirkenden Menschensohn sprechen, gibt es eine Reihe anderer, die den (entsprechend) leidenden Menschensohn zum Inhalt haben. Hier sei z.B. auf das – im einzelnen freilich streitige – Wort Mk 9,31 = Mt 17,22 Par hingewiesen: »Der Menschensohn wird in die Hände der Menschen ausgeliefert werden, und sie werden ihn töten, und am dritten Tage wird er auferweckt werden.« Man vergleiche ferner das gut bezeugte Wort Lk 9,58 Par, auch in EvThom 86: »Die Füchse haben Gruben und die Vögel des Himmels haben Nester; der Sohn des Menschen dagegen hat nicht, wo er sein Haupt hinlegen kann« (s. näher auch S. 85).

Schließlich gibt es noch viele authentische Stellen, die vom zukünftig siegenden Menschensohn handeln, s. dazu im einzelnen später, S. 179ff und nur beispielhaft Mt 25,31ff: »Wenn aber der Sohn des Menschen in seiner Herrlichkeit kommen wird und alle Engel mit ihm, dann wird er sich auf den Thron seiner Herrlichkeit setzen, und vor ihm werden alle Völker versammelt werden, und er wird sie voneinander sondern, wie der Hirte die Schafe von den Böcken sondert.« Hierher gehört auch eine Reihe von Gleichnissen über die Parusie des Menschensohns, z.B. das vom heimkehrenden Hausherrn (Mk 13,34–36 Par; ähnlich Mt 24,43.44 Par usw.). Die Stellen vom kommenden Menschensohn sind am kennzeichnendsten für die Anwendung des Wortes. Sie zeigen das eigentliche Wesen des eschatologischen »Menschen« als mythologisch geformter Herrscher- und Erlöserfigur der Endzeit[72].

Gloege, Tag, 209ff; Flusser, Jesus, 96ff; Schäfer, Jesus, 76ff; Stauffer, Jesus, 122ff (früher bereits Schweitzer, Weiß und Otto). Dgl. betont Bloch, Christentum, 136ff, daß Menschensohn bei Jesus der »eigentlichste Titel des Messias« sei. *A.M.* wiederum Bornkamm, Jesus, 160ff.208ff; Braun, Jesus, 56, u.a. im Anschluß an Bultmann, Theologie, 31ff; sie wollen lediglich die Worte vom endzeitlich siegenden Menschensohn gelten lassen, diese jedoch auf eine von Jesus unterschiedliche Gestalt bezogen wissen; gerade das erscheint allerdings bei Jesu Hoheitsbewußtsein ganz undenkbar. Im Gegensatz zu ihnen will Schweizer, Jesus, 22ff im wesentlichen nur die Logien vom gegenwärtig wirkenden Menschensohn als echt anerkennen; damit tritt er freilich weit aus dem eschatologischen Horizont heraus, der Jesu Vorstellung und Wirken doch deutlich konturiert hat. Ganz verneinend schließlich Vielhauer, Gottesreich, 55ff, und Conzelmann, Theologie, 151ff, die sämtliche Menschensohnworte für sekundär halten. Sie haben indessen sowohl für ihre Entstehung in der Gemeinde als auch für ihr Auftauchen in der Jesus-Verkündigung keinerlei plausible Erklärung.

72 Entsprechend Anm. 71 soll zunächst der wesentliche Bestand der Logien vom endzeitlich siegenden Menschensohn für echt gehalten werden (Jeremias, Bultmann u. viele seiner Schüler); ihre Authentizität ist am wenigsten problematisch. Im Anschluß bes. an Kümmel, Dibelius ist aber auch ein Großteil der Worte über den gegenwärtig handelnden Menschensohn als ursprünglich anzusehen; diese verkündigen in verhüllter Weise, daß der Menschensohn bereits jetzt zeichenhaft und in Niedrigkeit auf der Erde wirkt. Beide Wortgruppen enthalten gleichzeitig einen Hinweis auf das Sein des Menschen schlechthin (s. später). Schließlich ist auch die Predigt vom leidenden Menschensohn vermutlich im Kern echt (Jeremias, Goppelt); sie zeigt verdeckt den eschatologischen Bezug auch des Leidens Jesu, und zwar anstelle und für die Menschen allgemein. Zur Vertiefung der Fragen s. auch Klappert, Auferweckung, 102ff.

Dabei sind die Aussagen vom siegenden Menschensohn wohl dergestalt mit denjenigen vom irdisch handelnden und leidenden Menschensohn verbunden, daß der Menschensohn in der Gegenwart als verborgen wirkender gedacht wird, er beim Kommen des Reichs Gottes in seiner Vollendung aber in den endzeitlich triumphierenden Menschensohn verwandelt werden soll. Dieser soll alsdann in seine volle eschatologische Würde und Herrschaft eingesetzt werden. Vgl. dazu das alte Logion vom Jonazeichen Lk 11,30 Par: wie Jona einst von Gott dem Bauch des Fisches entrissen und zu den Niniviten gebracht worden ist, so soll auch der Menschensohn aus der Verborgenheit und Erniedrigung geholt und vor »diesem Geschlecht« verherrlicht werden. Ferner Joh 3,14: danach muß der Menschensohn »erhöht« werden, »wie Mose in der Wüste die Schlange erhöht hat« (s. auch 1,51 und 12,23, sämtlich bestr.; vgl. aber auch Mk 14,62 Par). Bei diesen (fragmentarisch überlieferten) Darstellungen[73] dürfte Jesus ursprünglich weder seinen Tod noch gar eine Auferstehung im später erlebten Sinne mitgedacht haben.

Das Bild des Menschensohns entstammt ebenso wie die anderen Titulaturen der jüdischen Tradition.

Es erscheint biblisch insbesondere bei dem Apokalyptiker Daniel. Von weittragender Bedeutung war sein Traumgesicht in Dan 7,13.14: »Seht, es kam einer mit den Wolken des Himmels, der einem Menschensohn glich, und gelangte bis zu dem Hochbetagten, und er wurde vor ihn geführt. Ihm wurde Macht verliehen und Ehre und Reich(!), daß die Völker aller Nationen und Zungen ihm dienten. Seine Macht ist eine ewige Macht, die niemals vergeht, und nimmer wird sein Reich zerstört.« Weiter kommt die Bezeichnung Menschensohn, allerdings noch nicht in der vorgenannten Bedeutung, bei Ezechiel (2,1 bis 28,12) und in Ps 8,5 vor. Als maßgebliche Zentralfigur der Eschatologie tritt der Menschensohn dann wieder, in Fortentwicklung der Vision Daniels, in verschiedenen apokryphen jüdischen Schriften auf wie z.B. den Büchern Henoch (1. Jh. v.Chr.) und 4. Esra (90–100 n.Chr.). Besonders ausführlich wird er in den Bilderreden des äthiopischen Henochbuchs behandelt. Vgl. z.B. äthHen 46,1–4: »Ich sah dort den, der ein betagtes Haupt hat, und sein Haupt war weiß wie Wolle. Bei ihm war ein anderer, dessen Gestalt wie das Aussehen eines Menschen war, und sein Antlitz war voll Anmut gleichwie eines von den heiligen Engeln. Ich fragte den Engel, der mit mir ging und mir alle Geheimnisse zeigte, nach jenem Menschensohn, wer er sei, woher er stamme und weshalb er mit dem betagten Haupt gehe. Er antwortete mir und sagte mir: Dies ist der Menschensohn, der die Gerechtigkeit hat, bei dem das Recht wohnt, und der alle Schätze dessen, was verborgen ist, offenbart; denn der Herr der Geister hat ihn auserwählt, und sein Los hat vor dem Herrn der Geister alles durch Rechtschaffenheit in Ewigkeit übertroffen. Dieser Menschensohn, den du gesehen hast, wird die Könige und Mächtigen von ihren Lagern und die Starken von ihren Thronen verjagen; er wird die Zügel der Starken lösen und die Zähne der Sünder zer-

73 Zum Problem der Verwandlung des Menschensohns aus dem gegenwärtigen in den Status der Zukunft bereits Schweitzer, Leben Jesu, 422, bejahend. Zweifelnd dagegen die Bultmannschule, s. z.B. Bornkamm, Jesus, 209, der eine klare Aussage Jesu darüber vermißt. Zumindest das Logion Lk 11,30 muß aber als (zwar verhüllte) vorösterliche Aussage dazu angesehen werden, wie besonders seine bereits von Kreuz und Auferstehung geprägte Weiterentwicklung in Mt 12,40 zeigt. Das Wort vom Jonazeichen sieht nicht die Predigt Jonas als Beweiszeichen an, sondern seine Hervorholung aus dem großen Fisch, nur diese kann als typisches Beglaubigungswunder angesehen und mit der Erhöhung des Menschensohns verglichen werden. So auch Schnackenburg, Gottes Herrschaft, 117ff.119.120, und Goppelt, Theologie, 198; a.M. Dibelius, Jesus, 60.

malmen.« Ferner seien noch äthHen 48,10 und 52,4 genannt, wo schließlich auch die Verbindung zum Messiasgedanken deutlich wird.

Jesus hat die vorhandenen jüdischen Traditionen vom »Menschen« ebenfalls in besonderer Weise ausgestaltet. Das wird einerseits deutlich in dem Gedanken, daß der endzeitliche Menschensohn schon jetzt als irdisch Handelnder dargestellt wird, andererseits darin, daß er leiden und verworfen werden kann. In dieser zwiefachen Verbindung der Vorstellungen vom gegenwärtig handelnden und leidenden mit der vom zukünftig siegenden Menschensohn als der häufigsten und kennzeichnendsten Selbstbezeichnung Jesu zeigt sich nunmehr seine entscheidende Eigenart: Er *handelt hier und jetzt auf der Erde* und *verwirklicht Gottes Willen,* sein Recht, auch wenn er deswegen leiden muß. Damit *stellt* er, *in der Vollmacht Gottes,* zugleich das *erste Beispiel,* das *Vorbild* und die *prägende Figur* des *eigentlichen, des Neuen Menschen* im zukünftigen *Reich Gottes dar.* Dieser Neue Mensch, der nach dem Willen Gottes lebt, soll in seinem Reich an die Seite Gottes erhoben und von Ohnmacht, Not und Entfremdung befreit werden[74].
Sowohl die Vorstellung Jesu vom »Sohn« (Gottes) als auch seine Identifizierung mit dem »Menschensohn« prägen, ebenso wie beim Messiasgedanken, auf dem beide Vorstellungen weiterbauen, nicht nur die Verkündigung Jesu, sondern vornehmlich auch sein *praktisches Wirken.* Jesus handelt als Sohn dadurch, daß er den endzeitlichen Willen Gottes als seines Vaters tut. Er wirkt als Menschensohn, indem er durch sein Handeln Modell des Neuen Menschen im Reich Gottes ist, zu dem er seine Jünger auch hinführen will. In der *Verkündigung Jesu* sind beide Bezeichnungen zunächst nur andeutungsweise auszumachen, woher auch ihre Strittigkeit rührt. Das gilt für die Sohnesbezeichnung und noch mehr für die als Menschensohn. Jesus spricht von sich als Menschensohn geheimnisvoll und nur für Eingeweihte verständlich. So etwa, typischerweise mit Distanz und in der dritten Person, in Lk 12,8.9 Par, auch in Mk 8,38: »Wer immer sich zu mir bekennt vor den Menschen, zu dem wird sich auch der Sohn des Menschen bekennen vor den Engeln Gottes. Wer mich aber verleugnet vor den Menschen, der wird verleugnet werden vor den Engeln Gottes.« Erst zum Abschluß seines Wirkens, nämlich vor dem Hohen Rat, gibt sich Jesus hinreichend klar auch gegenüber der Öffentlichkeit als kommender Messias, Gottes und Menschen-Sohn zu erkennen (Mk 14,61.62 Par; str.), wobei die letzte Of-

74 Die übliche Auslegung der Menschensohn-Verkündigung ist sehr farblos. Nach Kümmel, Theologie, 75 dient die Heranziehung der ›Menschen‹-Erwartung dazu, dem Wissen Jesu Ausdruck zu geben, daß Gott »in seinem Handeln und Verkündigen, und damit in seiner Person, endzeitlich wirksam« sei. Jeremias, Theologie, 262 ist der Auffassung, daß der Titel Menschensohn »die Universalität seiner Hoheit zum Ausdruck bringt: er ist der Heilbringer für alle Welt«. Daß der Menschensohn-Titel gleichzeitig und vor allem den Inhalt hat, daß Jesus den Neuen Menschen des Reichs Gottes prägt und darstellt, wird selten gesehen (zur näheren Begründung s.S. 182ff und Anm. 179).

fenbarung »in Herrlichkeit« allerdings der Zukunft Gottes vorbehalten bleiben soll.

1.6 Weitere Deutungen Jesu und Abschluß

Zur Ergänzung des Vorgenannten muß abschließend noch kurz auf die weiteren Interpretationen des Wirkens Jesu, besonders in den Schriften des Johannes und Paulus, eingegangen werden. Hier wird von Jesus gesprochen als *Logos* (Wort), s. z.B. Joh 1,1; *Kyrios* (Herr), vgl. Joh 21,7; Röm 10,9; *Gottes Sohn*, s. z.B. Joh 11,27; Röm 1,4 oder auch Apg 8,37; und schließlich sogar als *Gott*, s. z.B. Joh 20,28.

Damit entsteht in der Titulatur Jesu allmählich ein *gewisser Gegensatz zu seiner eigenen Verkündigung*. Es ist nämlich nicht anzunehmen, daß Jesus selbst sich in den genannten Weisen bezeichnet hat. Sie sind vielmehr seiner Verkündigung fremd. Jesus hat derartige Hoheitstitel und insbesondere die religiöse oder gar göttliche Verehrung seiner Person eindeutig abgelehnt. Die Bezeichnung »Herr« ist beispielsweise bereits hellenistisch beeinflußt. Soweit Jesus als »Sohn Gottes« benannt wird, handelt es sich mit großer Wahrscheinlichkeit um eine Aussage der heidenchristlichen Gemeinde, die unter der Wirkung der griechischen Mythologie vom Gottmenschen entstanden ist. Ähnliches muß man für die Bezeichnung Jesu als »Gott« annehmen. Diese ist sogar seiner eigenen Anschauung, die auf der Einzigkeit Gottes beruht, geradezu entgegengesetzt.

Das ergibt sich auch aus einer Reihe von Jesus-Logien, die (ungeachtet seiner Hoffnung auf letztliche Erhöhung) eindringlich seine *derzeitige menschliche Unvollkommenheit und Begrenzung* hervorheben.

Kennzeichnend ist dafür das gesicherte Wort Mk 10,18 Par, wonach Jesus auf die Anrede des »reichen Jünglings« entgegnet: »Was nennst du mich gut? Niemand ist gut als Gott allein!« In Mk 10,40 Par bedeutet Jesus den Zebedaiden, die in der Vollendung der Gottesherrschaft zu seiner Rechten und Linken sitzen wollen, daß er nicht allmächtig ist, sondern nur Gott über diese Plätze verfüge. Ferner sagt Jesus deutlich, daß er den Zeitpunkt des endgültigen Kommens des Reichs Gottes nicht kenne und daher nicht allwissend sei (Mk 13,32). Diese Auffassung klingt auch noch in dem Wort über die »Lästerung des heiligen Geistes« an, wo nur diese, nicht aber die Lästerung Jesu, als unvergebbar bezeichnet wird (Mk 3,28.29 Par) und zuletzt (selbst unter Berücksichtigung der Auferstehung) bei Joh 14,28b; dort wird Jesus die Äußerung zugeschrieben: »Der Vater ist größer als ich.«

Allerdings weisen auch die letztgenannten Würdebezeichnungen Jesu, wenngleich nicht mehr so klar und unmißverständlich, noch den für uns entscheidenden Inhalt auf. Dieser bedeutet *zusammengefaßt:* daß Jesus nicht nur *Gottes Zuwendung* und *Weisungen verkündet* hat, sondern *darüber hinaus* die *Antwort auf seinen Anruf erbracht* und die *endgültige Zuwendung von Mensch zu Mensch in die Tat umgesetzt* hat. Er hat damit die *Erfüllung des eschatologischen Willens Gottes* in einem Neuen Sein *gelebt* und der *Gottesherrschaft in seiner Person entsprochen* (besonders deutlich in der Sohnesbezeichnung). Damit ist er das *Vorbild des Neuen Menschen*, der, aus der Entfremdung und ›Sünde‹ gelöst, die *Verheißung Gottes, sein Reich erben* soll (so die wesentliche Bedeutung der Menschensohnschaft).

Die Erfüllung des Willens Gottes durch Jesus geht dabei so weit, daß man schlagworthaft sagen kann: Er *handelt an Gottes Stelle, als sein Stellvertreter*, der *seine Herrschaft wahrnimmt*[75]. Das deuten besonders Lk 11,20 an, wonach Jesus »durch den Finger Gottes« die Dämonen austreibt, und Mt 10,40 bzw. Lk 10,16; danach nimmt derjenige, der Jesus aufnimmt, den auf, der ihn »gesandt« hat (also Gott) und verwirft der, der Jesus verwirft, den, der ihn »gesandt« hat[76]. Jesus setzte somit als Repräsentant Gottes dessen Zuwendung und Gerechtigkeit in die Tat um und ›forderte‹ damit den Menschen. Das Vorbild seines Verhaltens muß konsequenterweise entsprechend verstanden werden: auch die Menschen in seiner Nachfolge, die Menschengemeinschaft Gottes soll die Liebe und Solidarität Gottes in ihrem Verhalten auf diese Weise repräsentieren und damit seine Herrschaft darstellen.

2 Jesu Leiden und Tod

Jesu gelangt in seinem Leben zu einer *wirklichen Erfüllung des Willens Gottes* und damit zu einer *Unterstellung unter seine Herrschaft*. Dies gilt in besonderer Weise auch für seinen *Tod*.

2.1 Die historische Entwicklung bis zum Tode Jesu

Das *Tun des Willens Gottes* in dem von Jesus geprägten besonderen Sinn brachte ihm die erbitterte *Gegnerschaft der jüdischen und römischen Herrschaftsschicht* und schließlich die *Verurteilung durch sie* ein.

Bereits frühzeitig wurden die Pharisäer ihm gegenüber mißtrauisch wegen seiner Solidarität mit Ausgestoßenen und Deklassierten, wie Zolleinnehmern, Fremdstämmigen, öffentlich gebrandmarkten ›Sündern‹ und allgemein mit der Masse der sozial und bildungsmäßig benachteiligten Landproletarier (s. z.B. Mk 2,16 Par; Lk 7,39). Sie nahmen auch An-

75 Vgl. Jeremias, Theologie, 242; auch Gleichnisse, 90.92 u.a.

76 Zur Authentizität s. Jeremias, Theologie, 229.242; Goppelt, Theologie, 259; a.M. Bultmann, Tradition, 152ff.

stoß daran, daß er die Verdienste und Würden der öffentlich Angesehenen, Gerechten und Herrschenden nicht gelten ließ (s. z.B. Lk 18,9ff; Mt 23,1ff Par). Die Pharisäer wurden zu seinen Feinden, als er die Sabbat-, Reinheits- sowie andere kultische Vorschriften angriff und die Geltung des mosaischen Gesetzes, der Tora, auch in ethisch-moralischer Hinsicht erschütterte. Dies wird besonders augenscheinlich bei seinen mehrfachen demonstrativen Heilungen von Kranken am Sabbat (s. z.B. Mk 3,6 Par; Lk 11,53; auch Joh 5,10ff). Nun kommt es neben Ermittlungen, Überwachungen und Verfolgungen auch zu mindestens einem Steinigungsversuch (s. Lk 4,29 in Verbindung mit Mk 6,1ff Par; vgl. auch Joh 10,31ff), wobei ihm Abfallpredigt und Gotteslästerung vorgeworfen werden. Dies alles trug sich freilich noch in Galiläa, also in der Provinz, zu. Zur letzten Auseinandersetzung Jesu mit den herrschenden Kreisen Israels, insbesondere auch den Sadduzäern, kam es erst in der damaligen Metropole, in Jerusalem.

Jesus zog mit seinen Jüngern in die »Stadt des großen Königs«, als das Passafest (wahrscheinlich im April des Jahres 30) nahte und gewaltige Pilgermassen aus ganz Israel und der Diaspora dorthin zusammenströmten, um dieses Fest zu feiern. Er beabsichtigte, nunmehr das *jüdische Volk* in seiner *Gesamtheit* vor die *letzte Entscheidung für oder wider die Annahme* der von ihm verkündigten *Gottesherrschaft* zu stellen (vgl. auch Lk 13,32.33, wonach Jesus als Mittler des Reichs in Jerusalem seine Vollendung erwartet)[77]. Diese Entscheidung für das Reich Gottes mußte nach jüdischer Anschauung in der »heiligen Stadt« fallen (s. z.B. Sach 8 und 14; Jes 2,2ff usw.). In Jerusalem sollte der Messias-Menschensohn in sein Regiment eingesetzt werden. Von dort sollte das Reich Gottes ausgehen und zuerst Israel und dann alle Völker umfassen. Die Aufrichtung der Gottesherrschaft wurde herkömmlicherweise für das Passafest erhofft, als dem höchsten jüdischen Fest, bei dem die Errettung des Volkes aus ägyptischer Knechtschaft gefeiert wurde und das auch der Beginn der allgemeinen Befreiung aus Sklaverei und Entfremdung sein sollte (vgl. Ex 12).

Jesus trat deshalb jetzt auch als *Schlüsselfigur des kommenden Reichs Gottes* ins *Rampenlicht der Öffentlichkeit,* allerdings nicht in der den Juden vertrauten Darstellung der Messianität, sondern in seiner eigenen anti-autoritären Auslegung (s.S. 71). Sein messianisches Handeln war dabei nicht nur theoretischer Natur wie z.B. in den Anstoß erregenden Streitgesprächen über seine »Vollmacht« und über das Verhältnis der Messias-Menschensohnschaft zur traditionellen Davidssohnschaft (Mk 11,27–33; 12,35–37; beide Par). Es verwirklichte sich vielmehr in seinem gesamten Auftreten, das nun einen praktisch-revolutionären Zug

77 So Dibelius, Jesus, 51 (»Er [Jesus] will die Hauptstadt vor die Botschaft vom Reiche Gottes stellen«); ähnlich Bornkamm, Jesus, 142 – gegen die traditionelle Meinung, Jesus habe in Jerusalem Leiden und Tod gesucht, um dadurch das Reich Gottes herbeizuführen.

erhielt: so besonders in seinem zeichenhaften Einzug in Jerusalem und in der Tempelaktion, mit der Jesus demonstrativ die Händler und Wechsler aus dem Tempel jagte, um diesen zu einem »Bethaus für alle Völker« unter Einbeziehung der Ausgestoßenen, Fremden und Heiden herzurichten (Mk 11,1–10; 15–17; beide Par).

Diese letztere signalhafte *Aktion Jesu,* mit der er *Gottes endzeitlichen Willen in die Tat umsetzen* und ein *Zentrum des kommenden Reichs Gottes schaffen* wollte, hatte mit großer Wahrscheinlichkeit starke Wirkung auf die in Jerusalem zusammengeströmten Volksmassen, die der Gottesherrschaft entgegenhofften[78]. Sie veranlaßte die politischen und geistlichen Führer des Judentums, also besonders die Pharisäer und Sadduzäer, zum sofortigen Eingreifen; denn jetzt drohte die *Verkündigung Jesu vom Reich Gottes im Volke überwältigende Geltung und umstürzende Macht* zu gewinnen und die bisher *herrschenden Auffassungen* von öffentlichem und privatem Leben, von Gesetz und Moral, Religion und Politik sowie die *dementsprechenden Macht- und Besitzverhältnisse,* die im Tempel ihren Ausdruck fanden, *radikal umzugestalten* (vgl. hierzu Mk 11,18 und Lk 22,2, wonach »die Hohenpriester und Schriftgelehrten« Jesus im Anschluß an die Tempelaktion »nach dem Leben trachteten«, weil sie ihn und das ihm anhängende Volk »fürchteten«).

Jesus wurde von dem Hohenpriester Joseph Kaiphas und dem Hohen Rat, der aus Sadduzäern und Pharisäern bestand, verhaftet und angeklagt sowie wahrscheinlich verurteilt. Der ausschlaggebende Grund ihres Einschreitens war dabei die *Unterhöhlung der bestehenden jüdischen Gesetzes- und Herrschaftsordnung* durch einen Messiasprätendenten, der nicht den offiziellen Vorstellungen entsprach. So dürfte letztlich auch die jüdische Anklage der Tempelzerstörung und des Gesetzesbruchs allgemein in Verbindung mit messianischer Anmaßung und Gotteslästerung zu werten sein, Mk 14,43ff, bes. 55–65; 15,1 Par.

Da die Auffassung Jesu vom Reich Gottes auch *geeignet* war, *das römische Gewaltsystem zu erschüttern,* leitete auch der Prokurator Pilatus als Vertreter der römischen Besatzungsmacht gegen Jesus ein Strafverfahren ein. Er verurteilte ihn zum Tode und ließ das Todesurteil (wohl am Rüsttag zum Passafest des Jahres 30) durch Kreuzigung vollstrecken. Ausschlaggebend für diese Verurteilung war die Beschuldigung des messianischen Aufruhrs gegen die vorhandene Fremdherrschaft und der Majestätsbeleidigung, vgl. Lk 23 Par. Auch hier bei der Verfolgung durch die römische Staatsmacht enthüllt sich somit die Gefährdung der bestehenden lokalen und weltpolitischen Machtverhältnisse durch Jesus und sein Wirken[79].

78 S. Bornkamm, Jesus, 147; Bartsch, Jesus, 46; Flusser, Jesus, 111.
79 Vgl. auch Bornkamm, Jesus, 147ff; Niederwimmer, Jesus, 73ff; Bartsch, Jesus, 41ff.

2.2
Die Deutung des Todes Jesu

Jesus hat nach alledem trotz sich steigernder Widerstände und bis zur gewaltsamen Tötung durch die religiösen und politischen Führer Israels und Roms den *Willen Gottes,* wie er ihn verstand, *durchgehalten,* sich *seinem Reich unterstellt.*

Es ist dabei nicht anzunehmen, daß Jesus den Tod gesucht hätte, um damit Gott zu dienen. Das Gegenteil dürfte richtig sein. Er hatte wahrscheinlich bis zuletzt den Wunsch, dem Willen Gottes dadurch zu entsprechen, daß er das Reich unter Lebenden heraufführte. Die Erfüllung des Willens Gottes ließ ihm zum Schluß jedoch keine andere Wahl als die Ergebung in den Tod. Gewaltsamer Widerstand gegen die Volksführer oder ihre Exekutivorgane wäre sinnlos und seiner Predigt von der *Gewaltlosigkeit* zuwider gewesen. Eine heimliche Flucht hätte sich zwar vielleicht bewerkstelligen lassen, aber sie wäre nicht geeignet gewesen, die tiefe Perversion der ganzen bestehenden Ordnung und die Verkommenheit ihrer Exponenten zu entlarven.

Nur indem sich Jesus seinen Gegnern stellte und Leiden, Verurteilung und Tod auf sich nahm, die sie ihm bereitet hatten, konnte er die volle Wahrheit seiner Botschaft vom Reich Gottes zeigen und damit die Menschen letztmalig zur Umkehr aufrufen. Er *offenbarte* auf diese Weise die *totale ›Sünde‹ und Verderbtheit des herrschenden Systems,* das durch Gesetz und nicht durch Zuwendung, durch Macht und Unterdrückung und nicht durch Dienst, durch Erbarmungslosigkeit, Richten und zuletzt legalen Mord gekennzeichnet war. Erst *durch die Enthüllung und Niederringung dieser gesamten Todesordnung,* die um den Tempel zentriert war, konnte der *Durchbruch,* ja Sieg seiner Verkündigung zu einem *Neuen Leben* in *einer Neuen Welt* hin erfolgen[80].

Dieses Geschehen führte nunmehr seine Jünger zur entscheidenden Wandlung und ermöglichte ihnen das Tun des Willens Gottes und ansatzweise ein Neues Leben im Sinne des Reichs Gottes. Auf diese Weise kam der Tod Jesu seinen Jüngern und schließlich allen Menschen, die ihm nachfolgen, »zugute« und ist Jesus »für sie« gestorben. Dies gilt nicht nur individuell, vielmehr führte der Tod Jesu (wie dann in der Auferstehung deutlich und wirkkräftig wird) allgemein und universal zum

80 Hier wird die Interpretation des Todes Jesu mit seinen geschichtlichen Ursachen und der konkreten Entwicklung dahin verbunden: durch den Tod sollen Gesetz und Kultus, die gesamte bestehende Herrschafts- und Vergeltungsordnung sowie ihre Repräsentanten, die Jesus historisch in den Tod gebracht haben, entlarvt und entmachtet werden. Vgl. dazu die causae crucis nach der Deutung des Kreuzes bei Moltmann, Gott, 119ff; auch dort wird die Interpretation des gewaltsamen Endes Jesu im Kontext seines Lebens gesucht. *Dagegen* die Bultmannschule, die meint, daß der Tod Jesu in keinem erkennbaren Zusammenhang mit seinem Wirken gestanden habe, Jesus somit einem ›Mißverständnis‹ zum Opfer gefallen sei. Das Kerygma vom Kreuz hat in diesem Fall jedoch keinerlei historische Beziehung, geschweige denn Legitimation.

unwiderruflichen Anbruch des Reichs Gottes und damit zur generellen Entkräftung von ›Sünde‹ und Entfremdung, deren Wesen jetzt endgültig im Kern entlarvt, gebrochen war.
Auch Jesus dürfte das in dieser Weise gesehen haben, wenn auch hier im einzelnen vieles streitig ist:
Er hat von Anfang an auf die *Erfüllung des Willens Gottes,* auch und besonders durch ihn, Jesus, hingewiesen und ist dabei geblieben[81].

Es sei dazu nur die Entwicklung von Mt 4,10 Par: »Hinweg Satan! Denn es steht geschrieben: Du sollst den Herrn, deinen Gott, anbeten und ihm allein dienen« (anläßlich der Versuchung Jesu) bis zu Mk 14,36 Par (Gebet in Gethsemane) genannt: »Laß diesen Kelch an mir vorübergehen! Doch nicht, was ich will, sondern was du willst.« Auch im Johannes-Evangelium wird dies noch klar und deutlich gesagt: »Meine Speise ist, daß ich den Willen dessen tue, der mich gesandt hat und sein Werk vollende« (Joh 4,34).

Jesus *erkannte* auch (wahrscheinlich am Ende seines Wirkens in Galiläa, als die Ablehnung im jüdischen Volk sichtbar wurde), daß er beim Beharren auf seiner Sendung *möglicherweise verfolgt und getötet werden* würde, und daß die *Gottesherrschaft nicht ohne diese Voraussetzung* würde *zur Geltung kommen* können[82].

So äußerte er, wahrscheinlich schon in Galiläa, als ihm von Verfolgungsplänen des Königs Herodes berichtet wurde, ahnungsvoll: »Seht, ich treibe Dämonen aus und mache gesund heute und morgen, und am dritten Tage werde ich vollendet werden. Doch ich muß heute und morgen und am Tage danach noch wandern (im Sinne von heimatlos sein); denn es geht nicht an, daß ein Prophet außerhalb Jerusalems umkomme« (Lk 13,32.33). Später, wohl auf dem Wege nach Jerusalem, sprach Jesus in ähnlichem Sinn mit tiefer Besorgnis gegenüber seinen Jüngern von dem »Kelch«, den er »trinken« und der »Taufe«, mit der er »getauft« werden würde (Mk 10,38 und 39 Par; ähnlich Lk 12,50).
Schließlich besagen auch die – ausführlicheren, des näheren jedoch recht umstrittenen – Leidensankündigungen Jesu in Mk 8,31; 9,31; 10,33.34; sämtliche Par, daß »der Sohn des Menschen in die Hände der Menschen ausgeliefert werden« müsse (ferner noch Mk 9,12 Par; 14,21 und 41 Par; Mt 26,2; Lk 17,25). Die Einzelheiten dieser zahlreichen Leidensweissagungen sind freilich von den Evangelisten nach dem tatsächlichen Verlauf des Leidens und Todes Jesu (und seiner Auferstehung) geformt worden und vielfach sekundär. Auch das apokalyptische »Muß« des Sterbens in einer Reihe dieser Worte hindert nicht, daß Jesus durchaus daneben noch die Möglichkeit sah, ja erhoffte, daß Gott sein Schicksal in letzter Minute wenden und ihn dem Tod entreißen könnte (vgl. das Gethsemane-Wort s. oben) und vielleicht auch Mt 24,22 Par, wonach »jene Tage (der großen Drangsal) verkürzt werden« können.

81 Ähnlich Bornkamm, Jesus, 149.153, der allerdings lieber vom »Gehorsam« Jesu spricht; ebenso Braun, Jesus, 63ff u.a.
82 Im einzelnen bestr. Vgl. Jeremias, Theologie, 264ff; danach hat Jesus nicht nur »sein bevorstehendes Leiden klar vorausgesehen und angekündigt«, sondern sich auch »die Frage nach der Notwendigkeit seines Sterbens vorgelegt« und »die Antwort auf diese Frage in der Schrift gefunden«; ähnlich Goppelt, Theologie, 234ff; Gloege, Tag, 231ff. *Dagegen* Bornkamm, Jesus, 142.162 u.a.

Wenn Jesus von der Möglichkeit seines *Leidens* und *Sterbens* sprach, so sah er sie im *Zusammenhang* mit den *endzeitlichen* »*Wehen*« und der *apokalyptischen* »*großen Drangsal*«, die von den Propheten des Alten Testaments geweissagt worden waren (vgl. z.B. Jes 13,9ff; 26,16ff.20ff; Ez 30,2ff; Dan 12,1.10; Joel 1,15ff usw.). Er deutete sie als *Einleitung* und als *wesentlichen Beitrag* zur eschatologischen Notzeit. Diese Zeit des »Gerichts« sollte nach herkömmlicher Auffassung die *ganze ›Sünde‹ und Verderbtheit der ›alten Welt‹* samt ihren Akteuren offenbaren und *enthüllen* (Apokalypse heißt auch insoweit Enthüllung!) und *ihre überwältigenden Macht- und Herrschaftsstrukturen zerbrechen.* Sie wollte zugleich zum letzten Mal zur Umkehr und zur Neuwerdung der Menschen und der Welt aufrufen. Auf diese Weise sollte die große Notzeit *die Durchgangsstufe zum Reich Gottes* sein und somit die Befreiung und Heilung aller von der Gewalt des Bösen herbeiführen[83].

Das zeigen zunächst die allgemeinen Hinweise Jesu über die Erforderlichkeit der ›Versuchung‹ im Sinne der endzeitlichen Drangsal für den Durchbruch der Gottesherrschaft (s.S. 51). Weiter ergibt es sich aus seinen vielfachen Belehrungen über die eschatologischen Wehen (vgl. z.B. Mk 13 Par; im einzelnen s.S. 161). Auch verschiedene Bildworte Jesu vom »Feuer« zielen auf diese Zeit hin (s. bes. S. 164). Dabei stellt das Doppelwort vom »Feuer«, das Jesus »auf die Erde zu bringen gekommen« sei, und von der »Taufe«, mit der er »getauft werden« müsse (Lk 12,49 u. 50), den entscheidenden *Bezug des Leidens und Todes Jesu zur großen Drangsal* her. Dieser Zusammenhang ergibt sich gleichfalls aus dem Logion Lk 22,35–38, wo Jesus das nahe Bevorstehen der eschatologischen »Schwertzeit« und zugleich sein eigenes Leiden voraussieht und beide miteinander in Verbindung bringt (wobei freilich der Hinweis auf Deutero-Jesaja in V.37 sekundär sein dürfte).
In der »großen Drangsal« muß Jesus sich, wie er wohl selbst noch gesagt hat, als »Hirte« mit dem Schwerte »schlagen« lassen, damit »die Herde« (nach ihrer Zerstreuung) gerettet werden kann (Mk 14,27 in Verbindung mit Sach 13,7ff; ähnlich das sogenannte Fajjum-Fragment). Er »läßt (daher) sein Leben *für* die Schafe«, damit diese leben (Joh 10,11ff). Ferner muß »der Stein« von den »Bauleuten verworfen« werden und wird dadurch zum »Eckstein« (*für* den Bau des Reichs Gottes) (Mk 12,10.11 Par, auch in EvThom 66, nach Ps

83 Str. Bes. Jeremias, Theologie, 128.231.279 hebt die Beziehung von Jesu Tod zur eschatologischen Drangsal hervor, wenn er auch in der Deutung des Todes darüber hinausgeht und meint, den Sühnetodgedanken bei Jesus nachweisen zu können. Jesus war nach Jeremias »überzeugt«, »daß seine Sendung der Auftakt für das Kommen der eschatologischen Notzeit sei«, insbesondere »bildet Jesu Leiden den Wendepunkt, den Auftakt zur Schwertzeit«. Auch nach Gloege, Tag, 210, sind »die Tage des Menschensohnes« und speziell seines Leidens »das Vorspiel, ja der Anfang vom Gericht«. Goppelt, Theologie, 237, verbindet ebenso das Kreuz Jesu mit dem endzeitlichen Gericht. Nach Schweitzer, Leben Jesu, 440ff, war das Leiden Jesu seit jeher mit der messianischen Drangsal verbunden; freilich nimmt Schweitzer an, daß Jesus sogar die gesamte Drangsal für und anstelle seiner Jünger erleiden will. Die Bultmannschule ist wiederum sehr skeptisch und wendet sich *gegen* die Echtheit jeder Leidensdeutung, vgl. Bultmann, Jesus, 145; Bornkamm, Jesus, 142.148 u.a. Kümmel, Theologie, 84, meint nur feststellen zu können, Jesus habe sich »so sehr im Dienste Gottes als der Wirker der schon anbrechenden Gottesherrschaft gewußt, daß er den ihm von Gott auferlegten Weg in den Tod gegangen [sei] und darin seine Sendung vollendet« habe.

118,22; jeweils im Anschluß an das Gleichnis von den bösen Weingärtnern). Ähnlich lautet auch das Jesus in Mk 10,45 zugeschriebene Wort, das möglicherweise bereits Auslegung der christlichen Gemeinde ist: »Denn auch der Sohn des Menschen ist nicht gekommen, damit ihm gedient werde, sondern damit er diene, und sein Leben gebe als Lösegeld« (im Sinne eines Beitrags zur Befreiung!) »*für viele*« (d.h. zugunsten aller!)[84]. Desgleichen ist das vielleicht ebenfalls sekundäre Abendmahlswort Mk 14,24 Par zu interpretieren, wonach das »Blut« Jesu, des kommenden Messias im Sinne eines nunmehr endgültigen Neuen Bundes »für viele« »vergossen« werde.

In allen diesen Worten wird die Auffassung deutlich, daß durch Jesu Leiden und Sterben die endzeitliche Drangsal eingeleitet werden sollte, um das Reich Gottes herbeizuführen. Dabei wollte Jesus einen, *den* wesentlichen Anteil an der apokalyptischen Notzeit mit all ihrer zusammengeballten ›Sünde‹ und ihren tödlichen Folgen (s. Lk 11,49–51 Par) auf sich nehmen. Er wollte ihre Auswirkungen erdulden und sie bis ans Ende tragen; an ihm sollte sich stellvertretend die Macht der Todesmächte totlaufen. Jesus *übernahm* diesen *Anteil* an der *eschatologischen Gerichtszeit für die ihm Nachfolgenden* und *an ihrer Statt,* um damit endgültig die tiefe Heillosigkeit und Todesverfallenheit der vergehenden Ordnung der Gewalt, Herrschaft und Vergeltung samt ihren Repräsentanten zu enthüllen. Durch diese Demaskierung wollte er die große Drangsal und damit die *Macht des Bösen* schlechthin sowie *des Todes im Ansatz, aber grundlegend zerbrechen* und *dem Reich Gottes die entscheidende Bresche schlagen,* den Weg bahnen[85]. Diese Tat letzter Zuwendung und Liebe Jesu konnte freilich seine Jünger noch keineswegs von jeder ›Versuchung‹ und Verfolgung freistellen. Sie sollte aber zu deren schließlicher Überwindung aufrufen, mitreißen und ihnen dazu verläßliche Hilfe und Kraft verleihen (vgl. dazu Mk 10,35ff Par; 13,9ff Par u.a.). (Zur Auseinandersetzung mit dem Opfer- und Sühnetodgedanken, s. im einzelnen S. 136ff).

3 Jesu Erhöhung

Daß Jesus den *endzeitlichen Willen Gottes erfüllt* hat und damit der *Gottesherrschaft entsprochen* hat, wird nicht nur in seinem Leben und in

84 S. Jeremias, Theologie, 276; Bornkamm, Jesus, 148, dort. Anm. 11 (mit inklusiver Bedeutung = alle).

85 Vgl. Schweitzer, Reich Gottes, 136: »Jesu Tod führt . . . das Kommen des Reiches Gottes herbei.« »Es kommt den Gläubigen . . . in der Weise zugute, daß er für sie die Möglichkeit des Eingehens in das Reich schafft. Zugleich kommt es ihnen noch in der Weise zugute, daß er es ihnen erspart, vor dem Eingehen . . . durch die Drangsal hindurch zu müssen.« S. auch Jeremias, Theologie, 276ff, wonach Jesus »seinen Tod als Stellvertretung für die dem Tod verfallenen Vielen« bezeichnet.

seinem Leiden und Tod deutlich. Vielmehr kommt es endgültig erst zum Ausdruck in der *Erfüllung der Verheißungen* für ihn *nach seinem Tode*. (Hierbei soll nicht mehr in erster Linie die Verkündigung Jesu zugrunde gelegt werden, sondern es müssen in besonderer Weise die Berichte der Urgemeinde und ihrer Vertreter berücksichtigt werden. Jesus hat zwar seine Erhöhung durchaus auch erhofft, vgl. dazu bes. die Logien vom endzeitlich siegenden Menschensohn, S. 76ff, 178ff und des näheren S. 78. Seine Verherrlichung durch den Tod hindurch hat er jedoch wahrscheinlich erst zum Abschluß seines Wirkens und in nicht mehr sicher rekonstruierbarer Weise gesehen, so daß insoweit das Erleben der Urgemeinde ergänzend heranzuziehen ist.)

3.1 Die Auferstehung Jesu

In diesem Zusammenhang ist zuvörderst an die *Auferstehung Jesu* zu denken. Bei dieser handelt es sich um ein in mythologischen Formen erlebtes und dargestelltes Ereignis, das eine reale historische Substanz hat, in seinem vollen Gehalt allerdings diesen geschichtlichen Kern erheblich überschreitet, transzendiert.
Historisch überliefert ist, daß nach Jesu Tod seine Jünger eine Reihe von *Visionen* hatten, in denen der zuvor gekreuzigte Jesus einzelnen und auch Gruppen von ihnen als vom Tode Auferweckter erschien.

Das ergibt sich zunächst aus dem geschichtlich ältesten Bericht des Paulus in 1Kor 15,3–8: »Denn ich habe euch in erster Linie überliefert, was ich auch empfangen habe: Daß Christus für unsere Sünden gestorben ist, nach den Schriften, und daß er begraben und daß er auferweckt worden ist am dritten Tag, nach den Schriften, und daß er dem Kephas (Petrus) erschien, dann den Zwölfen (wohl die verbliebenen Elf). Danach erschien er mehr als 500 Brüdern auf einmal, von denen die Mehrzahl bis jetzt noch am Leben ist, einige aber entschlafen sind. Danach erschien er dem Jakobus (dem leiblichen Bruder Jesu), dann den Aposteln allen. Zuletzt aber von allen erschien er gleichsam als der Fehlgeburt auch mir.«
Ferner ist auf die Ostergeschichten in sämtlichen vier Evangelien hinzuweisen, in denen, teilweise divergierend, erzählt wird, daß Jesus der Maria Magdalena und vielleicht einer weiteren Frau (Joh 20,11–18 Par), dem Petrus (Lk 24,34), den elf Jüngern, wobei die Ortsangaben schwanken (Mt 28,16–20; Lk 24,36–49; Joh 20,19–29), den sogenannten Emmausjüngern (Lk 24,13–35 Par) und schließlich den sieben Jüngern am See Tiberias (Joh 21) erschienen sei.
Außerdem ist noch auf vereinzelte Berichte in der Apostelgeschichte zu verweisen, wonach auch Matthias und Joseph Justus sowie Stephanus zu denjenigen gehören sollen, die den Auferstandenen gesehen haben (Apg 1,22.23; 7,55.56).

Die meisten dieser Visionen dürften wohl – ungeachtet mancher Diskrepanzen im einzelnen – *historisch zuverlässig* und gesichert sein, wobei freilich ihre psychologischen Hintergründe auf einer anderen Ebene liegen. Jedenfalls hatten aber diese Visionen den *Inhalt* und begründeten

die *Gewißheit der Jünger Jesu*, daß *Jesus nicht im Tode geblieben* sei, sondern *ihn überwunden* habe und *lebe* sowie daß er *bei ihnen in Herrschaft und Wirkkraft bleiben werde* bis an das Ende dieser Welt[86].
Weiter ist vielfach das *leere Grab Jesu* bezeugt (s. Mk 16,1–8 Par in allen Evangelien). Auch dieses Zeugnis ist recht gesichert, besagt allerdings nicht unbedingt etwas über eine Auferstehung Jesu, weil ein Verschwinden des Leichnams, etwa durch Umbettung oder Erdbebeneinwirkung, nicht auszuschließen ist[87].
Das rein *historische Geschehen* ist nach alledem letztlich *zweideutig* und bleibt geheimnisvoll. Da es der Deutung bedarf, ist von besonderem Interesse, wie die in dem geschichtlichen Sachverhalt von den Jüngern visionär geschaute Auferstehung Jesu *auszulegen* ist.
Die wesentliche Bedeutung dieses Geschehens liegt nach der hier vertretenen Auffassung darin, daß Jesus durch sein Leiden und Sterben die *Mächte der ›alten Welt‹* mit all ihrer *Entfremdung, Bösartigkeit und Gewalt* und besonders den *Tod* als tiefste Form der menschlichen Entfremdung *ansatzweise, aber unumkehrbar überwunden, zerbrochen* hat. Er hat mit seinem Leiden und dem Tod nicht sein Sein aufgehört, sondern eine *neue und letzte Stufe des Lebens eröffnet* und *betreten*, die als *Einheit mit Gott* umschrieben werden kann. Das ist die *eine* Seite der den Jüngern offenbarten Schau; sie entspricht auch Jesu eigener Verkündigung von der Auferstehung.
Die *andere* noch gewichtigere Seite ihrer Vision bedeutet: Diese neue Stufe des Lebens Jesu stellt sich, zumal im irdischen Bereich, als *seine Bestätigung* und als *Erlangung einer neuen Macht und Wirkkraft Jesu* dar. Diese ihm übertragene *Herrschaft setzt unwiderruflich das heraufziehende Reich Gottes in Kraft und Geltung* und beauftragt entsprechend auch die ihm angehörigen Menschen. Sie ermöglicht ihnen ein Neues Leben in einer neuen Gemeinschaft (wie es besonders Pfingsten verwirklicht wird). Die Auferstehung *soll* schließlich *zur letzten Vollendung der Gottesherrschaft hinführen* und damit auch zur *abschließenden Überwindung des Todes* auf Erden. In dieser Interpretation kommt

86 Für das historische Geschehen ist »grundlegend« die Formeltradition des Paulus in 1Kor 15,3ff. Sie ist der »literarisch älteste Bericht, den wir besitzen« und geht wahrscheinlich noch auf eine aramäische Vorlage zurück, vgl. Jeremias, Theologie, 285ff; Goppelt, Theologie, 280ff; ferner Bornkamm, Jesus, 166.167; Schweizer, Jesus, 49 u.a. Die Ostererzählungen der vier Evangelien sind erheblich jünger, zur ältesten Überlieferung gehört insoweit wohl bes. die Erscheinung vor Petrus (Lk 24,34) und den Elfen (Mt 28,16ff; Lk 24,36ff und Par), wohl auch vor Maria Magdalena (Joh 20,11ff Par; von Paulus vielleicht wegen der fehlenden Zeugnisfähigkeit der Frau weggelassen); s. dazu Kümmel, Theologie, 90ff; Goppelt, Theologie, 287ff; Bornkamm, Jesus, 167ff.

87 Die Ursprünglichkeit der Erzählung vom leeren Grab ist sehr umstr. Für ihren historischen Charakter Schweizer, Jesus, 50.51; a.M. Bornkamm, Jesus, 167.168.196. Allerdings war nach Kümmel, Theologie, 89, den ältesten Christen die »Tatsache« des leeren Grabs »durchaus nicht allgemein wesentlich«.

speziell die Predigt Jesu vom siegreichen Kommen des Menschensohns zur Herrschaft über Mensch und Welt zum Zuge[88].

3.2
Die Himmelfahrt Jesu, seine Einsetzung zur Rechten Gottes und die Verheißung der Wiederkunft des Erhöhten

Die Einsetzung Jesu in die endzeitliche Herrschaft, die in seiner Auferstehung offenbar und wirksam geworden ist, wird durch die mythologisch formulierten Geschehnisse der Himmelfahrt Jesu, seiner Einsetzung zur Rechten Gottes und der Verheißung der Wiederkunft des Auferstandenen wie folgt weiter entfaltet:
Zunächst zur *Himmelfahrt:* Ihr mögen ebenfalls Visionen der Jünger zugrundeliegen (s. Apg 1,4–14; Lk 24,50–52; Mk 16,19.20). Sie kann im besonderen als die *Erhöhung Jesu zu Gott und seiner Sphäre* gedacht werden.
Die *Einsetzung Jesu zur Rechten Gottes* führt diese Vorstellung weiter (vgl. dazu Mk 16,19; ferner Mt 28,18). Sie ist als Übertragung der Macht und Herrschaft über alle Dinge, besonders der Erde, an ihn zu verstehen.
Beide Ereignisse werden überwölbt durch die den Jüngern (wohl auch visionär) widerfahrene *Verheißung der Wiederkunft* (besser: Ankunft oder Erscheinung) *des auferstandenen und erhöhten Christus,* welche die Verheißung des siegreichen Kommens des Menschensohns im Rahmen des Reichs Gottes ausfüllt und vollendet (s. Apg 1,11; 3,20; 1Kor 11,26; 15,23 usw.).
In allen diesen mythologisch gezeichneten Ereignissen wird als *Kulmi-*

88 Was die Interpretation der Auferstehung betrifft, so ist nach der hiesigen Auffassung der Gedanke der herrschaftlichen Erhöhung, aber auch der todesüberwindenden Gemeinschaft des Auferstandenen mit Gott maßgebend. Die älteste Schicht der Tradition läßt erkennen, daß die österlichen Visionen als ein eschatologisches Offenbarungsgeschehen verstanden wurden (s. 1Kor 15,3ff und Lk 24,34: der Auferstandene »wurde gesehen« bzw. »erschien« den Jüngern, entsprechend Gal 1,15ff); vgl. Goppelt, Theologie, 283ff; auch Jeremias, Theologie, 294. Gott offenbart darin die Einsetzung Jesu in seine endzeitliche Herrschaft und Macht. Das gleiche bezeugen die frühesten christologischen Formeln der Urgemeinde wie Röm 1,3ff; Apg 2,36 und 13,33; Phil 2,9ff: danach wurde Jesus durch die Auferstehung »erhöht«, zum »Sohn Gottes in Kraft« eingesetzt und zum »Herrn« und »Christus«, also Herrscher im Reich Gottes, gemacht; vgl. Goppelt, Theologie, 285ff. S. auch Schweitzer, Reich Gottes, 146: »Aufgrund ihres Glaubens an seine Auferstehung sind sie [die Jünger] überzeugt, daß er es [der Messias] ist«. Dies bedeutet gleichzeitig (so 1Kor 15,7ff; Mt 28,18ff; Lk 24,46ff; Joh 20,21ff) die Beauftragung und Sendung der Jünger durch ihn, so Goppelt, 293; Schweizer, Jesus, 52ff. Zum Auferstehungsgeschehen gehört aber nicht nur die Erhöhung und Einsetzung in die messianische Herrschaft, sondern auch die Überwindung des Todes und die Einheit mit Gott. In der Auferstehungsvorstellung liegt traditionell immer auch der Gedanke, daß die Verbindung mit Gott das Sterben überdauert, die Vorstellung des Eingehens in die letzte Gemeinschaft mit Gott, s. Goppelt, 286.

nation der Zuwendung und *Gerechtigkeit Gottes* folgendes ausgesagt:
1. Die *Führung des Menschen Jesus* von Nazareth zur *letzten Einheit und Gemeinschaft mit Gott selbst.* Dazu werden nähere Ausführungen noch im Kapitel über die allgemeine Auferstehung gemacht werden (s.S. 169).
2. Die *Einsetzung Jesu* in die *Macht und Wirkkraft*, die *ursprünglich nur Gott gegeben* war. Jesus herrscht damit nunmehr neben Gott selbst. *Gottes* hereinbrechendes *Reich* ist *jetzt* auch das *Reich Jesu*, der sich schon auf Erden, wenn auch verhüllt, als kommender Messias und Menschensohn bezeichnet hatte.

Zu dieser Königsherrschaft Jesu sei ergänzend auf Mt 16,28 verwiesen: »Unter denen, die hier stehen, sind einige, die den Tod nicht schmecken werden, bis sie den Sohn des Menschen mit *seiner* Königsherrschaft haben kommen sehen.« Ähnliche Formulierungen finden wir in Mt 13,41; 19,28; 25,31; Lk 9,26 u.ä., wo vom »Reich« bzw. von der »Herrlichkeit« des Menschensohns die Rede ist. Schließlich redet Jesus nach Lk 22,29 sogar direkt davon, daß »mein Vater mir ein Königreich vermacht hat«. Wenn diese Stellen auch zumeist in der Ausdrucksweise sekundär sein werden (wie die parallelen Formulierungen in der Urgemeinde annehmen lassen), so führen sie doch inhaltlich den Anspruch Jesu fort. Er sah sich in seinem irdischen Wirken als der von Gott erwählte Messias und Menschensohn in Verborgenheit und damit als die Herrscherfigur, die Gott in seinem aufgehenden Reich vertreten sollte und die schließlich, wenn es Gottes Willen entsprach, an seine Seite erhöht werden würde.

Daß nunmehr der *erhöhte Jesus neben Gott* als *regierend* gesehen wird, macht deutlich, daß *jetzt* die *von Jesus verkörperten Werte unwiderruflich* den *Inhalt der Gottesherrschaft näher bestimmen und ausmachen.* Radikale Liebe und Zuwendung sowie Freiheit, ja Menschlichkeit schlechthin, wie sie Jesus gelebt und verkündigt hatte, werden nunmehr zum beherrschenden Gehalt des in Geltung gesetzten und mit Macht heranrückenden Reichs Gottes und seiner Menschen. Forderung, Zwang, sowie Kultus und Religiosität, die Kräfte der ›alten Welt‹, müssen zurücktreten. Die Herrschaft Gottes und das Recht des erhöhten Menschensohns sind somit *endgültig* Versöhnung und Erneuerung der Welt, Neuwerdung der Menschen und ihre Vermenschlichung.
Schließlich soll ausgesagt werden:
3. Das *Fortbestehen* dieser *durch Gott konstituierten Königsherrschaft* in der *von Jesus geprägten Gestalt*, bis sie sich bestimmungsgemäß und abschließend entfalten, ausweiten und in der ›*Erlösung*‹ und *Befreiung der Menschheit* und der *ganzen Welt* aus ihrer Entfremdung und zuletzt auch dem Tod *vollenden* und gleichzeitig *offenbaren* wird[89].

89 Zum Abschluß s. dazu Bornkamm, Jesus, 168 (»Gott . . . [hat] diesen Jesus von Nazareth der sich wider ihn erhebenden Macht der Sünde und des Todes entrissen und der Welt zum Herrn gesetzt«). Einseitiger Braun, Jesus, 154, der nur die Herrschaft und »Autorität« des Auferstandenen aussagt. Vgl. noch Bloch, Christentum, 162ff, der von der »Einnahme der obersten Region« durch Jesus als »Haupt der Menschengemeinde« spricht

3.3 Die Vorbildhaftigkeit der Erhöhung Jesu. Die gemeinsame Herrschaft der Erhöhten

In seiner Erhöhung zu einer Wirkkraft und Macht, die derjenigen Gottes zur Seite steht und die besonders auch auf dieser Erde Gestalt gewinnt, soll Jesus ebenfalls – so sind die bisherigen Ausführungen zu Ende zu denken – prägende Gestalt und Modell des Neuen Menschen im Reich Gottes sein. Mit anderen Worten ist also auch den *Menschen*, die im Sinne Jesu Gottes Willen erfüllen, eine *vergleichbare österliche Herrschaft und Wirkkraft verheißen* und *(ansatzweise) gewährt*. Diese soll (auch das ist noch Inhalt der Auferstehungsverheißung) *zukünftig* in einer *Gemeinschaft aller erhöhten und herrschenden Menschen im vollendeten Gottesreich gipfeln* und zu ihrem Höhepunkt geführt werden (vgl. mit verschiedener Nuancierung Offb 1,6; 5,10 und 1Kor 4,8; 6,2). Das soll auf dieser Erde, aber auch darüber hinaus Wirklichkeit werden, worauf im einzelnen noch später einzugehen sein wird[90].

Die Herrschaft derjenigen, die den Willen Gottes tun, beruht zwar auf Aussagen in der Urgemeinde; diese stützen sich aber auf Erwägungen, die im wesentlichen schon auf Jesus zurückzuführen sind:

So sollen die Menschen, die Jesus nachfolgen, eine »Vollmacht« erhalten, die nur der messianischen »Gewalt« des Menschensohns vergleichbar ist, wie denn auch regelmäßig in den Menschensohn-Worten »der (oder ein) Mensch« eingesetzt werden kann. S. z.B. Mk 2,28: »Der Mensch ist Herr auch über den Sabbat.« Dieser ist nämlich »um des Menschen willen geschaffen worden und nicht der Mensch um des Sabbats willen« (Mk 2,27). Oder Mk 2,10 Par, wonach »der Mensch« »Macht hat, auf Erden Sünden zu vergeben«. Diese wird wiederum in Mt 9,8 allgemein auf »die Menschen« bezogen. Die Jesus nachfolgenden Men-

und dies als »Usurpationsmythos« bezeichnet. Moltmann betont, daß Jesus »in die Zukunft Gottes hinein auferweckt ist und als gegenwärtiger Repräsentant dieser Zukunft Gottes, des freien, neuen Menschen und der neuen Schöpfung, gesehen und geglaubt wurde«, s. Moltmann, Gott, 155. Man darf wohl insgesamt sagen: Jesus ist nicht (übernatürlich) in den Himmel oder (bloß existentiell) in Wort und Glauben seiner Anhänger auferstanden, sondern in die globale und weltumspannende Herrschaft seines Vaters, die der Vollendung entgegengeht.

90 Die Frage der gemeinschaftlichen Herrschaft der Erhöhten und ihre Beziehung zur Demokratie werden in der christlichen Theologie sehr stiefmütterlich behandelt. Die Logien Jesu über die Herrschaft der Erhöhten sind jedoch dem entscheidenden Gehalt nach sicher authentisch, s. Jeremias, Theologie, 261. Sie entstammen der eschatologischen Tradition, insbesondere des Danielbuchs, ferner der Bilderreden des äthHen, und gehören zum Wesentlichen der Reich-Gottes-Botschaft Jesu (vgl. schon Weiß, Reich Gottes, 121ff). Es liegt ferner nahe, in dieser gemeinschaftlichen Herrschaft eine mythologische Formulierung der Demokratie zu sehen, zumal wenn man gleichzeitig den Gedanken der Befreiung der »Vielen« und ihre Berufung zur Herrschaft berücksichtigt. Die Urgemeinde hat dies (wenn auch in anderer Teminologie) durchaus auch so gesehen. In ihr war, wie bereits Bultmann, Theologie, 451, zugesteht, eine Art von »Gemeinde-Demokratie« lebendig. Sie begriff sich selbst als die »Heiligen« Gottes, die schon in der Gegenwart zu »Königen« gemacht worden waren (vgl. z.B. Röm 15,25ff; Offb 1,6; 5,10 u.ä.).

schen sollen auch »Söhne Gottes« sein, vgl. Mt 5,9: »Selig sind die Friedfertigen; denn sie werden Gottes Söhne heißen.« Diese Bezeichnung begegnet ferner in Mt 5,45 Par (»Liebt eure Feinde . . ., damit ihr Söhne eures Vaters im Himmel seid«); Mt 17,26 und EvThom 3b. Die Jünger Jesu sollen »in der Wiedergeburt, wenn der Sohn des Menschen auf dem Thron seiner Herrlichkeit sitzen wird, auch auf 12 Thronen sitzen, um die 12 Stämme Israels zu regieren« (*Luther*-Übers.: richten, zw.)[91] (s. Mt 19,28 Par Lk 22,28–30; s. auch Mt 20,23). Auch diese Verheißung ist so auszulegen, daß sie nicht nur die enge Schar der Zwölf, sondern alle Nachfolger Jesu betrifft (vgl. die alte Parallelüberlieferung in Offb 3,21, wonach Jesus jedem, der »überwindet«, »geben will, mit mir auf meinem Thron zu sitzen«).

Als *Herrschaftszusagen* sind auch die Logien zu verstehen, in denen Jesus den ihm Nachfolgenden schlechthin »das Reich«, also die Herrschaft, zusagt. Demgemäß muß Lk 12,32 auch so ausgelegt werden, daß es Gott »gefallen hat«, »euch (den Jüngern) die Herrschaft zu geben«. In Mt 25,34 wird »den Gesegneten meines Vaters« in ähnlicher Weise versprochen, daß sie »die Herrschaft ererben« werden (vgl. ferner die Formulierung in Lk 22,29.30)[92].

Dieser Interpretation entsprechen die zahlreichen sonstigen Herrschaftsverheißungen Jesu. In diesem Sinne ist vielfach denen, die »sich selbst erniedrigen«, zugesagt, daß sie »erhöht« werden sollen (Lk 14,11; 18,14b Par). Denen, die »dienen«, ist »Größe« versprochen (Mk 10,43 Par). »Erste« sollen die sein, die »Letzte« waren (Mt 19,30; 20,16; beide Par), und die, die »Knechte aller« waren (Mk 10,44 Par). Im Gleichnis von den anvertrauten Pfunden setzt der Hausherr seine guten und treuen Knechte »über vieles« (Mt 25,14ff Par) und im Gleichnis vom guten und bösen Knecht »wird er (den treuen und klugen Knecht) über sein ganzes Besitztum setzen« (Mt 24,47 Par). Treffend faßt Thomas diesen Gedanken in dem (allerdings gnostisch durchtränkten) Logion 2 zusammen: »Wer sucht, höre nicht auf zu suchen, bis er findet. Und wenn er findet, wird er verwirrt werden, und wenn er verwirrt wird, wird er sich wundern, und er wird herrschen über das All(!)« (s. entsprechend auch Clemens Alexandrinus, Stromateis V, 14,96).

Bei all diesen Worten geht es um die *gemeinsame Erhöhung und Herrschaft der Menschen,* die den *Willen Gottes tun* und *seinem Reich angehören. Nicht* dagegen ist gemeint die *private oder öffentliche Herrschaft von Menschen über Menschen.* Diese lehnt Jesus vielmehr (falls sie nicht sachlich unvermeidbar ist) mit Nachdruck ab (s. im einzelnen S. 56); das betrifft die patriarchalische oder rassische Herrschaft, aber auch die kapitalistische Herrschaft von Einzelnen und Gruppen bzw. Klassen. Eine solche macht die Herrschenden überheblich und verhindert die Entfaltung und volle Menschwerdung der Beherrschten. Sie führt nicht nur

91 Bei diesem Logion dürfte es sich um alte Überlieferung aus Q handeln, so im Ergebnis auch Jeremias, Theologie, 253; Goppelt, Theologie, 258; Kümmel, Theologie, 34.118; a.M. Bornkamm, Jesus, 192 im Anschluß an Bultmann. Ihre Urtümlichkeit ist dadurch belegt, daß das Wort, ohne den Verrat des Judas ins Auge zu fassen, die Herrschaft der Zwölfe prophezeit; dabei dürfte die Fassung in Mt gegenüber Lk den Vorzug verdienen, da sie noch das Ich Jesu vom Menschensohn unterscheidet, während dies später verwischt wird. Der Sinn des Logions wird im Hinblick auf seine Beziehung zu Dan 7,22 deutlich: es handelt sich um die Verheißung der Mitherrschaft der Jesus Nachfolgenden über das endzeitlich vereinigte Israel, nicht um die Androhung des Gerichts über dieses Volk.

92 Diese Auslegung verdanke ich einer Anregung Prof. Klapperts.

zur Feindseligkeit der Unterdrückten und oftmals zu gegenseitiger Gewaltanwendung, sondern kann auch Ausbeutung und völlige Vernichtung der Unterworfenen im Gefolge haben. Demgegenüber bedeutet die *gemeinschaftliche Herrschaft*, die entwickelte *Demokratie aller, die das Recht halten*, die *Kulmination der Zuwendung und Gerechtigkeit Gottes:* Diese stellt die größtmögliche Freiheit der Menschen, auch verschiedenen Geschlechts, verschiedener Rasse und Klasse, dar. Sie führt zur Entstehung einer voll ausgestalteten Gemeinschaft aller Menschen und hat die optimale Regelung ihrer gemeinsamen Angelegenheiten zur Folge (s.S. 92 Anm. 90).

4 Jesus und die Errichtung des Reichs Gottes. Das Geschehen bis zur Ausgießung des Geistes

Vom bisher Gesagten müssen wir nun noch einen entscheidenden Schritt weitergehen. Danach hat Jesus nicht nur als einzelner Mensch den Willen Gottes getan und damit das Neue Leben zeichenhaft vorgelebt. Vielmehr hat er darüber hinaus durch sein Wirken, aber auch durch sein Sterben und seine Erhöhung, das *Reich Gottes im Ansatz allgemein und universal für alle Menschen etabliert und installiert.* Er hat die Gottesherrschaft generell für die Menschheit in einer erneuerten Welt eingeleitet und in Kraft gesetzt[93].

Sein Dasein bedeutete somit das *wesentliche endzeitliche Ereignis,* das das von Gott ausgehende Reich, die Herrschaft Gottes schon in der Gegenwart und auf der Erde zeichenhaft anheben ließ.

Jesus hat also dadurch, daß er den Willen Gottes tat, nicht nur die Entfremdung des Menschen gegenüber Gott und daher auch mit sich selbst und seinem Nächsten, individuell gesehen, im Kern überwunden. Er hat vielmehr mit seinem Leben, aber auch mit seinem Tod und seiner Erhöhung, einen allgemeinen und endgültigen Heilungs- und Befreiungsprozeß für alle Menschen zum Reich Gottes, zu einem Neuen Leben in einer erneuerten Welt in die Wege geleitet.

Das wird zunächst wiederum in seiner *Verkündigung* deutlich.

93 So auch Bartsch, Jesus, 125, ferner 108.116 usw. (»[Jesus] . . . nahm in seinem konkreten Wirken dieses Gottesreich vorweg«); Jeremias, Theologie, 98.117.166.225.275, nach ihm sind Jesu Taten »Prolepsen des Eschaton« und seine Mahle speziell »Vorweggabe[n] des Heilsmahles der Vollendungszeit«. Schwächer Dibelius, Jesus, 62ff; er nennt Jesu Handlungen »Zeichen des [kommenden] Reiches«; ähnlich Blank, Jesus, 74. Pesch, Praxis des Himmels, 42.43, bezeichnet Jesu Wirken als die »anfängliche Realisierung« der Herrschaft Gottes und betont seine »neue Praxis, welche Manifestation neuer Welt ist«. In der Bultmannschule wird demgegenüber die reale und weltverändernde Vorwegnahme der Heilszeit durch Jesus überhaupt nicht besonders hervorgehoben.

Wenn Jesus »durch den Finger Gottes« die Dämonen austreibt, so soll das Reich Gottes bereits zu uns »gekommen« sein (Lk 11,20 Par). Mit Jesus soll das Reich Gottes nach Lk 17,21 »in unserer Mitte« sein (s.S. 174). In Lk 4,16–21 sagt Jesus, daß mit seinem Kommen das »Gnadenjahr des Herrn« angebrochen sei, d.h. nach Lev 25 das Lösejahr, in dem die Sklaverei ein Ende hat und der Sklave frei »zu seinem Geschlecht zurückkehrt« und »wieder zum Besitz seiner Väter kommt« (s. im einzelnen mit weiteren Nachweisen S. 150).

Noch klarer zeigt das *Handeln Jesu*, daß er darauf abzielte, das Reich Gottes umrißhaft und im Ansatz für die Menschen allgemein, generell in Kraft zu setzen.

Das ist der eigentliche Sinn seines Auftretens als Messias und somit als Schlüsselfigur des hereinbrechenden Reichs Gottes. Die Sohnesbezeichnung ist gleichfalls eschatologisch geprägt und die Benennung als Menschensohn ist jedenfalls seit Daniel mit dem Reich-Gottes-Gedanken verbunden (s. Dan 7,13ff; vgl. auch äthHen 52,4 und 71).

Dieser Bezug zum Reich Gottes läßt sich aber auch aus Jesu Wirken im einzelnen erweisen:

Er heilte Kranke und Leidende und leitete dadurch das Reich Gottes zeichenhaft ein; denn bereits nach der Vorstellung der alttestamentlichen Propheten sollten in der Gottesherrschaft »die Augen der Blinden aufgetan« und »die Ohren der Tauben geöffnet« werden, »die Lahmen« sollten »springen wie ein Hirsch« und »die Zunge der Stummen wird frohlocken« (s. Jes 35,5ff; ferner 29,18ff usw.). Jesus nahm das Reich Gottes ansatzweise vorweg in seiner Zuwendung gegenüber Armen, Elenden und Unterdrückten (dazu sei z.B. auf Jes 61,1ff verwiesen). Auch die Vergebung der ›Sünden‹ durch Jesus war eine Antizipation der Gottesherrschaft; dies ergibt sich z.B. aus Ps 130,8, wo Israel die Vergebung aller seiner ›Sünden‹ im Reich Gottes verheißen wird. Jesus hielt mit den Zolleinnehmern und anderen Rechtsbrechern Mahlgemeinschaft und speiste die Volksmassen; das war ebenfalls eine eschatologische Zeichenhandlung, mit der die soziale Gestalt der Gottesherrschaft im voraus dargestellt werden sollte (vgl. etwa Jes 25,6ff und später).
Auch Jesu Verhalten zum (ethisch-moralischen und kultischen) Gesetz, dessen endzeitliche »Erfüllung« in einer neuen Ordnung er brachte, ist so zu verstehen (s. Mt 5,17); denn im Reich Gottes soll sein Wille den Menschen nicht mehr aufgezwungen, sondern »ins Herz geschrieben« sein (Jer 31,31ff); sein Geist soll ihnen gegeben werden (Ez 36,26ff). Ähnlich liegt es mit der Tempelaktion (s. Mk 11,15ff Par); durch sie wollte Jesus einen »neuen Tempel« initiieren, dieser sollte eine neue Menschengemeinschaft abbilden, ohne Opfer und rituelles Zeremoniell, mit Beteiligung auch der ›Unreinen‹ und ›Heiden‹ (vgl. Mk 14,58 Par; Jer 7,11ff; Jes 56,7 u.a.). Jesus berief dazu 12 Jünger, mit denen er Lebens- und Eigentumsgemeinschaft hatte (Mk 3,14 Par und die Worte vom gemeinschaftlichen »Beutel« in Joh 12,6; 13,29); diese wollte er in die zukünftige Herrschaft über die 12 Stämme Israels einführen (s. Mt 19,28 Par; vgl. Gen 49,28). Er schickte ferner diese zwölf und wahrscheinlich noch andere, vielleicht 70 weitere Boten, im Hinblick auf die anderen Völker, aus, damit sie wie er Menschen heilten und ihnen die Sündenvergebung verkündeten (vgl. Lk 9,1ff Par; 10,1ff). Schließlich gründete Jesus ganz allgemein eine umfassende Heilsbewegung und sammelte dadurch proleptisch die eschatologische »Herde« Gottes (s. im einzelnen später u. Ez 34,11ff; 37,15ff, wonach Gott in der Endzeit »seine Schafe suchen und sie von allen Orten erretten« werde, »wohin sie verstreut« gewesen seien).

Kurz gesagt: Jesus *brach* in seinem gesamten Wirken die *Herrschaft Satans*, des »Fürsten der Welt« und seiner Mächte (Lk 10,18; s. auch Jes 49,25ff) und *verwirklichte exemplarisch* das *Reich Gottes*, sei es, daß er es durch Realisierungshandlungen teilweise bzw. anbruchhaft herbeiführte, sei es, daß er es in Zeichenhandlungen vorwegnahm.
Auch hier fällt auf, daß Jesus die Gottesherrschaft *nicht* mit Gewalt, Herrschaft oder der Macht des Geldes in Gang setzte, sondern durch deren Gegenteil, weil er den Weg der Überzeugung und Vorbildhaftigkeit, der Herrschaftslosigkeit und sogar Erniedrigung wählte.
In Fortsetzung und Konsequenz dieses Wirkens Jesu wird auch in den Evangelien sein Leiden und sein *Tod* als *Einleitung* der *apokalyptischen »Wehen« und der »großen Drangsal«* beschrieben, die *dem Reich Gottes vorangehen, es zur Realisierung treiben* sollten (s. auch Mt 27,45ff und Lk 23,44ff; vgl. im einzelnen S. 86). Die *Auferstehung Jesu*, seine Himmelfahrt und Einsetzung zur Rechten Gottes werden als *Konstituierung der eschatologischen Herrschaftseinsetzung des Menschensohns* nach dem Danielschen Nachtgesicht angesehen (Dan 7,13ff; S. 89, 90). Damit ist unterstrichen und besiegelt, daß das Leiden und Sterben Jesu das kommende Reich nicht abgebrochen haben, sondern daß neben Gottes nun auch Jesu Herrschaft und Wirkkraft eingesetzt ist, die *universal* die *große Umwälzung von Mensch und Welt einleitet* und sie *endgültig* der *letzten Heilung und Befreiung* von den Todesmächten *entgegenführt*[94].
Das wird schließlich auch noch im *Pfingstgeschehen* klar, also der ersten sogenannten *Ausgießung des »heiligen Geistes« auf die Gemeinschaft der Jünger Jesu* (Apg 2 und 3; im Vorgriff auf die letzte Ausgießung des »heiligen Geistes« »über alles Fleisch« im vollendeten Gottesreich, Joel 3 und Jes 44,3). Auch dieses Ereignis findet noch einen Anhalt an der Verkündigung Jesu (s. Mk 13,11; Mt 10,20; Lk 11,13; 12,12 und wohl auch Apg 1,5; 11,16). Die Pfingstgeschichte ist danach ebenfalls ein *wesentliches endzeitliches Geschehnis* und bedeutet die *grundlegende Vorausgabe* sowie *Vorausverwirklichung des Reichs Gottes in der Menschengemeinschaft Jesu und ihrem Leben* (vgl. auch Röm 8,23; 2Kor 1,22; 5,5 u.a.)[95].

94 Vgl. Jeremias, Theologie, wonach Jesu Kreuz »den Wendepunkt, den Auftakt zur Schwertzeit« bildet (231.279); die Auferstehung Jesu ist nach ihm der »Anbruch der Weltenwende«, der »Anbruch der neuen Schöpfung« und die »Inthronisation« und der »Herrschaftsantritt« Jesu (293.294). Sehr profiliert äußert sich auch Kraus, Reich Gottes, 23.24: »In seinem [Jesu] Tod und in seiner Auferstehung ist die letzte (eschatologische) Wende geschehen – in Verborgenheit und Verkennung«, »die sub contrario crucis vollzogene Wende von der alten Weltzeit zur neuen Schöpfung« und damit die »Überwindung der Mächte der Zerstörung, der Krankheit und der Besessenheit, Verwerfung der Kategorie des Erfolges, der persönlichen Leistung oder Frömmigkeit, auch der machtpolitischen Durchsetzung«.

95 Zu dem – auch historischen – Zusammenhang der Ausgießung des heiligen Geistes mit dem Auferstehungsgeschehen und seinem eschatologischen Charakter, s. Jeremias,

Im einzelnen enthält das Pfingstereignis die *Widerspiegelung der Erhöhung Jesu* zu Macht und Wirkkraft in Richtung auf die *Menschen*, denen *ebenfalls endzeitliche Wirkungsmöglichkeiten* verliehen werden. Auf Grund dieser Ausstattung mit dem »Geist« Gottes, der jetzt auch der »Geist« Jesu ist, gewinnt die Herrschaft Gottes und die Autorität Jesu für die ihm nachfolgenden Menschen sichtbar Gestalt *in der Welt*. Sie breitet sich in der Zuwendung von Mensch zu Mitmensch aus. Die Herrschaft des erhöhten Jesus entfaltet sich weiter erkennbar in der Entwicklung einer *persönlichen Gemeinschaft zwischen Menschen und menschlichen Gruppen*. Sie zeigt sich in der *Gemeinsamkeit des Eigentums und Besitzes* aller und sie wird offenbar in *gemeinsamer Sprache, Wissen und Lehre*.
Dieses Prinzip der *Vergemeinschaftung*, dieses Element des *Sozialismus* tritt nun ergänzend neben das ebenfalls von Ostern herkommende Moment der gemeinsamen Herrschaft und Erhöhung des Neuen Menschen, das wir als Element der Demokratie kennengelernt haben (s.S. 92ff)[96].

Das Wesen der Ausgießung des heiligen Geistes läßt besonders gut Apg 2,1–4,41–45 erkennen: »Und als der Tag des Pfingstfestes endlich da war, waren sie alle an einem Ort beisammen. Und plötzlich entstand vom Himmel her ein Brausen, wie wenn ein gewaltiger Wind daherfährt, und erfüllte das ganze Haus, worin sie saßen. Und es erschienen ihnen Zungen, die sich zerteilten, wie von Feuer. Und er setzte sich auf jeden unter ihnen. Und sie wurden alle mit dem heiligen Geist erfüllt und fingen an, in andern Zungen zu reden, wie der Geist ihnen auszusprechen gab . . . Die nun, welche sein Wort annahmen, ließen sich taufen, und es wurden an jenem Tage etwa dreitausend Seelen hinzugetan. Sie verharrten aber in der Lehre der Apostel und in der Gemeinschaft, im Brechen des Brotes und in den (gemeinsamen) Gebeten. Und es kam über jede Seele Furcht; und viele Wunder und Zeichen geschahen durch die Apostel. Alle Gläubiggewordenen aber waren beisammen und hatten alles gemeinsam; und sie verkauften die Güter und die Habe und verteilten sie unter alle, je nachdem einer es nötig hatte«; dgl. Apg 4,32–37.

Zusammenfassend ist nach alledem zu sagen, daß Jesus 1. *das Reich Gottes verkündigt* hat (was in diesem Kapitel nur gestreift wurde), daß er 2. *den Willen Gottes getan* und *damit die Gottesherrschaft als einzelner*

Theologie, 292 (mit Hinweis auf Joh 20,22 und weiterer Begründung), und Goppelt, Theologie, 297ff.

96 Zum pfingstlichen Gemeinbesitz mit Verständnis Kraus, Reich Gottes, 393ff mit weiteren Nachweisen, während die herrschende christliche Auffassung gern von Idealisierung und Gesetzlichkeit spricht. Es ist freilich möglich, daß das Gemeinschaftseigentum der Urgemeinde von der lukanischen Berichterstattung tendenziös überhöht worden ist; dennoch muß es grundsätzlich wohl als historische Realität angesehen werden. Es ist direkt mit der Praxis Jesu und seiner Verkündigung verbunden und hat eschatologisch-proleptischen Charakter, d.h., es greift der Eigentumsstruktur des Reichs Gottes vorweg. Der Gemeinbesitz darf wiederum zwar nicht gesetzlich mißverstanden oder gar auf autoritäre und machtpolitische Weise erzwungen werden; dies entspricht nicht der Intention Jesu. Andererseits ist aber auch nicht ohne eine besondere gesellschaftliche Ordnung und Verfassung auszukommen, die Formen der Partizipation an Besitz und Eigentum entwickelt.

zeichenhaft vorgelebt hat, und daß er 3. *das Reich Gottes generell und universal für alle Menschen eingeleitet* hat.
Wenn von Jesus ausgesagt werden kann, daß er in dieser Weise als Mensch gewirkt hat, so kann man wiederum, im Hinblick auf Gott, auch formulieren: In *Jesu Person* ist *Gott wirksam und offenbar* geworden; Gottes Gegenwart ist in ihm erkennbar geworden. Durch den Menschen Jesus hat Gott auf die Menschen und die Welt eingewirkt und ihnen gegenüber seinen Willen geltend gemacht. In Jesu Leben und Tod hat Gott seine Herrschaft, sein Reich aufgerichtet und manifestiert; in seiner Erhöhung ist Jesus zur Einheit mit Gott gelangt, dessen Reich fortan auch das seine ist. Kurz gefaßt kann somit gesagt werden: *Jesus personifiziert in seinem Leben und Wirken geradezu das Reich Gottes* (In EvThom 82 heißt es daher treffend, daß, wer Jesus »fern« ist, auch »dem Reich fern« ist, und Johannes läßt Jesus direkt verkündigen: »Ich bin . . . das Leben« – und damit das Reich Gottes, Joh 11,25; 14,6 u.ä.)[97].

Fragt man nun, ob früher oder später Gott nicht auch in anderen Menschen offenbar geworden ist oder werden wird, so wird man dies nicht verneinen können. Man wird dabei auch nicht nur an Vertreter der biblischen Religionen, sondern auch an solche nichtchristlicher Religionen und sogar Philosophien denken dürfen, und zwar sowohl der Vergangenheit als auch der Gegenwart und Zukunft. In *Jesus* ist allerdings die *Offenbarung Gottes* von *eschatologischem Charakter,* d.h. sie hat einen *besonderen* und *unmittelbaren,* einen *letztgültigen Ausdruck* gefunden[98]. Er hat die Zuwendung Gottes zu den Menschen und die daraus folgende Befreiung in der umfassendsten Weise verkündigt und gleichzeitig gelebt. In ihm ist somit der gnädige Gott in einzigartiger Weise offenbart worden. Dies muß auch gelten, wenn man so große Gestalten wie z.B. Buddha, Mohammed und in neuerer

97 Die Autobasileia Jesu (Origenes) betonen mit Recht im Anschluß an Barth insbesondere Gollwitzer, Veränderung, 39 (»Reich Gottes, das ist das Explosivwort, das Jesus in die Welt wirft, und das ist Er selbst«); Kraus, Reich Gottes, 17ff (»Jesus erwies sich in seinem Wort und Werk als die Nähe und Gegenwart des Reiches Gottes«) und Knörzer, Reich Gottes, 52ff; die Behauptung des letzteren, daß das Reich Gottes »in Jesus und nur in Jesus gekommen« sei, verkennt allerdings, daß die Gegenwart der Gottesherrschaft u.a. auch im Wirken der ihm nachfolgenden Menschen und der Gemeinschaft, die dem Willen Gottes gemäß lebt, deutlich werden kann, s.S. 151,153. Nach der Autobasileia-Vorstellung ist das Reich Gottes nicht nur das Zentrum des Wirkens Jesu, vielmehr ist Jesus und sein Wirken auch das Zentrum des Reichs Gottes. Dieser Aspekt wird für die spätere christliche Entwicklung von großer Tragweite (vgl. schon Apg 8,12; 28,23 und 28,31); freilich droht diese manchmal das Reich Gottes über dem Christus hintanzustellen, vgl. S. 176.

98 Der Begriff Eschatologie (Lehre von der Endzeit) und eschatologisch (endzeitlich) ist sehr schillernd. Das Eschaton, die Endzeit soll hier als der Übergang von der alten Weltzeit zur Neuen Welt des Reichs Gottes verstanden werden, eschatologisch als das, was das Ende der alten und das Anheben der Neuen Welt betrifft. Das Eschatologische hat den Charakter, die Grenzen des alten Äons zu überschreiten und zur neuen Weltzeit überzuleiten und sich somit als *letzt-* und *end-gültig* darzustellen. Die Endzeit ist die Zeit dieser letzt- und endgültigen Erfüllung. In diesem Sinne sind die von Jesus verkündigte Universalität der Zuwendung besonders zu den ›Sündern‹ und Verlorenen, die Radikalität der ›Forderung‹ der Liebe auch zu den Feinden, die Schrankenlosigkeit der Neuen Menschengemeinschaft und auch die in dieser Verkündigung und Praxis wurzelnde Gesamthaltung Jesu als eschatologisch, der Endzeit zugehörig zu charakterisieren.

Zeit Marx ins Auge faßt. Bei Buddha scheint doch die Selbsterlösung eine große Rolle zu spielen; der erstrebte Zustand der Erlösung wirkt zudem unpersonal. Mohammed betont nicht so sehr den gnädigen wie den gerechten oder sogar vergeltenden Gott, und dazu noch in stark mythologischer Form. Wenn man schließlich etwa an Marx denkt, so hat dieser zwar wichtige Gesichtspunkte der Reich-Gottes-Hoffnung aufgenommen, in einer weitgehend entmythologisierten Ausbildung. Er sieht jedoch die Mensch und Welt befreienden Kräfte und Tendenzen zu einseitig ökonomisch bestimmt, so daß seine Lehre zumindest der Fortentwicklung in Richtung auf eine freie und schöpferische Macht der Zuwendung bedarf. Mit diesen kritischen Worten gegenüber den anderen großen Stiftern soll freilich nicht geleugnet werden, daß auch in diesen und anderen Gestalten grundlegende Wahrheiten deutlich, und Gott, wenngleich in weitgehend vorläufiger und unausgeprägter Weise, offenbar geworden sein können.

Nach diesen Ausführungen ist, wie zum Schluß noch angemerkt werden darf, auch eine *Lösung* des sogenannten *Ausschließlichkeitsanspruchs* der christlichen Tradition in Sicht (wie er z.B. aus Mt 11,27 Par, S. 74 und Joh 14,6 hergeleitet wird): Auch Angehörige nichtchristlicher Religionen und anderer weltanschaulicher Systeme können, wenn sie ein dementsprechendes Leben führen, jedenfalls auf dem Wege zu Jesus und dem von ihm verkündeten Reich sein. Sie können, selbst wenn sie ihn mißverstehend ablehnen, keineswegs einfach als ›Verlorene‹ abqualifiziert werden. Es kommt nach Jesu Anschauung nicht entscheidend darauf an, »Herr, Herr« zu sagen, sondern den Willen Gottes (praktisch) zu tun (Mt 7,21). Was den »geringsten Brüdern« Jesu getan wird, das ist gleichzeitig Jesus als dem »Menschensohn« getan (Mt 25,40). Es mag schließlich auch beachtet werden, daß es in Mk 9,40 Par heißt: »Denn wer nicht gegen uns ist, der ist für uns« und in Papyros Oxyrhynchos 1224: »Und wer heute fern ist, der wird euch morgen nah sein.« Das dem scheinbar entgegenstehende Wort Lk 11,23 Par: »Wer nicht mit mir ist, der ist gegen mich« enthält nur den trotzdem bestehen bleibenden Aufruf zur Entscheidung für die *volle* Nachfolge Jesu, für den *ganzen* Dienst in der Gottesherrschaft.

5 Die Nachfolge Jesu

Die *drei* Stufen der Deutung von Jesu Auftreten haben, wie bereits aus den bisherigen Aussagen abgeleitet werden konnte, wesentliche Folgen für die *Existenz*, das *Leben der Menschen* im allgemeinen:

5.1 Die individuelle Nachfolge Jesu

Über die *Verkündigung des Reichs Gottes* und ihre *Bedeutung für die Menschen* wurde schon gesprochen; dazu ist in diesem Zusammenhang wenig zu sagen. Allenfalls wäre die Selbstverständlichkeit (freilich auch Notwendigkeit) zu nennen, daß auch die Verkündigung Gegenstand der Nachfolge Jesu ist (vgl. z.B. Lk 9,2; 9,60; 10,9 u.a.). Schon die Ansage und Proklamation der Gottesherrschaft sind für die Existenz der Men-

schen von hohem Wert (s. ferner Lk 4,43; 16,16; Mt 24,14; freilich nicht gesichert).
Zum Zweiten sind das *Leben und Wirken Jesu insgesamt* und auch *seine Erhöhung* als Bild des Neuen Menschen *für das menschliche Leben* von *bestimmender Bedeutung*. Das heißt im einzelnen: Die *Existenz der Menschen* soll in besonderer Weise durch die *Nachfolge* Jesu geprägt sein, und zwar über die Verkündigung hinaus im ganzen Leben und Wirken.

So ruft Jesus die Menschen eindringlich auf: »Kommt her und folgt mir nach!« (Mk 1,17 Par; ferner Mk 2,14 Par u.a.). Bewußt schockierend heißt es in Mt 8,22 Par: »Folge mir nach und laß die Toten ihre Toten begraben!« Auch Mk 8,34 Par stellt die Menschen scharf in die Entscheidung: »Wenn jemand mit mir gehen will, verleugne er sich selbst und nehme sein Kreuz auf sich und folge mir nach«; ähnlich Mt 10,38 und EvThom 55. In Mk 10,21 (Par Mt 19,21 und Lk 18,22) reißt Jesus bei dem Gespräch mit dem »reichen Jüngling« den ganzen Gegensatz zwischen der ›alten Welt‹ und dem Neuen Menschen auf, wenn er dazu auffordert: »Geh hin, verkauf alles, was du hast, und gib es den Armen, und du wirst einen Schatz im Himmel haben, und komm, folge mir nach!«

Mit dem letzten Wort ist auch schon ausgesprochen, was Nachfolge eigentlich heißt. Sie bedeutet nicht nur (woran wohl ursprünglich gedacht war), Jesus auf seinem Wege zu folgen und mit ihm persönliche Gemeinschaft zu haben. Sie gewinnt vielmehr ganz allgemein den Sinn, (zumindest in Ansätzen) *wie Jesus zu leben* und *in messianischer Weise zu wirken*[99].

Dazu sei auch auf Lk 6,40 verwiesen: »Wenn der Jünger vollkommen ist, so ist er wie sein Meister« und ergänzend auf Mt 5,48: »Ihr nun sollt vollkommen sein, wie euer himmlischer Vater vollkommen ist.«

Praktisch heißt das: Auch die Jesus Nachfolgenden sollen wie er an der Gottesherrschaft mitwirken und durch tätiges Handeln die Herrschaft des Bösen mit ihrer Entfremdung und ›Sünde‹ zurückdrängen (vgl. besonders Mk 3,14.15 Par und die sogenannten missionarischen Aufrufe an die 12 bzw. – vielleicht – 70 Jünger in Mk 6,7; Lk 9,1.2 Par und 10,1.2, während eine Mission zur Verbreitung des Christentums nicht auf Jesus zurückgeht, s. Mt 23,15). Die Jünger Jesu sollen gleich ihm »Salz der Erde« und »Licht der Welt« sein und damit das wahre Leben (im Sinne des Reichs Gottes) erhalten, fördern und weitergeben (s. Mt 5,13.14).
In den früheren Kapiteln ist gezeigt worden, daß der Neue Mensch durch die Annahme der Zuwendung Gottes sowie das Tun seines Willens gekennzeichnet ist. Wenn man dies in Betracht zieht, fragt sich, in wel-

99 Vgl. z.B. Bornkamm, Jesus, 135ff(136); nach ihm ist die Forderung zur Nachfolge »in der Sache keine andere als die, die schon Jesu Ruf zur Umkehr im Angesicht der kommenden Gottesherrschaft für alle erhebt«; ähnlich Braun, Jesus, 127.

chem Verhältnis dazu nun die Nachfolge Jesu steht. Hier ist das folgende zu sagen: Die *Annahme der Liebe Gottes* und die *Erfüllung seines Willens* sind durchaus *identisch* mit der *Nachfolge Jesu*, wie sie hier verstanden wird. In dem Verhalten Jesu spiegelt sich ja ebenso die Zuwendung Gottes, wie dies von den Menschen auch sonst erwartet wird. Hinzuzufügen ist allerdings, und das bedarf besonderer Betonung, daß Nachfolge nicht nur den Menschen in seiner Vereinzelung meint, sondern daß damit bereits an eine Menschengemeinschaft gedacht ist, die im Verein, gemeinsam auf dem Wege der Nachfolge ist.

5.2 Die kollektive ›Bewegung‹ zum Reich Gottes hin (die ›Kirche‹)

Damit kommen wir nun zum Dritten: Aus dem Auftreten Jesu ergeben sich nicht nur *Konsequenzen* für den Menschen in seiner individuellen Lage und auch Not, sondern für die *ganze ›Bewegung‹ von entfremdeten Menschen*, für die *Gemeinschaft der Menschen, die er ins Leben gerufen hat*, und schließlich für die *ganze Menschheit*. Wie Jesus das Reich Gottes als soziales Gebilde zeichenhaft in Kraft gesetzt hat, so sollen auch die ihm nachfolgenden Menschen gemeinschaftlich und in enger und solidarischer Verbindung miteinander zum Reich Gottes hin aufbrechen, bis dieses zum Ziel gelangt ist[100].

Zweifelhaft ist hier allerdings, ob Jesus eine *›Kirche‹* im späteren organisatorisch-festgelegten Sinne oder gar in der geschichtlich bis heute gewachsenen Gestalt gründen wollte. Das dürfte *nicht* der gesicherten Überlieferung entsprechen, wie sie festzustellen sein wird.

Berühmt ist insofern die grundlegende Stelle Mt 16,18–19: »Ich sage dir: Du bist Petrus (der Fels), und auf diesen Felsen will ich meine Kirche (Gemeinde) bauen, und die Pforten des Totenreichs werden nicht fester sein als sie. Ich will dir die Schlüssel des Himmelreichs geben, und was du auf Erden binden wirst, das wird im Himmel gebunden sein, und was du auf Erden lösen wirst, das wird im Himmel gelöst sein.« Dieses Wort ist jedoch möglicherweise eine Bildung der palästinischen Gemeinde, jedenfalls was den ungewöhnlichen Sprachgebrauch vom »Bau der Kirche« angeht sowie hinsichtlich der Amtseinsetzung des Petrus, die auch der allen Jüngern gewährten Vollmacht zum »Binden« und »Lösen« nach Mt 18,18 widerspricht. Ebenso dürfte es sich bei Mt 18,17 (ebenfalls ohne Par) um eine Gemeindebildung handeln. Hier heißt es, wer auf die »Kirche« nicht höre, solle dem Jünger Jesu »wie ein Heide und Zöllner« sein. Gegen die Echtheit dieses Worts spricht neben

100 So Jeremias, Theologie, 164ff: Jesus hat die »Sammlung« eines »neuen Gottesvolkes« vollzogen; ähnlich Dibelius, Jesus, 47ff, wonach Jesus eine »neue Bewegung auf dem Boden der Heimat entfesselt«, und Flusser, Jesus, 88; ferner Schnackenburg, Gottes Herrschaft, 149ff, u.a. *A.M.* Bornkamm, Jesus, 170ff, u. Bultmannschüler, die die Begründung einer neuen Menschengemeinschaft erst in der Auferstehung Jesu sehen wollen; so auch Kümmel, Theologie, 33ff. Hier wird jedoch die Gründung der eschatologischen Bewegung zu sehr mit ihrer späteren organisatorischen Festlegung und Abgrenzung zusammengebracht.

dem Sprachlichen noch die darin sichtbar werdende Denkweise, die für Jesus ganz untypisch ist[101].

Trotz dieser beiden strittigen Stellen hat Jesus aber sicherlich eine *›Bewegung‹ von Menschen zum Reich Gottes hin,* eine *Menschengemeinschaft der Gottesherrschaft* ins Leben rufen wollen und von ihr auch vielfach gesprochen.

So hat er in einem echten alten Wort von einer »Herde« der ihm Nachfolgenden geredet, denen das Reich Gottes »gegeben« worden sei[102] (vgl. Lk 12,32: »Fürchte dich nicht, du kleine Herde! Denn es hat eurem Vater gefallen, euch das Reich zu geben«; s. auch Mt 26,31 Par und Joh 10). Er hat auch einen »neuen Tempel« ins Auge gefaßt, den er bauen werde (s. Mk 14,58 Par und die Ausführungen auf S. 30). Jesus hat die ihm Nachfolgenden seine »Hausgenossen« genannt (Mt 10,25) sowie Angehörige der Familie Gottes (s. Mk 3,35 Par: »Wer den Willen Gottes tut, der ist mir Bruder und Schwester und Mutter«). Er hat von den Teilnehmern am »Hochzeitsmahl« gesprochen (vgl. beispielsweise Mk 2,19 Par; dazu i.e. noch später). Er hat schließlich die ihm nachfolgende Menschengemeinschaft in den Gleichnissen vom Unkraut unter dem Weizen und vom Fischnetz als die »gute Saat« und die »guten Fische« bezeichnet (Mt 13,24ff,36ff sowie 13,47ff; letzteres zw.).

Jesus hat nicht nur selbst eine messianische Gemeinschaft von Jüngern und weiteren Nachfolgern um sich gesammelt, die der Gottesherrschaft dienen sollten. Vgl. dazu Mk 3,14 Par; Lk 9,1.2 Par usw.; zur »Sammlung« ferner Mt 12,30 Par; 23,37 Par. Er hat vielmehr auch seine Jünger wiederum zum »*Menschenfischzug*« und damit zu einer immer fortschreitenden Sammlung von Menschen aufgerufen, bis diese in der Gemeinschaft des vollendeten Gottesreichs aufginge (s. dazu z.B. Mk 1,17 Par: »Kommt her, folgt mir nach, und ich will machen, daß ihr Menschenfischer werdet.«).
Allerdings hatte Jesus wohl zuvörderst die Absicht, das *Volk Israel* zu einigen. Er wollte als erstes das Zwölf-Stämme-Volk sammeln und zusammenführen und damit eine *Basis* und *Vorgestalt* der *allgemeinen Menschengemeinschaft* des kommenden Reichs Gottes schaffen.

So sagt er in Mt 15,24: »Ich bin nur zu den verlorenen Schafen des Hauses Israel gesandt.« Ähnlich gebietet er in Mt 10,5 seinen Jüngern: »Geht nicht auf eine Straße der Heiden und geht nicht in eine Stadt der Samariter, sondern geht vielmehr zu den verlorenen Schafen des Hauses Israel!« Diese beiden Logien sind freilich wohl insoweit judenchristlich überarbeitet, als sie eine Beschränkung des Werks Jesu und seiner Jünger auf Israel nahelegen. Das wird auch dadurch wahrscheinlich, daß sie keinerlei Parallelen bei den anderen Evangelisten haben[103].

101 Str., wie hier Bornkamm, Jesus, 171.196; Goppelt, Theologie, 260, und die Mehrheit der Exegeten; a.M. wohl Jeremias, Theologie, 165, und die traditionelle katholische Auffassung.

102 Zur Ursprünglichkeit bejahend s. Jeremias, Theologie, 165.177ff; Goppelt, Theologie, 258; a.M. Bultmann, Jesus, 33.

103 Vgl. z.B. Käsemann, Versuche II, 87, der diese Worte ähnlich wie die über die ›Gesetzestreue‹ Jesu als judenchristlich geprägt ansieht; a.M. Braun, Jesus, 129, u.a.

Soweit diese Worte jedoch das Volk Israel als Grundstock der endzeitlichen Menschenvereinigung erkennen lassen, werden sie auch durch das übrige Wirken und Verkündigen Jesu gestützt. Das wird etwa darin deutlich, daß Jesus gerade zwölf besonders eng mit ihm verbundene Jünger auswählt (Mk 3,14 Par) und ihnen verheißt, sie würden in der nahenden Gottesherrschaft »auf zwölf Thronen sitzen, um die zwölf Stämme Israels zu regieren« (Mt 19,28 Par Lk 22,28–30; vgl. ferner Mt 10,23). Von Bedeutung ist in diesem Kontext auch, daß Jesus die Abrahamskindschaft der Juden anerkennt und somit auch die darin ausgesprochene Wahl und Zusage Gottes (Lk 13,16; 19,9; s. Gen 12). Die ursprüngliche Sendung Jesu zum jüdischen Volk und dessen besondere Stellung wird schließlich offenkundig in der Erzählung von der Heilung der syrophönizischen Frau. Dort entschließt sich Jesus erst auf starkes Drängen der Fremden zu einem Eingreifen und erläutert dies mit den Worten: »Laß *zuerst* die Kinder (vom Hause Israel) satt werden« (Mk 7,24ff Par [27]).

In dieser Funktion als Grundlage und Vorform der allgemeinen Menschengemeinschaft erschöpft sich für Jesus aber auch zunächst die spezielle Bestimmung des Volkes Israel. Von entscheidender Bedeutung ist für ihn dann die Sammlung einer daran anschließenden umfassenden Menschengemeinschaft, die nicht auf Israel beschränkt war, sondern sich auf *alle Völker der Welt* erstrecken sollte. In dieser *universalen Menschenvereinigung* sollte es irgendein ›auserwähltes Volk‹ in dem Sinne, daß es einen besonderen Vorrang, Vorrechte oder Privilegien innehatte, nicht geben[104].

Dies wird ersichtlich z.B. in dem Logion Mk 14,58 Par, wonach Jesus »nach drei Tagen« (also: binnen kurzem) »einen anderen Tempel aufbauen« werde, »der nicht mit Händen gemacht« sei. Damit ist, wie anderweit schon angedeutet (S. 30, 95), eine universale Neue Menschengemeinschaft ins Auge gefaßt, die nicht wie die bisherige in Israel durch Gesetz und Opfer sowie nationale Beschränkung gekennzeichnet war. Auch das Abendmahlswort nach Lk 22,20 Par, das freilich von der Kritik stark angezweifelt wird, spricht von einem Neuen Bund, der »im Blute« Jesu, d.h. in seinem Leiden und Sterben, geschlossen werde und gegenüber dem alten Bund in Israel einen umfassenderen, nicht durch Kultus und priesterliche Herrschaft bestimmten Charakter haben sollte.

Die Vision einer *internationalen Menschengemeinschaft* wird vollends in den Worten Jesu offenbar, daß der kommende Menschensohn »die Engel aussenden und die Auserwählten versammeln« werde »von den vier Winden her, vom Ende der Erde bis zum Ende des Himmels« (Mk 13,27 Par) und »alle Völker vor ihm zusammengeführt« würden (Mt 25,32). »Viele (im Sinne von alle) werden (dann) von Morgen und Abend (also aus allen Nationen) kommen und sich mit Abraham und Isaak und Jakob im Himmelreich zu Tische setzen« (so ein besonders urtümliches Wort Jesu in Mt 8,11 Par Lk 13,29). Diejenigen, die nicht dem jüdischen Volke angehören, sollen schon jetzt des Heils Gottes teilhaftig werden wie seinerzeit »die Witwe aus Sarepta in Sydonien« und »der Syrer Naeman« (so Lk 4,25–27).

Was die Mitglieder des *alten Gottesvolkes* betrifft, so besteht nunmehr sogar die Gefahr, daß ihnen »das Reich Gottes genommen wird« (s. Mt 21,43 und Mk 12,9 Par beim Gleich-

104 S. Jeremias, Theologie, 236; Schnackenburg, Gottesherrschaft, 152; i.e. str. *A.M.* Bornkamm, Jesus, 71, u.a.; nach ihm bleibt »Jesu Wort und Wirken auf Israel beschränkt«. Damit wird aber ein wichtiger Komplex in Jesu Verkündigung und Handeln nicht berücksichtigt.

nis von den bösen Weingärtnern) und daß »die Söhne des Reichs in die Finsternis, die draußen ist, hinausgestoßen werden« (vgl. Mt 8,12 Par; ähnlich 22,7 Par im Rahmen der Parabel vom großen Hochzeitsmahl; str.). Das Volk Israel riskiert, daß es wie ein unfruchtbarer Feigenbaum verdorrt und »in Ewigkeit keiner mehr Frucht von ihm ißt« (so Mk 11,12–14 Par, das wohl ursprünglich ebenfalls ein Gleichnis war, vgl. die ApkPetr). Trotz dieser unüberhörbaren Warnung spricht Jesus allerdings gleichzeitig die Hoffnung aus, daß das Volk der Erwählung ihn zum Schluß wieder »sehen« werde, wenn es spreche: »Gelobt sei, der da kommt im Namen des Herrn!« (Lk 13,35 Par). Israel soll auch wieder erneuert werden, sowie »die Zeiten der Heiden vollendet sind« (Lk 21,24; str.). Damit wird dem jüdischen Volk ausdrücklich die Befreiung und Wiedervereinigung verheißen, wenn es schließlich den kommenden Menschensohn annehme.

Daß Jesus namentlich auch die ›Heiden‹ und Fremdstämmigen in die messianische Menschengemeinschaft einbezogen wissen wollte, geht nicht nur aus seiner Verkündigung hervor. Es folgt auch z.B. *praktisch* aus seiner Heilung des Knechts des römischen Hauptmanns von Kapernaum (vgl. Mt 8,5–13 Par). Es läßt sich ferner aus der Zuneigung zu den (nicht ›reinrassigen‹) Samaritern entnehmen (z.B. Joh 4; Lk 9,51ff). Entscheidend in diesem Sinne wird aber schließlich die für die Juden so anstößige Tempelaktion Jesu, mit der er zum Bau eines »neuen Tempels« »als Bethaus für *alle* Völker«, also unter Einschluß der Fremdlinge und ›Ungläubigen‹, den machtvollen Anstoß geben wollte (Mk 11,15ff Par).
Die von Jesus gegründete Menschengemeinschaft, die zum Reich Gottes hin aufbricht, soll mit der *Kraft des »heiligen Geistes«* ausgestattet werden.

In der »großen Drangsal« soll den Jüngern Jesu dadurch die Gabe des Redens und der Belehrung verliehen werden. »In jener Stunde«, wenn sie »gefoltert« und »vor Herrschende und Könige gestellt« werden, werden »nicht sie es sein, die reden, sondern der heilige Geist« (Mk 13,11 Par); ähnlich Mt 10,20; Lk 12,12 und Joh 14,16ff. Allgemeiner verheißt Jesus nach Lk 11,13 seiner Gemeinschaft, daß »der Vater im Himmel den heiligen Geist denen geben wird, die ihn bitten«. Grundlegend ist das Logion Jesu, das in Apg 1,5 und 11,16 zitiert wird: »Johannes hat mit Wasser getauft, ihr aber sollt mit dem heiligen Geist getauft werden.« Damit wird der Menschengemeinschaft Jesu die endzeitliche Ausgießung des heiligen Geistes zugesagt, die nach Joel 3 »über alles Fleisch« kommen und zur völligen Erneuerung der Menschengemeinschaft, zu neuer Zuwendung und neuen Gemeinschaftsformen und -wirkungen führen soll. Dies Wort wird zwar von der Kritik angezweifelt, wegen seiner eschatologischen Verwurzelung und auch seiner Selbständigkeit gegenüber dem durchaus noch partikularen Pfingstgeschehen kann es aber nicht als Gemeindebildung angesehen werden[105].

Der von Jesus der universalen Menschenverbindung verheißene Geist Gottes ist danach eine besondere Fähigkeit, eine »gute Gabe« (Lk 11,13) und eine mächtige Wirkkraft, die von Gott ausgeht. Sie hat *nicht* speziell psychische oder spirituelle Wirkungen. Sie bedeutet vielmehr allgemein

105 So Michaelis, Johannes, 16ff, gegen Jeremias.

die *Gabe der Liebe, Vergebung* und *besonders der Vergemeinschaftung,* die *Befähigung zum Neuen Leben* und *erneuerten gesellschaftlichen Beziehungen,* zumal des Eigentums, die *Macht zur Mitwirkung an einer Neuen Welt.*

Der Gabe des »heiligen Geistes« entsprechen die *Aufgaben* und *Weisungen,* die an die *endzeitliche Menschengemeinschaft,* die »Söhne (und Töchter) des Reichs« (Mt 13,38) *gerichtet* sind. Bereits das Nachfolgegebot gehört in den Raum der Gemeinschaft. An seine Jüngerschaft ist Jesu Ruf zur Umkehr und Erneuerung gerichtet. Das Tun des Willens Gottes ist nicht auf den individuellen Menschen zu beschränken. Es richtet sich an die verschiedenen sich entwickelnden Gemeinschaftsformationen und an die gesamte Menschengemeinschaft des Messias; es soll sich letztlich auf die *Mitwirkung an der Gottesherrschaft* als solcher beziehen.

Das ergibt sich deutlich aus der Adressierung der Appelle und Weisungen Jesu. So spricht er z.B. in Lk 13,34 Par »Jerusalem« an. In Mt 10,6 bezieht er sich etwa auf das Volk »Israel«. Im übrigen wendet er sich an seine Jüngerschaft und die ihm nachfolgende Menschenvereinigung, an das neue Volk Gottes, mit der Anrede: »Ihr« oder »Euch« (s. Mt 5,21ff; 6,1ff; 6,25ff; Lk 6,20ff; 9,1ff; 10,1ff u.v.m.).

Danach betreffen die verheißene Kraft des »heiligen Geistes« und die von Jesus verkündeten Aufgaben und Anforderungen hervorragend die *sozialen Verbindungen,* die den *Weg zum Reich Gottes gehen,* so zunächst die bestehende *Kirche* bzw. *Kirchen,* aber auch die jüdische *Synagoge.* Darüber hinaus soll der Geist Gottes auch andere, so *politische* Vereinigungen und Gemeinwesen erfassen und zur Gottesherrschaft führen, bis die messianische Menschenverbindung Jesu in der *ganzen Menschheit* zu ihrem Ziel kommen wird (s. im einzelnen noch später!).

Wir erkennen in diesem Zusammenhang erneut, daß Jesu Denken ebenso wie bei der Zuspitzung der Verheißung und der ›Forderung‹ (s.S. 59) und gleichfalls unter Überwindung der zeitgenössischen Auffassung *endzeitlich* geprägt und radikalisiert ist. Unter der eschatologischen Herrschaft Gottes sollen nach ihm nunmehr *alle nationalen und rassischen, religiösen und sozialen Schranken fallen.* Alle Gräben zwischen den Menschen, menschlichen Gruppen, Klassen und Rassen sollen eingeebnet werden. Alle Menschen, ja die gesamte Menschheit soll zu *einer* Menschengemeinschaft zusammenwachsen, dieser soll im Reich Gottes die Beteiligung an Eigentum und Besitztümern sowie an der Kultur und die gemeinsame Herrschaft zustehen.

Es ist danach *zusammenzufassen:* Sowohl mit der *Nachfolge jedes einzelnen Menschen* aus der Entfremdung als auch mit der *Sammlung und immer weiteren und umfassenderen Ausbreitung* der von Jesus gegründeten *Gemeinschaft dieser Menschen,* die nach dem Willen Gottes leben, soll *Gottes Reich* sich *entfalten.*

Es soll sich *in der Zukunft vollenden* in einer *freien, solidarischen und universalen Verbindung aller Menschen,* bei der *Teilhabe an den Besitztümern, gemeinsame Sprache und Bildung* und vor allem *gemeinschaftliche Herrschaft der Beteiligten* bestehen.

5.3 Die Bedeutung des ›Glaubens‹ in diesem Zusammenhang

Abschließend ist in diesem Zusammenhang noch zu überlegen, wie die Nachfolge Jesu und die Teilnahme an der von ihm gegründeten Menschengemeinschaft des Reichs Gottes sich zum ›*Glauben*‹ im traditionellen Sinne verhalten.
Vom ›Glauben‹ an Jesus sprechen vorwiegend Paulus und Johannes.

Vgl. z.B. Röm 3,22, wo von der »Gerechtigkeit Gottes« die Rede ist, »die durch den Glauben an Jesus Christus kommt für alle, die glauben« und 3,28: »So halten wir nun dafür, daß der Mensch durch den Glauben gerechtgesprochen werde ohne Werke des Gesetzes.« Oder Joh 3,16: »Denn so sehr hat Gott die Welt geliebt, daß er seinen einzigen Sohn gab, damit jeder, der an ihn glaubt, nicht verloren gehe, sondern ewiges Leben habe.«

Mit dieser Ausdrucksweise, die für den heutigen Menschen sehr mißverständlich ist, ist jedoch im wesentlichen dasselbe gemeint, was wir als Nachfolge Jesu und Teilnahme an der von ihm gesammelten Menschengemeinschaft kennengelernt haben – allerdings mit anderer Akzentuierung. Diese Momente stehen auch weitgehend im Einklang mit der Annahme und dem Tun des Willens Gottes in der von Jesus gegebenen Interpretation. Das wird klar, wenn wir hören, wie Paulus (auf seine Weise) vom »Gehorsam des Glaubens« redet (s. z.B. Röm 1,5) und was Johannes unter ›Glauben‹ versteht: nämlich Jesus »annehmen«, »seinen Willen tun« und ihm »nachfolgen« (s. etwa Joh 1,12; 7,17; 8,12).
Wenn Jesus vom ›Glauben‹ spricht, denkt er allerdings an etwas anderes. Er hat nicht das ganze Neue Leben des Menschen unter der Herrschaft Gottes im Sinn, sondern lediglich eine bestimmte, konkrete *Voraussetzung* und *Grundlage,* die zu diesem Leben führen soll.

Es sei hier z.B. an eine Reihe von Worten erinnert, die Jesus zu geheilten Kranken gesprochen hat (vgl. dazu Mk 5,34 Par; 10,52 Par; Lk 7,50: »Dein Glaube hat dich gerettet«; ähnlich Mt 8,13; 9,29: »Dir (bzw. euch) geschehe nach deinem (eurem) Glauben«; freilich str.). Hinzuweisen ist auch auf die Logien Mk 9,23: »Alles ist möglich dem, der glaubt!« und Mt 17,20 Par Lk 17,6 und EvThom 48: »Denn wahrlich, ich sage euch: Wenn ihr Glauben habt (auch nur so groß) wie ein Senfkorn, werdet ihr zu diesem Berge sprechen: Hebe dich weg von hier nach dort, und er wird sich hinwegheben, und nichts wird euch unmöglich sein!« (vgl. auch Mk 4,40 und 11,22–24 Par).

In diesen Fällen meint Jesus mit ›Glauben‹ das Vermögen, in einer bestimmten Situation (aber nicht daran gebunden) die Herrschaft Gottes zu erfahren. Er denkt an die Fähigkeit, von seiner heilenden Zuwendung auszugehen und – das ist entscheidend – auf diese Zuwendung Gottes zu vertrauen. Jesus spricht also von dem *Vertrauen in die Herrschaft Gottes*[106], *nicht* dagegen vom ›*Glauben*‹ *an ihn, Jesus*. Die einzige Stelle, die diesen Anschein erwecken könnte, ist Mt 18,6. Hier stammt der Zusatz ». . . die an mich glauben . . .« jedoch eindeutig vom Evangelisten (s. die Par in Mk 9,42). Daraus darf gefolgert werden, daß auch für Jesus die vertrauensvolle Annahme der Gottesherrschaft und das Tun des Willens Gottes bzw. die entsprechende Nachfolge ausreichend waren. Eine weitergehende persönliche Beziehung zu ihm, Jesus, oder ein Bekenntnis zu einer mystischen Qualität oder übernatürlichen Eigenschaften Jesu hielt er *nicht* für nötig (vgl. auch Mt 7,21 Par). Allerdings muß hinzugefügt werden, daß der Inhalt des Neuen Lebens in der Gottesherrschaft völlig durch die Predigt Jesu, sein Wirken als Repräsentant Gottes und seine Erhöhung und Einheit mit Gott geprägt und im einzelnen ausgestaltet ist.

Wenn wir jetzt noch einen Blick auf das sogenannte *Apostolische Glaubensbekenntnis* lenken, dessen Gehalt nach traditioneller Anschauung zu ›glauben‹ sei, so kann man wie folgt zusammenfassend formulieren:

1. Der ›Glaube‹ an Gott entspricht dem oben bezeichneten Vertrauen zu Gott, der uns erschafft, seine ›Gnade‹ zuwendet und uns aus der Entfremdung befreien will. Diese Zuwendung Gottes gilt es anzunehmen und aus ihr ein Neues Leben zu gestalten.

2. Der ›Glaube‹ an Jesus Christus ist ebenfalls als Vertrauen zu Gott zu bezeichnen, der uns besonders in Jesus und seinem Wirken bis zu seinem Tode befreiende Zuwendung sowie Versöhnung gegeben hat. Darüber hinausgehend hat Gott uns dadurch, daß er Jesus in seiner Erhöhung eine Herrschaft und Wirkkraft wie die Gottes selbst verliehen hat, unsere Befreiung und Neuwerdung gewährleistet. Er will uns auch zu einer vergleichbaren Erhöhung und Herrschaft führen, wie sie Jesus gegeben wurde. Das Vertrauen in diese Zuwendung Gottes ist daher im Grunde dasselbe wie es unter 1. genannt worden ist: Die Erhöhung Jesu und der ihm nachfolgenden Menschen bedeutet die Kulmination der ›Gnade‹, die Gott den Menschen zuteil werden lassen will.

3. Der ›Glaube‹ an den heiligen Geist betrifft schließlich ebenfalls das Vertrauen zu Gott und seiner Zuwendung. Hier bezieht es sich besonders auf die Wirkkraft und Macht Gottes, mit der er nicht nur in Jesus handelt, sondern in der gesamten vereinigten Menschengemeinschaft, die er zur Befreiung und Erneuerung und Herrschaft im vollendeten Reich Gottes führt.

Alle drei Varianten sprechen daher im Ergebnis dasselbe aus: nämlich daß das *Vertrauen zu Gott* und *seinem Heilswillen* als *Voraussetzung erforderlich* ist für die Annahme und das Tun dieses Willens sowie für die individuelle und kollektive Nachfolge Jesu, daß dieser ›Glaube‹ an die Zuwendung Gottes aber auch *ausreichend* ist.

106 Vgl. z.B. Bultmann, Jesus, 129.130; ähnlich Bornkamm, Jesus, 119ff; aber auch Goppelt, Theologie, 202.

III

Das Kommen des Reichs Gottes

1 Die Herrschaft Gottes als Ordnung (Struktur)

In den bisherigen Ausführungen sind wir zu dem Ergebnis gekommen, daß sich das Reich Gottes dort entfaltet, wo seine Zuwendung vom Menschen angenommen wird und zu einem Neuen Leben des Menschen führt, in dem die Zuwendung an die Mitmenschen und Mitwelt weitergegeben wird. Das bedeutet gleichzeitig, daß die Menschen in der Nachfolge Jesu von Nazareth handeln, der das Königtum Gottes bereits ansatzweise, aber unwiderruflich eingeleitet hat. Es heißt weiter, daß sie sich mit ihren Mitmenschen in der von Jesus begründeten Menschengemeinschaft zusammenschließen, bis diese in die Neue Heilsgemeinschaft der vollendeten Gottesherrschaft einmündet.
Diese Darlegungen sind im folgenden zu bestätigen und zu vollenden durch die Verkündigung Jesu, die unmittelbar und zentral vom Reich Gottes handelt.

1.1
Das Kommen des Gottesreichs und das Trachten der Menschen danach

Auch hier bildet das Kommen der Gottesherrschaft, von Gott aus, den großen Rahmen des Geschehens. Jesus spricht nicht nur allgemein von der Zuwendung, die sich in ihren vielfältigen Gestalten darstellt und zuletzt zur Befreiung von Mensch und Welt aus ihrer Entfremdung führen soll. Er redet auch *speziell* und *unmittelbar* von *dem Reich, der Herrschaft, die Gott den Menschen und der Welt bringt.*

So verkündigt Jesus konkret, daß von Gott das Reich »kommen« soll. Dazu sei etwa Mt 6,10 Par genannt: »Dein Reich komme!« oder Mk 9,1 Par, wonach demnächst einige sehen werden, »daß das Reich Gottes mit Macht gekommen ist«. Vom »Kommen« der Gottesherrschaft wird auch in zahlreichen verwandten Worten gehandelt. Man vergleiche nur Mt 4,17 Par: »Kehrt um, denn das Himmelreich ist nahe herbeigekommen« und Lk 11,20 Par: »Wenn ich dagegen durch den Finger Gottes die Dämonen austreibe, so ist ja das Reich Gottes zu euch (an-)gekommen« (zu anderen Logien vom »Kommen«, s. später!). In weiteren Sprüchen heißt es, daß Gott das Reich »gebe« (s. Lk 12,32; vgl. S. 102; Mt 21,43; ähnlich noch Mk 10,40 Par, wo es um das »Verleihen« bestimmter Positionen der Gottesherrschaft geht).

Mit all diesen Worten ist zusammengefaßt, daß Gott sich nicht nur in mannigfaltiger Weise Mensch und Welt zuneigt, in personaler Hinsicht, und sie zu einem neuen Verhalten, zum erfüllten Leben befreien will. Es ist vielmehr ausdrücklich ausgesprochen, daß er ihnen sein *Reich* auch *in real-materieller Weise*, als *Inbegriff von Verhältnissen*, als *eine Ordnung bringen* will, in die sie »*eingehen*« können[107] (zum »Eingehen« in das Reich, s. die vielen Worte S. 34; vgl. ferner die Logien, die sein Öffnen und Schließen vorsehen, wie Mt 23,13 und 16,19).

Noch umfassender ist die Verkündigung Jesu, die sich mit dem Beitrag beschäftigt, den die Menschen im Rahmen des Kommens der Gottesherrschaft zu leisten haben. Hierzu haben wir bisher gehört, daß die Menschen aufgerufen worden sind, die Zuwendung Gottes zu bejahen und sie an ihre Mitmenschen und Mitwelt weiterzugeben, und zwar inmitten einer sich entfaltenden Menschengemeinschaft. Diese Ausführungen werden zusammengefaßt und in ihrer einheitlichen Richtung gekennzeichnet durch die Predigt Jesu vom *Trachten nach dem Reich Gottes*. Diese führt nun ebenfalls *ausdrücklich* und *direkt* zu dem entscheidenden Ziel, nämlich dem *Reich* als *strukturellen Gebilde*, als *universale Ordnung und Verfassung Gottes*, und weist dem Menschen die ihm hier zugedachte Aufgabe (nicht Forderung) zu[107].

Diese Verkündigung Jesu vom *Trachten nach dem Reich Gottes* findet sich zunächst in zwei grundlegenden Worten der Bergpredigt[108]. Es handelt sich einerseits um die Aufforderung Jesu, nicht »Schätze auf Erden«, also private Reichtümer und Lebensgenüsse, »zu sammeln, wo sie nur die Motten und der Rost fressen und Diebe nachgraben und steh-

107 S. Bartsch, Jesus, 104ff (»Zum Gottesreich gehört ein grundsätzlicher Wandel der Struktur dieser Welt«; »das Gottesreich [wird] diese Sozialstruktur der Freiheit Israels im Gegensatz zum Sklavendasein in Ägypten für alle Welt in Geltung setzen«; »In dieser inhaltlichen Bestimmung des Gottesreiches liegt der Mittelpunkt der Predigt Jesu, wie sie auch in seinem Handeln sichtbar wird«); Gollwitzer, Revolution, 110, sagt ähnlich, daß das »neue Leben« »die Verneinung des gesellschaftlichen Privilegiensystems als einer Todesmacht« bedeutet, »die abgetan sein wird im Reich Gottes, in dem es keine Menschenknechte geben wird«; ferner Knörzer, Reich Gottes, 58 (»Die Aufrichtung der Herrschaft Gottes bleibt . . . nicht auf den individuellen und privaten Bereich des einzelnen beschränkt. Wer Jesus ernst nimmt, muß die gesellschaftlichen Zustände ändern . . . Somit hat das Reich Gottes sicher soziale und politische Dimension«). Vgl. auch schon Barth, Leben, 361, der das Reich Gottes »die Heraufführung seiner vollkommenen Herrschaft in den menschlichen Verhältnissen und Beziehungen und so die Aufrichtung seiner heilsamen Ordnung des menschlichen Lebens und Zusammenlebens« nennt, die »Überwindung der die Menschheit noch und noch beherrschenden Unordnung«. *A.M.* viele Theologen, bes. der Bultmannschule, ferner Friedrich, Reich Gottes, 28, wonach Jesus »nicht die Änderung der Strukturen, sondern die Bekehrung des Menschen« verkündigt. Seine Begründung überzeugt jedoch nicht, bes. nicht sein Hinweis auf Mk 7,15, wo es um eine ganz andere Frage (nämlich des Kultus) geht.

108 Zur Echtheit s. Jeremias, Theologie, 42.100 (betr. Mt 6,33 Par) und 214.215 (betr. Mt 6,19.20); Dibelius, Jesus, 93; Braun, Jesus, 110, u.a. Auch Niederwimmer, Jesus, 39ff, zitiert das Logion vom »Trachten nach dem Reich« als Jesus-Wort, meint aber trotzdem: »Gegenüber den endzeitlichen Ereignissen bleibt er [der Mensch] in jedem Fall passiv.«

len«, sondern vielmehr »Schätze im Himmel«, »denn wo euer Schatz ist, da ist auch euer Herz«. Andererseits geht es um den Aufruf Jesu, sich nicht um die alltäglichen Dinge, »was werden wir essen, was werden wir trinken und womit werden wir uns kleiden«, zu sorgen, sondern »zuerst nach dem Reich Gottes zu trachten« (Mt ergänzt sinnvoll: und seiner Gerechtigkeit), »so wird euch solches alles zufallen« (s. Mt 6,19–21; 25–33 Par Lk 12,22–31 und 33–34; vom »Schatz im Himmel« spricht ferner Mk 10,21 Par).

Mit diesen beiden Worten ist das Streben nach dem Reich Gottes als die *zentrale Weisung und Aufgabe* des Menschen gekennzeichnet[109]; das »Sammeln von Schätzen im Himmel« weist in genau dieselbe Richtung wie das Trachten nach der Gottesherrschaft. Diese Weisung ist nicht nur entscheidend für die gesamte Existenz des Menschen; denn »was würde es dem Menschen nützen, wenn er die ganze Welt gewänne, sein Leben (im Sinne des Reichs Gottes) aber verlöre?« (Mk 8,36 Par, auch in EvThom 67). Sie ist auch maßgebend für die *universale Ordnung und Struktur der Welt*, wie im einzelnen noch darzustellen sein wird.

Die Aufforderung zum Trachten nach dem Reich Gottes ergibt sich nicht bloß aus den vorbezeichneten Worten, sondern auch noch aus einer großen Anzahl von *anderen Logien* und *Gleichnissen*, die den gleichen Inhalt aufweisen.

Vom Streben nach dem Reich Gottes als solchem spricht z.B. Lk 13,24: »Ringt danach, daß ihr durch die enge Pforte (in die Gottesherrschaft!) hineingeht!«. Das Ringen um das Himmelreich behandelt auch der sogenannte Stürmerspruch Mt 11,12 Par (s. näher S. 163): »Von den Tagen Johannes des Täufers an bis jetzt wird das Himmelreich mit Kraft erstrebt und gewaltsam Ringende reißen es an sich.« Vom Suchen nach dem Reich Gottes heißt es (wahrscheinlich) in Mt 7,7 Par, einer Stelle, die keineswegs nur das Beten betrifft: »Sucht, so werdet ihr finden!« (s. dazu auch S. 132). Bildlich erscheint das Trachten nach der Kö-

109 Das tatsächliche Streben nach der Gottesherrschaft wird bei den meisten Theologen ganz ungebührlich und der klaren Verkündigung Jesu zuwider in den Hintergrund gedrängt. Bes. einseitig polemisierte seinerzeit Weiß, Reich Gottes, 74ff, zumal gegen die Ritschl-Schule (»Unmöglich der Gedanke innerhalb der Verkündigung Jesu . . ., daß Menschen durch sittliches Tun an der Herstellung der Herrschaft Gottes arbeiten können«); im Anschluß an ihn spielt das Trachten nach dem Reich auch bei Bultmann und seinen Schülern eine kümmerliche Rolle, s. z.B. Conzelmann, RGG^3 (Reich Gottes), 916 (»Die einzig angemessene Weise, auf das Kommen einzuwirken, ist das Gebet um das Kommen des Reiches«); Klein, Reich Gottes, 642ff, u.a. *Anders* grundsätzlich schon Schweitzer trotz oder besser: wegen seiner konsequenten Eschatologie, Leben Jesu, 415.429.442 (»Die Schar der Büßenden ringt es [das Reich] Gott ab, so daß es jeden nächsten Augenblick kommen muß« und »Jesus mußte . . . das eschatologische Geschehen in die Ereignisse hineinzerren und hineinpressen«, damit »kehrt die Aktivität, aber jetzt eschatologisch bedingt, wieder in die Reichspredigt [Jesu] zurück«); ähnlich mit verschiedener Nuancierung Flusser Jesus, 38ff.87; Ragaz, Bergpredigt, 145ff; Machovec, Jesus, 100ff. Vermittelnd mit überzeugender Formulierung z.B. Gollwitzer, Reich Gottes, 54: »Gott wirkt . . . durch wirkende Menschen. Er schaltet unser Wirken nicht aus, sondern ein. Er beruft den Menschen zum cooperator Dei in dieser Welt«; vgl, auch Bartsch, Jesus, 108.

nigsherrschaft Gottes auch in dem Aufruf Jesu an seine Jünger, Arbeiter in der »Ernte« Gottes zu sein (Mt 9,37.38 Par), und in seinem Angebot, am »großen Mahl« Gottes teilzunehmen (s. z.B. Lk 14,15ff Par), beides feststehende Bilder für das Reich Gottes (vgl. auch S. 136, 185ff).

Auch mehrere Gleichnisse beziehen sich auf das Suchen nach der Gottesherrschaft. So vorzugsweise die Gleichnisse vom bittenden Freund (Lk 11,5–8; ähnlich Mt 7,9.10 Par) und vom ungerechten Richter (Lk 18,2–8): hier werden der Richter und der Freund »mit Unverschämtheit« bedrängt, Recht zu schaffen bzw. Brot und Nahrung zu geben – auch diese Gleichnisse wären sicher zu eng gedeutet, wenn sie nur auf das Gebet und nicht auch auf das praktische Streben nach dem Reich Gottes als solchem bezogen würden[110]. Besonders kennzeichnend ist schließlich die (freilich matthäisch überarbeitete und allegorisierte) Parabel von den zehn Jungfrauen, die »ihre Lampen nahmen, um dem Bräutigam entgegen zu gehen« (Mt 25,1–12). Die »törichten« nahmen zwar ihre Lampen, aber kein Öl mit, die »klugen« nahmen außer ihren Lampen auch Öl in ihren Gefäßen mit. Mitten in der Nacht, als der Bräutigam nahte, zogen die »klugen Jungfrauen« dem Bräutigam mit brennenden Lampen entgegen, um mit ihm zur Hochzeit, dem Fest der Gottesherrschaft, zu gehen, bei dem Liebe, Gemeinschaft und (auch sexuelles) Glück herrschen.

1.2 Das private Eigentum und die das Reich Gottes hindernden Mächte. Das gemeinschaftliche Eigentum der Nachfolgenden

Als Kontrapunkt insbesondere zu den Worten vom Trachten nach der Gottesherrschaft ist eine Reihe von Sprüchen und Gleichnissen Jesu anzusehen, die auf die *das Reich Gottes hindernden Mächte und Strukturen* hinweisen, wie etwa den *privaten Reichtum* (das übermäßige private und besonders das kapitalistische Eigentum), ferner die *egoistischen Genüsse und Sorgen* (als dementsprechende psychische Beziehungen), und zur *Überwindung dieser hemmenden Verhältnisse der ›alten Welt‹* aufrufen. Zusammengedrängt heißt es dazu im Gleichnis vom Sämann (Mk 4,3ff mit – wahrscheinlich sekundärer – Auslegung in 4,13ff[19] Par): das Wort Jesu vom Königreich Gottes ist bei denen »auf Dornen gesät« und »bringt keine Frucht«, die es zwar gehört haben, aber völlig von »dem Trug des Reichtums« und »den Begierden nach anderen Dingen« sowie von »den Sorgen der Welt« in Anspruch genommen werden.

Die bedeutendste Gefahr sieht Jesus im *Reichtum*, dem *privaten Eigentum, das die persönlichen Bedürfnisse überschreitet.* Dieses gehört zu den stärksten Mächten der ›alten Welt‹ und ist mit den Strukturen von Gesetz und Herrschaft eng verquickt[111].

110 Dem Trachten nach dem Reich widerspricht auch das Gleichnis von der selbstwachsenden Saat nicht, da es auch Säen und Ernten kennt (Mk 4,26ff).

111 S. auch Bartsch, Jesus, 127 (»Persönliches Eigentum gibt es [im Reich Gottes] nicht, weil Gottes Gaben im Überfluß für alle da sind«); Flusser, Jesus, 73 (»Der Besitz ist . . . nach Jesus ein Hindernis für die Tugend«). Daß das Eigentum (das über den persönlichen Bedarf hinausreicht) grundsätzlich kein positives Gut ist, sondern der Gottesherrschaft hinderlich, wird auch von manchen anderen bejaht, wenn auch mit einer gewissen Zurückhaltung; vgl. z.B. Braun, Jesus, 104ff (»Der Besitz ist eine geistlich gefährliche Sache«);

Die vom Privateigentum ausgehende Verstrickung und Entfremdung wird einprägsam illustriert in der Szene vom »reichen Jüngling« (Mk 10,17–27 Par). Dort fragt einer Jesus, was er tun müsse, um »das ewige Leben (= Reich Gottes) zu ererben«. Jesus weist ihn zunächst auf die Gebote der zweiten Tafel (des Dekalogs) hin und fährt fort, als der Reiche angibt, diese alle gehalten zu haben: »Eins fehlt dir noch« (Mt schwächt ab: »Willst du vollkommen sein . . .«): »Geh hin, verkaufe alles, was du hast, und gib es den Armen, und du wirst einen Schatz im Himmel haben, und komm, folge mir nach!« Auf dieses Ansinnen, sein Eigentum mit den Besitzlosen zu teilen, kann sich der »reiche Jüngling« nicht einlassen, worauf Jesus klagt: »Wie schwer werden die Begüterten in das Reich Gottes kommen! Es ist leichter, daß ein Kamel durch ein Nadelöhr geht, als daß ein Besitzender ins Reich Gottes kommt« (V.23.25)[112]. In ähnlicher Weise ruft Jesus in Lk 12,33 Par seine Jünger auf, ihren Besitz »zu verkaufen und ihn als Almosen (d.h. zur Übertragung an die Besitzlosen) zu geben«; dabei begründet er wie folgt: »Macht euch Beutel, die nicht veralten, einen unerschöpflichen Schatz im Himmel, wo kein Dieb sich naht und keine Motten ihn zerfressen.« Den Vermögenden dagegen schleudert Jesus entgegen: »Wehe euch, ihr Reichen; denn ihr habt euren Lohn dahin« (d.h. keine Verheißung mehr zu erwarten) (Lk 6,24). Auch in den Bildworten von den zwei Herren und vom gesunden und kranken Auge zeigt Jesus die *Unvereinbarkeit* des *entfremdeten privaten und besonders kapitalistischen Eigentums* mit der *Herrschaft Gottes* auf. Vgl. dazu Mt 6,24 Par (erweitert in EvThom 47): »Niemand kann zwei Herren dienen; denn entweder wird er den einen hassen und den andern lieben, oder er wird dem einen anhängen und den andern verachten. Ihr *könnt* nicht Gott dienen und dem Mammon (d.h. dem Kapital)«[113] und Mt 6,22.23: »Wenn nun dein Auge gesund (d.h. nach dem Zusammenhang: auf »Schätze im Himmel« gerichtet) ist, wird dein ganzer Leib voller Licht sein. Wenn aber dein Auge krank ist (also auf »irdische Schätze« fixiert), wird dein ganzer Leib finster sein. Wenn nun das Licht, das in dir ist (also das Auge), Finsternis ist, wie groß wird die (allgemeine) Finsternis sein!«

Diese Aussage Jesu wird bekräftigt durch die bekannten Gleichnisse vom reichen Kornbauern (Lk 12,16–21 Par EvThom 63) und vom reichen Mann und armen Lazarus (Lk 16,19–31; freilich str., S. 203). In beiden Gleichnissen ist mit dem die Menschen überkommenden Tod das Ende der ›alten Welt‹ gemeint, das mit dem baldigen Einbrechen des Reichs Gottes zusammenfällt[114]. Die Besitzenden gehen an diesem Umbruch zur Gottesherrschaft vorbei und verfehlen damit gleichzeitig ihr eigentliches Menschsein. Das Gleichnis vom ungerechten Haushalter (Lk 16,1–9) sagt schließlich sogar aus, daß der Reichtum (hier das Privateigentum am Großgrundbesitz) »unrechtmäßig« sei und empfiehlt, ihn »schnell« aufzugeben und sich lieber »Freunde zu machen mit dem ungerechten Mammon, damit sie, wenn es mit ihm zu Ende geht, euch aufnehmen in die ewigen Hütten

Jeremias, Theologie, 213ff, letzterer spricht von der furchtbaren Gefahr, »daß das Geld als das Beherrschende an die Stelle Gottes tritt«. Wenig wird gesehen, daß Jesus statt des privaten das gemeinschaftliche Eigentum fordert, s. die Aufforderungen Mk 10,21 Par; Lk 16,9, und die »Beutel«-Worte Joh 12,6; 13,29. Jesus betrachtet auch nicht die materielle Armut als erstrebenswert, vielmehr verheißt er gerade den Armen den Ausgleich ihrer Armut in der Gottesherrschaft (Lk 6,20). In der Eigentumskritik Jesu liegt die (gern verdrängte) Beziehung seiner Predigt zum Sozialismus, auch Marxscher Prägung; dieser hält bekanntlich das private Eigentum an den Produktionsmitteln für die Quelle von Klassenherrschaft, Ausbeutung und anderen Formen der Entfremdung und strebt die Vergesellschaftung (in der Praxis oft nur Verstaatlichung) der Produktionsmittel an.

112 Zur Echtheit s. Bultmann, Tradition, 110; Braun, Jesus, 106; Jeremias, Theologie, 100.

113 Nach Bultmann, Theologie, 9; Jeremias, Theologie, 214 u.a. authentisch.

114 Dazu s. Jeremias, Gleichnisse, 111; Bartsch, Jesus, 109.

(der Gottesherrschaft)« (s. V.9 und seinen Zusammenhang mit V.4). Auch hierin liegt wiederum ein Hinweis auf die Notwendigkeit, angesichts des bevorstehenden Gottesreichs die privaten Reichtümer aufzugeben und sie in gemeinschaftliche umzuwandeln.
Dieser Verkündigung entsprechend haben Jesus und seine Jünger auch ihren Besitz verlassen (Lk 18,28 bzw. Mk 10,28 Par; Lk 5,11 Par u.a.). Sie haben Gemeinschaft ihres Eigentums gehalten und diese durch eine gemeinsame Kasse organisiert (s. Joh 12,6 und 13,29 sowie Lk 8,3; die – scheinbar einschränkende – Stelle Mk 14,3ff[7] Par ist möglicherweise sekundär und hat jedenfalls eine besondere theologische Tendenz).

Aus all den Worten Jesu und seiner Praxis geht hervor, daß er das *private Eigentum,* soweit es *nicht mehr dem persönlichen Bedarf dient,* als eine *dem Reich Gottes hinderliche Struktur* ansieht. Es macht satt und gibt falsche Sicherheit. Dadurch fixiert es den Menschen, entfremdet ihn seinem Nächsten und hemmt die Bildung von Gemeinschaft. Es führt somit zur Isolierung und verführt zu ungerechter Herrschaft und Ausbeutung. Demgegenüber gilt es, tragfähige Formen eines nicht am privaten, kapitalistischen Eigentum orientierten sozialen Gefüges zu finden und besonders *Beteiligungsformen an Besitz und Eigentum* zu entwikkeln. Auf das ständige ruinöse Wachstum der Wirtschaft soll überhaupt verzichtet werden, da es nicht nur auf Kosten des Menschen, sondern auch der Natur geht (s. auch S. 62).
Weiterhin scheint Jesus auch eine *Abneigung gegen das Erbrecht* (oder genauer seine *privatistische* Ausgestaltung) gehabt zu haben.

Das zeigt die Perikope von der Erbteilung (Lk 12,13.14 Par EvThom 72), wo Jesus es ablehnt, einen Nachlaß unter zwei streitenden Brüdern aufzuteilen und (nach EvThom) fragt: »Bin ich etwa ein Teiler?« Auch hier sind möglicherweise Bedenken Jesu gegen die durch das Erbrecht verursachte Entfremdung von den nächsten Angehörigen und die Verhinderung von Gemeinschaft durchgeschlagen.

Dem *Markt-* und *Geldbetrieb* steht Jesus ebenfalls *kritisch* gegenüber; denn er tendiert zur Anhäufung von Eigentum und Macht und letztlich zur Entzweiung der Menschen untereinander.

Dies wird deutlich, wenn Jesus seine Jünger auffordert, bei der Verkündigung der Gottesherrschaft »kein Geld« mit auf den Weg zu nehmen (so Mk 6,8 Par) und sich nicht »Gold noch Silber noch Kupfer« in ihre Gürtel zu verschaffen (vgl. dazu Mt 10,9). Die Jünger Jesu sollen vielmehr die gemeinschaftliche Hilfe und Solidarität der Bewohner des Orts oder der Stadt, in der sie sich aufhalten, in Anspruch nehmen (Mk 6,10.11 Par). Um das Geld und den Kaufbetrieb geht es auch in Mk 6,35–38 Par (im Kontext des Mahls der 5000). Auf das Begehren der Jünger, »für 200 Denare Brot (zu) kaufen«, verhält sich Jesus ablehnend. Er verweist auf die Notwendigkeit, den hungrigen Menschen Essen zu »geben« und es aus dem, was »ihr habt«, nämlich dem gemeinsamen Eigentum, an sie zu verteilen.
Dem Marktwesen, das auf den Grundsätzen von Profit und Konkurrenz beruht, widersprechen die Bildworte von den zwei Herren (Gott und Mammon) und vom gesunden und kranken Auge in Mt 6,22–24 Par, ebenso die Logien, in denen Jesus seine Jünger auffordert, nicht »Erste«, sondern »Letzte« und »Diener« aller zu sein (z.B. Mk 9,35; 10,43; Lk 14,11 Par usw.). Auch das Wort in EvThom 62b geht an die Grundlagen des Markts und der

Warenstruktur: »Was deine rechte Hand tun wird, die linke soll nicht erkennen, was sie tut.« Dieses Logion dürfte den Sinn haben, das einer solchen Wirtschaft innewohnende Prinzip des rechnenden Vergleichs von Leistung und Gegenleistung anzugreifen (anders die wohl sekundäre Auslegung der Par Mt 6,3, die sich auf das »Almosengeben« beschränkt). Der streitbare Spruch EvThom 64 geht in seiner abweisenden Haltung schließlich sogar so weit, daß er den »Käufern« und »Kaufleuten« das »Reich des Vaters« grundsätzlich verweigert (ähnlich Joh 2,16; freilich zw.).

Was die Würdigung der *Arbeit* betrifft, so darf man davon ausgehen, daß Jesus sie als Teilnahme an der Schöpfung Gottes hoch schätzt. Insbesondere ist für ihn Arbeit von hohem Gewicht, wenn sie in der »Ernte« des Reichs Gottes geschieht (Mt 9,37 Par). Der Arbeiter ist nach Jesus »seines Lohnes wert« (Lk 10,7b Par). Damit spricht sich Jesus für eine volle Bewertung der Arbeit aus. Gleichzeitig lehnt er entfremdete Arbeit und die Ausbeutung des Arbeiters, z.B. durch Zinsnahme, ab.

Zu letzterem sei auch auf das Wort EvThom 95 aufmerksam gemacht: »Wenn ihr Geld habt, so leiht nicht auf Zins aus, vielmehr gebt es dem, von dem ihr es nicht zurückbekommen werdet« (in Radikalisierung von Lev 25,36; ähnlich Lk 6,35, das ebenfalls zum »Geben, ohne etwas zurückzuerwarten«, auffordert, und Apg 20,35). Ferner gehört Lk 20,47 Par hierher, wo Jesus die Ausbeutung von Witwen durch die Pharisäer und Schriftgelehrten geißelt. Dagegen wird die Zinsnahme natürlich nicht durch das Gleichnis von den anvertrauten Pfunden gerechtfertigt (Mt 25,14ff = Lk 19,12ff), genausowenig wie etwa die Parabel vom ungerechten Haushalter dessen Untreue billigen will.

Nach Jesu Intention soll das *Reich Gottes* als *Gemeinschaftsinteresse* sogar *vor allen privaten Interessen*, subjektiven Begierden und egoistischen Sorgen und den durch sie gekennzeichneten *(Besitz- und anderen) Verhältnissen* rangieren.

Richtig handelt daher nach seiner Meinung derjenige, der nach der Königsherrschaft Gottes trachtet wie der Mann, der den »im Acker verborgenen Schatz« und die »schöne Perle« »suchte« und, als er sie gefunden hatte, »alles verkaufte, was er besaß«, und sie kaufte (so in den alten echten Gleichnissen vom Schatz im Acker und der Perle, Mt 13,44 und 45.46 Par EvThom 76 und 109). Klug handelt desgleichen derjenige, der wie der Fischer den »großen guten Fisch« fand und »alle kleinen Fische« fort ins Meer warf, um den großen Fisch zu wählen (vgl. das Gleichnis vom großen Fisch in EvThom 8).

Das Reich Gottes ist auch wichtiger als alle Bande der *Familie*, der *Sippe* und des *Blutes*, so daß Menschen »Brüder oder Schwestern oder Mutter oder Vater oder Kinder verlassen« »um des Reichs Gottes willen« (Lk 18,29 bzw. Mk 10,29 Par) oder jemand »seinen Vater und seine Mutter und seine Frau und seine Kinder und seine Brüder und seine Schwestern« »haßt«, um Jünger Jesu zu sein (Lk 14,26 Par, auch in EvThom 55; ferner Mk 3,34.35 Par; Lk 4,24 Par; 11,27.28 Par EvThom 79).

Die Gottesherrschaft ist ein so bedeutsames Gut, daß es sogar Menschen gibt, die »sich selbst verschnitten (kastriert)«, d.h. auf *Ehe* und *sexuelle*

Beziehungen verzichtet haben »um des Himmelreichs willen« (Mt 19,12) oder lieber »einäugig, einarmig oder einbeinig in das Leben eingehen« als »zwei Augen, Arme oder Beine zu haben« und »in die Hölle geworfen zu werden« (Mk 9,43–48 Par).

Ja, Jesus kann letztlich sogar mit äußerster Zuspitzung sagen – und damit werden *alle privaten und eigennützigen Neigungen, Interessen und Sorgen* sowie die von ihnen geprägten *Ordnungen und Systeme* radikal *ins Abseits gestellt* – : »Wenn jemand mit mir gehen will, verleugne er sich selbst und nehme sein Kreuz auf sich und folge mir nach! Denn wer sein Leben retten will, der wird es verlieren; wer aber sein Leben verliert um meinetwillen und um des Evangeliums (vom Reich Gottes) willen, der wird es retten« (so Mk 8,34.35 Par; s. auch Mt 10,38.39; Lk 14,27 und 17,33 sowie Joh 12,25).

Mit allen diesen Worten und besonders mit dem großen Aufruf, zuerst nach dem Reich Gottes zu trachten (Mt 6,33 Par), ist ausgedrückt, daß das *gesamte Wirken der Menschen in Richtung auf die Königsherrschaft Gottes gehen* soll. Unsere *ganze Zielvorstellung* hat die *Mitwirkung am Kommen der von Gott her nahenden Herrschaft, seiner Ordnung und Verfassung* zu sein. Das heißt: es ist die entscheidende Weisung Jesu, daß die Befreiung des Menschen und die Gemeinschaft aller befreiten Menschen in einem Reich der Brüderlichkeit und Gerechtigkeit von uns mit allen Kräften an- und zu er-streben sei, und zwar, soweit dies eben möglich ist, auf dieser Erde und mit irdischen Mitteln (dieser Inhalt der Reich-Gottes-Vorstellung muß allerdings später noch eingehend begründet werden).

Diese Zielvorstellung ist somit, wie nun offensichtlich wird, nicht nur allgemein auf personale Zuwendung gerichtet. Sie soll auch nicht nur auf individuelle Teilnahme an der Gottesherrschaft gehen. Vielmehr überschreitet sie diese Bereiche entscheidend und ist generell und universal. Sie richtet sich auf das *endzeitliche Reich Gottes* als ein *soziales Gefüge und System*, eine *weltumspannende Struktur von Verhältnissen und Verhaltensweisen, in denen Zuwendung und Gerechtigkeit gilt, Freiheit zum Ausdruck kommt und Gemeinschaft herrscht*. Alles andere würde dem Wesen und Inhalt des Gottesreichs als einer globalen, Welt und Kosmos ergreifenden Ordnung nicht entsprechen und wäre viel zu eng und auch zu resignativ gedacht.

Wenn vielfach immer noch einseitig das Ziel der persönlichen Zuwendung oder des privaten Eingehens in die Gottesherrschaft hervorgehoben wird, so verkennt dies klar den Wortsinn der Logien vom Kommen des Reichs und vom Trachten, dem Ringen und Suchen danach. Auch die Arbeit in der »Ernte« der Gottesherrschaft und der Teilnahme am Mahl des Reichs sind etwas anderes als nur die Annahme der Zuwendung Gottes und eine neue Existenz. Insbesondere widerspricht dies aber der Praxis Jesu und der sich daraus ergebenden Nachfolge; denn es war Jesus keinesfalls nur um seine Existenz in der Gottesherrschaft zu tun, son-

dern um deren ansatzweise und zeichenhafte Verwirklichung als ›Reich‹. Dies folgt nicht nur aus seinem geschilderten Wirken, seinem Leben und Sterben, sondern auch aus seiner Selbsteinschätzung als kommender Messias, Gottes- und Menschensohn (s.S. 68ff).
Die Struktur des Reichs Gottes, seine Ordnungen sind freilich *nicht* als *neues Gesetz* oder gar *neuer Staat* Gottes aufzufassen oder zu handhaben. Sie sollen insbesondere nicht vom Zwangscharakter bestimmt sein, in ihnen soll nicht Bestrafung und Belohnung dominieren. Sie werden auch nicht Herrschaftsinstrument Einzelner oder privilegierter Gruppen sein (zur Gesetzes- und Herrschaftskritik Jesu, s.S. 29ff, 56). Vielmehr handelt es sich um die *Form* und die *Konkretisierungen* der *Zuwendung*, des *Willens Gottes* und des *Rechts des Menschen*. Die Strukturen der Gottesherrschaft sollen primär durch *Vorbildhaftigkeit und Exemplarizität* verpflichten. Ihre Formung soll unter der *Herrschaft der Vielen*, der *Gesamtheit der Menschen* und ihrer *Verbindung*, ihrem *Neuen Bund* erfolgen[115].
Diese Ordnung und Verfassung des Gottesreichs kommt letztlich von Gott her. Die Menschen sind aufgerufen, ermutigt und instandgesetzt, nach dieser globalen Struktur von Verhältnissen und Verhaltensweisen zu trachten. Im Streben danach laufen auch alle Weisungen, Ge- und Verbote Jesu zusammen und erweisen damit ihren auf das Gottesreich bezogenen Sinn. So die Gebote der Nächstenliebe, der Vergebung und des Nichtrichtens, des Dienens und auch die Weisungen der Bergpredigt, die alle universale Bedeutung erhalten. Dies gilt schließlich sogar noch für die paulinischen Aufrufe zu Glauben, Liebe und Hoffnung (s. 1Kor 13): Ähnlich wie das Trachten nach dem Reich Gottes in der Predigt Jesu ist auch noch bei Paulus die *umfassende eschatologische Hoffnung* auf die »Herrlichkeit Gottes« von hervorragender Bedeutung (s. z.B. Röm 5,2ff; 8,20ff und 2Kor 3,12), wenn auch Weg und Ziel dieser Hoffnung sich bereits verschoben haben mögen.

115 Daß die Struktur des Gottesreichs nicht als neues Gesetz mißverstanden werden darf, das ergibt sich schon aus Anm. 13; desgleichen ist die Kritik des Staates zu beachten. Die hier anvisierte Ordnung bzw. Struktur ist somit – historisch betrachtet – keineswegs als Theokratie gedacht, in der ein machtbetonter Staat oder ein entsprechendes Gesetzessystem das Reich Gottes abbilden oder verwirklichen sollen (wie z.B. im jüdischen Königtum und nachwirkend im islamischen Staat). Ihr entspricht auch nicht das mittelalterliche Miteinander von Kaiser- und Papsttum, wo die politische und die geistliche Gewalt das Reich heraufzuführen bestimmt waren (vgl. auch die ›gottesstaatlichen‹ Lehren von Augustin bis Luther und Calvin). Diese Ordnung wird vielmehr in Herrschaft und Dienst der Vielen bestehen; in eine so verstandene Demokratie des ›Geistes‹ sollen auch die vorläufigen Strukturen von Staat und Kirche schließlich eingehen.

2 Das Reich Gottes und der gesellschaftliche Bereich

2.1
Die praktischen Folgerungen in der persönlichen und politischen Sphäre. Das Reich Gottes, die Politik und der Staat

Die Verheißung der Gottesherrschaft und der daraus folgende Anspruch sollen sich in den verschiedenen Lebensbeziehungen und -verhältnissen der Menschen im einzelnen hier und jetzt durchsetzen und ausgeführt werden.
Dazu bedarf es zunächst der Konkretisierung der Zusage und Weisungen Jesu in den jeweiligen Lebensbereichen des Menschen. Das betrifft besonders die *persönliche* Sphäre der Menschen, nämlich zu sich selbst und ihren seelischen Kräften und Strukturen. Hier ist eine neue Sensibilität *(Marcuse)* und ein neues Bewußtsein des Reichs Gottes nötig (s. schon S. 59ff).
Weiter kommt es auf den Bereich der Familie, das Verhältnis Eltern/Kinder und die Beziehungen von Ehemann und Ehefrau an. Es sind wichtig die Sphäre der Schule und weiteren Bildung, der Wohnbereich sowie der *kulturelle* Sektor. Bedeutungsvoll sind die Verhältnisse der im *Arbeits-* und *Wirtschafts*prozeß Tätigen zueinander und die Beziehungen wirtschaftlicher und sozialer Verbände und ihrer Vertreter zu den an ihnen Mitwirkenden und untereinander. Alle diese Verhältnisse können und sollen mit den Werten der Gottesherrschaft erfüllt und damit neu gestaltet werden (vgl. auch S. 113ff).
Schließlich ist auch die *politische* Sphäre im eigentlichen Sinne angesprochen, sie ist sogar von hervorragender Bedeutung. Die Verheißung Jesu und seine Gebote, insbesondere nach dem Reich Gottes zu trachten, gelten somit auch für die Beziehungen des Einzelnen zum Staat und seinen Vertretern, zu Verwaltungen, Gerichten usf. und umgekehrt. Sie durchdringen das Verhältnis Staat/Individuum, was z.B. die Mitwirkung an politischer Verantwortung in Wahlen und Abstimmungen, an besonderen Ämtern, Initiativen und Aktionen sowie am politischen Widerstand betrifft, und sie beziehen sich auf die Verhältnisse der verschiedenen Staaten, Völker und Rassen, der politischen, religiösen und sozialen Gruppen und Klassen usw. und ihrer Repräsentanten untereinander[116].

116 Umstritten. Allgemein wird zwar nicht geleugnet, daß die Gottesherrschaft auch den politischen Bereich berührt. Im einzelnen meinen aber zahlreiche Autoren, Jesus sei an diesem Gebiet uninteressiert gewesen und habe dort keinen Raum für ein Wirken seiner Jünger gesehen. Vgl. schon Weiß, Reich Gottes, 123ff (»Menschliche Macht kann hier überhaupt nichts tun«; »Gott wird dies [das Reich] selbst ohne menschlichen Arm . . . durch ein wunderbares überirdisches Eingreifen herstellen«); ferner Bultmann, Jesus, 75ff (»Jesus redet nicht vom Staat und Rechtsleben«; »es kommt ihm nur darauf an, die Stel-

Daß auch der politische Bereich in das kommende Reich Gottes und seinen Anspruch hineingehört, und zwar in ausgezeichneter Weise, ergibt die Verkündigung Jesu mit genügender Klarheit. Es folgt einmal aus der Schrankenlosigkeit des Liebes- und Solidaritätsgebots Jesu und dem Ausmaß seiner Kritik des (durchaus auch politischen) Gesetzes (s.S. 30). Es ist ebenso dem Nachfolgegebot zu entnehmen, wenn man berücksichtigt, daß Jesus selbst in messianischem und damit politischem Sinne gehandelt hat (vgl. S. 72). Man kann es wiederum auch aus dem von Jesus gewählten Begriff des Reichs = Königreichs Gottes selbst ableiten; denn dieser beinhaltet als solcher bereits eine politische Struktur und bedeutete nach jüdischer Tradition stets auch die Befreiung von politischer Zwangs- und Fremdherrschaft (s. etwa Lk 1,52 und 74).

Schließlich ergibt den politischen Charakter auch der Vergleich des Reichs Gottes mit Sozialgebilden wie einer Stadt oder einem Haus. Das Haus spielt eine Rolle im Bildwort vom unreinen Geist (Mt 12,43–45 Par; s. auch Mk 3,25–27 Par). Die Stadt wird im Gleichnis von der Stadt auf dem Berge angesprochen (Mt 5,14b Par EvThom 32) und in der Offb 21 näher ausgeführt. Beide Vorstellungen entsprechen den Traditionen vom »Haus Israel« und der »heiligen Stadt« Jerusalem (s. z.B. Jer 31,31 und Jes 52,1).

Dieser politischen Auffassung vom Reich Gottes widerspricht nicht etwa Mk 12,17 Par, auch EvThom 100: »Gebt dem Kaiser (zurück), was des Kaisers ist, und Gott, was Gottes ist.« Dieses Logion, das von politischer Klugheit, *nicht* Desinteressiertheit, geprägt ist, wird oft mißverstanden. Es besagt nur, daß dem Staat bestimmte vorläufige Ansprüche gegenüber dem Einzelnen zustehen können (auf Rückgabe des von ihm ausgegebenen Geldes, das Jesus verachtete). Es spricht aber zugleich aus, daß Gott den Einzelnen ebenfalls, und zwar in unvergleichbarer Weise, ›fordert‹, mit Beschlag belegt und umfassend in Anspruch nimmt. Dagegen kann keineswegs aus diesem Wort abgeleitet werden, daß etwa der politische Bereich als solcher nicht der Herrschaft Gottes und seinen Weisungen unterstände, davon ist überhaupt nicht die Rede[117].

Auch das Wort in Joh 18,36 (ohne Par): »Mein Reich ist nicht von dieser Welt« kann man *nicht* in dieser Weise auslegen. Wenn Jesus sich tatsächlich derart gegenüber Pilatus geäu-

lung des Menschen vor Gott zu kennzeichnen«); Jeremias, Theologie, 219ff, und Schäfer, Jesus, 69.70. Es handelt sich hier jedoch wiederum um eine ganz unberechtigte Begrenzung des Reichs Gottes auf die existentielle Seite des Lebens, auf die Innerlichkeit des ›Herzens‹ oder auch auf ein supranaturalistisches Jenseits. Zwischen gewalttätigem Zelotentum und duldender Passivität, die mitschuldig am Unrecht werden kann, gibt es durchaus den dritten Weg gewaltfreier oder – armer politischer Aktion. Zutreffend Bartsch, Jesus, 84, wonach Jesu Verkündigung »sachbezogen war«. »Das bedeutet aber, daß er das Gottesreich mit den daraus folgenden politischen und gesellschaftlichen Folgerungen verkündigt hat, da nur diese ›Sache‹ das Todesurteil der römischen Behörde verständlich macht«; ferner Gollwitzer, Revolution, 106ff. Früher schon Ragaz, Reich Gottes, 50: »Die Politik (immer das Soziale inbegriffen) darf nicht ihre eigenen Gesetze haben, sondern soll Gott und das heißt dem Reiche Gottes dienen.« Bloch, Christentum, 125, bezeichnet das Evangelium daher als »politisch-soziales Glückswort . . . nicht mit bloßer Innerlichkeit oder Jenseitigkeit verbunden«.

117 Vgl. zu den zahlreichen Auslegungen Bornkamm, Jesus, 110ff; Stauffer, Botschaft, 95ff, und Lapide, Rabbi, 46.47. Es gibt nach diesem Jesus-Wort keine ›Zwei Reiche‹ (wie u.a. Luther wollte), sondern nur *eine* Herrschaft Gottes (und des erhöhten Jesus). Im Rahmen dieses einen Reichs können zwar verschiedene Bereiche und Funktionen (›Regimente‹) gegeben sein, die sich auch in verschiedenen Einrichtungen darstellen. Soweit es sich um die Gewalt des Staates und des Gesetzes, gewisse Herrschafts- und Eigentumsverhältnisse handelt, sind diese jedoch gegenüber den Strukturen und Kräften des eschatologischen Gottesreichs vorläufiger Natur und sollen zuletzt in einer neuen Welt zurücktreten (dasselbe gilt freilich entsprechend für die Macht von Priestertum und Kultus).

ßert hat – was historisch sehr zweifelhaft ist –, so kann dies nur bedeuten, daß die Herrschaft, die Jesus ausüben will, nichts mit einer solchen politischen Herrschaft zu tun hat, die durch Gewalt und Unterdrückung gekennzeichnet ist. Dafür spricht nicht nur Jesu gesamte sonstige Verkündigung, sondern auch der Nachsatz: »Wäre mein Reich von dieser Welt, würden meine Diener (!) darum kämpfen (!), daß ich den Juden nicht überliefert würde . . . Ich bin aber dazu geboren und in die Welt gekommen, daß ich für die Wahrheit zeuge.«

Die hier vertretene Auslegung des (johanneisch geformten) Pilatus-Wortes wird auch noch durch Joh 10,1–18 gestützt. In diesem Spruch vom »Hirten für die Schafe«, einem traditionellen Bild für den politischen Herrscher (vgl. z.B. Ez 34,1ff und Jes 40,9ff), stellt Jesus den »Dieben und Räubern«, die »stehlen, schlachten und verderben« und auf die »die Schafe nicht hören«, den »guten Hirten« gegenüber, der »gekommen« ist, damit die Schafe »das Leben und volle Genügen haben« sollen, womit er offensichtlich seine auf Zuwendung und Gewaltlosigkeit gegründete messianische Regierung scharf von der üblichen autoritären und ausbeuterischen Gewalt bestimmter staatlicher Regime – hier wahrscheinlich des römischen Imperiums – absetzt. Weiterhin stellt Jesus den »guten Hirten«, der »sein Leben für die Schafe hingibt«, und den »Mietling« nebeneinander, dieser läßt, wenn der Wolf kommt, »die Schafe im Stich und flieht, und der Wolf raubt sie und zerstreut sie«, auch hier eine Anspielung auf ein politisches System, wohl der sadduzäischen Priestermacht, das nicht den Nutzen des Volkes, sondern eigenen Vorteil sucht und jenes zum Verderben führt.

In diesem gesamten Zusammenhang (für dessen Authentizität immerhin die Nähe zu Mk 14,27 Par spricht) nimmt Jesus durchaus auch politische Herrschaft für sich in Anspruch und drängt auf Überwindung von Unterdrückung und Fremdherrschaft, allerdings nicht auf militante und repressive Weise (wie dies etwa die Partei der Zeloten forderte), sondern unter Gewaltverzicht und sozialer Zuwendung, ja sogar um den Preis der Selbstaufopferung. Dieser Gedankengang wird schließlich noch bestätigt durch das Logion Mk 10,42ff Par: »Ihr wißt, daß die, die als Fürsten der Völker gelten, sie knechten, und daß ihre Großen über sie Gewalt üben. Unter euch aber sei es nicht so, sondern wer unter euch groß sein will, sei euer Diener . . .«

Auch Jesu *Praxis* zeigt, daß die kommende Gottesherrschaft den politischen Bereich in hervorragender Weise betrifft.

Seine Auseinandersetzung mit dem religiös-politischen Gesetz, zumal in den Sabbataktionen, hat eine ausgesprochen politische Note. Das gleiche gilt für Jesu vielfachen Umgang mit den Repräsentanten des Gesetzes und des Staatsapparats. Endlich hat Jesu messianisches Auftreten in der »Stadt des großen Königs«, so sein Einzug in Jerusalem, die Tempeldemonstration und die Debatten mit den Volksführern, einen betont politischen Charakter, wenn auch fern von zelotischer und sadduzäischer Politik.

Jesus stellt zudem alle die individuellen und kollektiven, insbesondere politischen Beziehungen, die wir bisher besprochen haben, grundsätzlich als solche in Frage. Er drängt *auf Gestaltung der Herrschaft Gottes und seiner Ordnung entsprechender neuer Verhältnisse.* Vielfach erstrebt er dabei die *qualitative Umgestaltung* und sogar *Umkehrung alter, das Gottesreich hindernder Strukturen,* und zwar in Richtung auf solche Beziehungen, die ein neues Leben im Reich Gottes ermöglichen und unterstützen[118].

Vgl. Jesu Charakterisierung des Reichs Gottes als einer grundlegend *neuen*, alternativen Ordnung in Mk 14,25 Par und den Gleichnissen vom neuen Wein und neuen Flicken, Mk 2,21.22 Par, S. 33.

Diese Veränderung und Neuwerdung der sozialen und politischen Bedingungen ist *nicht* sekundär oder nachrangig gegenüber der Umformung des Bewußtseins und der Emotionalität, vielmehr muß nach der Auffassung Jesu beides Hand in Hand gehen.
Die Bedeutung dieser *gesellschaftlichen Veränderung* kommt etwa in Jesu Angriffen gegen das private Eigentum und andere Besitzverhältnisse zum Ausdruck. Sie betrifft bestimmte Bindungen der Familie, des Sippenverbandes u.ä. (s.S. 114). Sie wird am deutlichsten in Jesu Negierung religiös-politischer Strukturen wie des Jerusalemer Tempels und damit in der Kritik des damaligen staatlich-religiösen Herrschaftsapparats und des Gesetzes-Systems insgesamt (s.S. 30).
Andererseits zeigt sich die soziale Umwandlung in der Einführung neuer veränderter Beziehungen, die zur Freiheit des Reichs Gottes hinführen und Versklavung sowie Unterdrückung abbauen sollen (vgl. das mehrfach zitierte Wort vom »Gnadenjahr« in Lk 4,16–21, s.S. 24,95). Sie wird evident in der Konstituierung von zeichenhaften Mahlzeiten, zu denen auch die öffentlich Verfemten wie »Zöllner« und Dirnen hinzugezogen wurden, sowie in der Aufrichtung der Gemeinschaft der zwölf Jünger und der Heilsbewegung allgemein, eines »anderen Tempels«, in dem nicht die herkömmlichen Herrschaftsstrukturen, sondern eine durch Dienst, Vergebung und Nichtrichten geprägte alternative Ordnung gelten soll (s. wiederum Mk 10,42–44 Par).
Jesus geht damit nicht nur auf *evolutionäre* Veränderung der bestehenden (entfremdeten) Verhältnisse aus, sondern seine Predigt ist in dem vorgenannten Sinne durchaus *auch revolutionär* und zielt auf Herstellung *qualitativ anderer* sozialer Beziehungen und Einrichtungen, die dem Reich Gottes gemäß sind[119]. Jesus spricht in diesem Sinne von der

118 Diese Auffassung ergibt sich folgerichtig auch aus dem in Anm. 107 Ausgeführten, vgl. Bartsch, Jesus, 104ff(107); Gollwitzer, Revolution, 110; Knörzer, Reich Gottes, 58. Bartsch, Jesus, 107, spricht von dem »Reich, in dem die Herrschaftsstruktur der bestehenden Gesellschaft ihr radikales Ende findet«. Kraus sieht in der Gottesherrschaft die »Veränderung und Erneuerung der ganzen Welt« (Reich Gottes, 29).

119 Den revolutionären Charakter der Verkündigung und Praxis Jesu hat bereits Ragaz hervorgehoben. Vgl. Ragaz, Gleichnisse, 28; danach spricht Jesus von der »Revolution«, »einer solchen Umkehrung«, »welche die Gesellschaft, die jetzt obenauf ist, stürzen und das ›Volk, das in Finsternis sitzt‹, ans Licht bringen wird«; R. redet dgl. in Bergpredigt, 39ff.103ff.145ff von der »Revolution der Moral«, »der Religion« und im »politischen und sozialen Sinn«. Gollwitzer, Revolution, 101, ist der Meinung, daß die Botschaft Jesu vom Reich und Willen Gottes »schlechthin revolutionär« sei, und zwar »sofern es nämlich nicht um Einzelreparationen im Rahmen der Todeswelt, sondern um deren Abschaffung und um

völligen Neuschöpfung, der »Wiedergeburt« von Israel und der ganzen Welt (Mt 19,28). Allerdings darf man die von Jesus erwartete Revolution *nicht* als gewalttätigen Umsturz oder rücksichtslosen Abbruch der gesellschaftlichen Verhältnisse und Ordnungen mißverstehen. Repression soll auch nicht dadurch provoziert werden, daß zunächst die gesamten Verhältnisse so zugespitzt werden, daß nur noch ein gewaltsamer Umschlag Befreiung zu bringen verspricht. Vielmehr ist nach Jesu Ansicht prinzipiell und in erster Linie der Weg der *gewaltfreien* Umgestaltung der Gesellschaftsordnung dem Kommen der Gottesherrschaft adäquat[120]. Diese wird durch radikale Veränderung der persönlichen und kulturellen Beziehungen und konsequenten schrittweisen Umbau der Eigentums- und Herrschaftsverhältnisse zu erfolgen haben. Dabei sind die zunächst notwendigen Kompromisse zur Vermeidung von Stagnation und Rückschritt und zur Erzielung einer wirklich qualitativ andersartigen Gesellschaftsform immer wieder in Frage zu stellen und zuletzt grundlegend zu überwinden.

Die Verkündigung Jesu in dieser Richtung ist schon früher (S. 64) erörtert worden, und zwar insbesondere zum Prinzip der *grundsätzlichen Gewaltlosigkeit* und *Friedlichkeit* der gesellschaftlichen Umwandlung. Es ist aber auch bereits angedeutet worden, daß in bestimmten eng umgrenzten Ausnahmefällen Gewalt als letztes Mittel des Einzelnen oder der Gesellschaft und ihrer Gruppierungen vertretbar sein kann. Sie kann in diesem Sinne mit dem Zweck der Erhaltung und Weiterentwicklung gerechter und menschenwürdiger Strukturen, etwa durch einen demokratischen Rechtsstaat, geschehen. Sie kann endlich auch mit dem revolutionären Ziel der Überwindung unerträglicher und unmenschlicher Ordnungen, unter Beachtung von Recht und Verhältnismäßigkeit, angewendet werden.

Daß die Predigt Jesu auch die radikale Umgestaltung der Gesellschaftsstruktur vorsieht, wird gern bestritten. Diese Haltung entspringt jedoch vielfach ideologischen Bedürfnissen. Es sollen damit bestehende Verhältnisse und Formationen aufrechterhalten und gestützt werden, besonders Herrschaftsordnungen, die von der Veränderung und Erneuerung betroffen würden. Jesus greift in seiner Verkündigung aber nicht nur mythologische Vorstellungen an, er entideologisiert auch bereits in erstaunlicher Weise.

Neuschöpfung geht«. Zu diesen Fragen auch des näheren und differenzierend Stähli, Reich Gottes, 71ff und 122ff.

120 Herrschende Meinung, s. Jeremias, Theologie, 219ff, wonach Jesus keinesfalls ein Vertreter des gewalttätigen Zelotismus war; Cullmann, Jesus, 64 (»Die Feindesliebe . . . schließt jede Gewalt aus, wie sie von den Zeloten gepredigt wurde«; Flusser, Jesus, 81, und viele andere. *A.M.* Carmichael, Jesus, bes. 113ff, der Jesus als gewalttätigen Revolutionär nachzuweisen sucht. Dieser Auffassung stehen jedoch sämtliche Worte von der Gewaltlosigkeit und der Feindesliebe, s.S. 64 und der Grundtenor seines Handelns entgegen. Freilich darf, wie Bartsch, Jesus, 55ff, betont, auch nicht verkannt werden, daß die Gewaltlosigkeit als Lebensform des Reichs Gottes vorerst noch nicht vollendet, sondern nur fragmentarisch, mit Tendenz zur Entfaltung verwirklicht werden kann,

So wirft er Schriftgelehrten und Pharisäern vor, daß »sie schwere Bürden binden« und »sie auf die Schultern der Menschen legen«; »doch sie selbst wollen sie nicht (einmal) mit dem Finger bewegen« (Mt 23,4 Par). Nicht nur das Gesetz dient zu ideologischen Zwecken. Auch mit dem Kultus und religiösen Vorstellungen wird Unterdrückung und Beraubung abgedeckt: »Wehe euch, ihr Schriftgelehrten und Pharisäer, ihr Heuchler, daß ihr die Außenseite des Bechers und der Schüssel reinigt; inwendig aber sind sie gefüllt mit Raub und Unmäßigkeit« (Mt 23,25 Par). Das gilt ebenso von den »langen Gebeten« derjenigen, die den privaten »Reichtum« und die damit verbundenen Abhängigkeits- und Ausbeutungsverhältnisse rechtfertigen (Mk 12,40 Par). Durch die Ideologie der Herrschenden des jüdischen Volkes wird nach der Verkündigung Jesu »das Himmelreich vor den Menschen zugeschlossen«; »denn ihr kommt nicht hinein, und die, welche hineinwollen, laßt ihr nicht hinein« (Mt 23,13 Par, auch in EvThom 39a)[121].

Im einzelnen könnte heute eine Veränderung und Umstrukturierung sozialer Verhältnisse und Institutionen wie folgt aussehen:
Im *engeren Rahmen der Individualsphäre* kann sie durch Bildung neuer Gemeinschaftsformen auf freiwilliger Grundlage geschehen, unter Ausweitung der bestehenden Kleinfamilie und Zusammenschluß zu größeren familienähnlichen Einheiten (wie Haus- und Stadtteilsgemeinschaften u.ä.). Sie kann entwickelt werden durch Aufgabe der privatbestimmten Eigentums- und Unternehmensformen und ihre Ersetzung durch beteiligende oder gemeinschaftliche Wirtschaftseinheiten, z.B. Genossenschaften. Sie mag abgestützt werden durch die Schaffung besonderer Einrichtungen gegenseitiger Solidarität und Hilfeleistung.
Im *überindividuellen Bereich* erscheint notwendig die Entwicklung größerer selbstbestimmter Organisationen »von unten nach oben« und die Auflockerung und Umgestaltung vorhandener fremdbestimmter Institutionen und Einrichtungen von Politik, Kultur und Wirtschaft in Richtung Selbst- oder Mitbestimmungsorganisation und deren Zusammenschluß (sogenannte *Demokratisierung*). Dabei sind die bestehenden Zusammenballungen privaten Eigentums im Sinne von partizipatorischem Eigentum umzustrukturieren. Die besonders repressiven Formen des Gesetzes wie das Strafgesetz sind abzubauen und Formen der Hilfeleistung für sozial Abgeglittene, Kranke und Schwache, Kinder und Alte sind zu entwickeln.
Schließlich ist in den *kollektiven Beziehungen* der Völker auf die Einrichtung supranationaler Institutionen und welteinheitlicher Organisationen der Politik, Wirtschaft und Kultur und die Abschaffung aller kriegerischen Formen der Auseinandersetzung zu drängen. Die weniger entwickelten Nationen sind gezielt zu fördern und in eine gerechte und menschliche Ordnung der Völkergemeinschaft zu integrieren. Jede Ausbeutung und Unterdrückung dieser Völker muß wegfallen.
Neben der Umgestaltung der individuellen und überindividuellen Verhältnisse wird noch erforderlich werden die Umbildung und Erneuerung

121 S. Bultmann, Jesus, 59; Dibelius, Jesus, 103; nach ganz überwiegender Ansicht echt.

der *außermenschlichen Umwelt.* Insoweit ist an die Erde, aber auch den gesamten Kosmos zu denken. Hierbei ist zu beachten, daß jede Einwirkung das Eigenleben der Natur und die ökologischen Systeme und Kreisläufe schützen, fördern und weiterentwickeln sollte.

Nach alledem bedeuten die von Jesus inspirierten neuen gesellschaftlichen Verhältnisse und Institutionen eine *radikale Kritik des Staates, sofern* es sich bei ihm um ein *Herrschafts- und Ausbeutungssystem ›von oben nach unten‹*, gar imperialistischen Schemas handelt. Dagegen enthalten sie die Hoffnung und den Aufruf zu einer *politischen Struktur*, in der *Freiheit* und *Gerechtigkeit* sowie *gemeinschaftliche Herrschaft über die allgemeinen Angelegenheiten einschließlich der Wirtschaft und Kultur* bestehen, kurz: in der eine *reale Demokratie aller Mitglieder der Gesellschaft* hergestellt ist.

2.2
Die Konsequenzen des Gottesreichs für Kirchen, Judentum und Sozialismus

2.2.1

In diesem Zusammenhang, nämlich bei der Konkretisierung der Verheißung und der Gebote Jesu, besonders zum Trachten nach dem Reich Gottes, ist auch die Frage zu behandeln, welche Stellung der *Kirche* oder den *Kirchen* dabei heute und in Zukunft zufällt. Ja, wir müssen radikal fragen, ob für sie hier überhaupt noch eine Aufgabe, Chance und Wirkungsmöglichkeit besteht[122].

Nach der christlichen Tradition haben die Kirchen das Wort Gottes zu lehren und die Sakramente zu verwalten; beides ist durch die Bindung an Jesus, den Christus, bestimmt. Sie haben (das betrifft besonders die katholische Kirche) das Kirchenvolk zu regieren, d.h. über dieses die Gesetzgebungs- sowie Rechtsprechungs- und Strafgewalt auszuüben; zu letzterem Zweck hat die katholische Kirche die bekannte hierarchische

122 Aus dem folgenden ergibt sich, daß Reich Gottes und Kirche(n) *nicht* identisch sind, weder in der jetzigen Gestalt noch in der Urgemeinde. Sie stehen aber in Beziehung zueinander; denn bestimmte Verhaltensweisen und Strukturen der Kirche können durchaus eine zeichenhafte und partielle Vorausverwirklichung der Gottesherrschaft darstellen. Eine solche Antizipation des Reichs Gottes ist in der Urgemeinde in besonders deutlicher Weise zustandegekommen. In den heutigen Kirchen können nach den vorstehenden Ausführungen Verhältnisse und Verhaltensweisen, die der Gottesherrschaft entsprechen, durchaus wiedergewonnen werden. Vgl. Moltmann, Kirche, 153ff.214ff, wonach die Kirche »noch nicht das Reich Gottes«, »aber dessen Antizipation in der Geschichte« ist. Nach Moltmann »bezeugen in vorläufiger Endgültigkeit und in endgültiger Vorläufigkeit Kirche, Christentum und Christenheit das Reich Gottes als Ziel der Geschichte mitten in der Geschichte. In diesem Sinne ist die Kirche Jesu Christi das Volk des Reiches Gottes.« Treffend Kraus, Reich Gottes, 375.382 (»Wahre Kirche ist nur die dem Reich Gottes allen Raum und alles Recht zuweisende Kirche«).

Ordnung von Papsttum, Bischöfen, Priestern usw. entwickelt, die stellvertretend die Herrschaft Christi ausüben sollen. Schließlich wird mehr am Rande für wesentlich gehalten, daß die Kirchen Werke der Liebe und des Dienstes verwirklichen.

Diese herkömmliche Ansicht von der Aufgabe der Kirche(n) und die damit verbundene Praxis erregt Bedenken. Sie entspricht nicht den Intentionen Jesu über die Gemeinschaft der ihm nachfolgenden Menschen, wie sie besonders auf S. 101ff beschrieben worden sind. Als ›Kirche‹ in seinem Sinne kann danach nur eine *Gemeinschaft* und *Institution* von *nach dem Reich Gottes Trachtenden* angesehen werden. Für sie muß das *Kommen des Reichs Gottes* im *Mittelpunkt allen Redens und Handelns* stehen, alle ihre Initiative soll auf die Gottesherrschaft hin ausgerichtet sein.

Das heißt konkret und im einzelnen: Eine Kirche im Sinne ihres Stifters hat das Reich Gottes in ihrer Verkündigung, besonders der Predigt und Unterrichtung, anzusagen, zu proklamieren. Sie sollte in ihren Sakramenten Zeichen der Gottesherrschaft setzen und ihr Kommen vergewissern und nahebringen. Eine besondere Aufgabe der Kirche ist es, im Wege der Diakonie auf das Kommen des Reichs Gottes hinzuwirken. Dazu soll sie nach seinem Eingehen in die soziale Sphäre streben und besonders die Veränderung der Verhältnisse und Strukturen, die die Gottesherrschaft behindern oder sogar verhindern, angehen. Als Menschengemeinschaft Gottes hätte die Kirche sich gegen Unfreiheit und Ausbeutung in wirtschaftlichen Ordnungen, gegen Krankmachung durch gesellschaftliche Zwänge, gegen Verdummung, Einschüchterung und Schädigung seitens sozialer und politischer Systeme zu wenden und auf Schaffung neuer, dem Gottesreich entsprechender Beziehungen, die Freiheit, Solidarität und Gemeinschaft erlauben und fördern, hinzuarbeiten.

Von besonderem Vorrang ist für die Kirche, wenn sie den Weg zum Reich Gottes hin gehen will, das *eigene* Haus zu ordnen. Das bedeutet, die Kirche hätte ihr immer noch bestehendes hierarchisches System, das mit der Herrschaft = Zuwendung Gottes nicht zusammenpaßt, abzulösen. Sie sollte es durch Beziehungen ersetzen, die brüderliche Liebe und Solidarität in Freiheit ermöglichen. Entsprechend sind die Vorherrschaft des bloßen Christuskultes sowie die jenseitsbetonte Religiosität abzubauen, das kirchliche Gesetz und der ihm verschwisterte Moralismus und Dogmatismus müssen zurückgedrängt werden. Auch die vielfältigen Verbindungen mit dem Privatkapital und dessen stillschweigende ideologische Rechtfertigung sind zu überwinden. Nur so kann die Kirche heute zur nötigen Vorbildlichkeit und Exemplarizität für die übrigen Menschen, die sie brauchen, gelangen. Anders entspricht die Kirche auch nicht der Weisung und der Verheißung Jesu, daß sie nach der Gottesherrschaft trachten soll und darf, ja daß ihr sogar das Reich Gottes »gegeben« sei (Lk 12,32).

Freilich müssen wir kritisch sagen, daß die Kirche bzw. die Kirchen bisher diese Gabe oft nicht ergriffen, diese Aufgabe nicht erfüllt haben. Sie haben das *tragende Ziel der Verkündigung Jesu, die Königsherrschaft Gottes,* bis heute *zu wenig betont.* Stattdessen haben sie den *Strukturen der ›alten Welt‹, der Geltung sonstiger Herrschaft und Macht,* vielfach *zu großen Spielraum gelassen* und *die Nachfolge Jesu in einen unverbindlichen Christuskult verkehrt.* Ob die Kirche(n) in der Lage sind, radikal umzukehren und die ihnen zugedachte Rolle der Vorkämpferin in der Bewegung zum Reich Gottes zu übernehmen, ist dringend zu erbeten und zu erhoffen. Es ist allerdings nicht sicher, daß sie diese ihnen zukommende Aufgabe und Chance erfassen. Wenn die Kirchen aber dieser an sie gerichteten Aufforderung nicht entsprechen, werden sie nicht überrascht sein dürfen, wenn das Reich Gottes möglicherweise von ihnen »genommen und einem Volk gegeben wird, das dessen Früchte bringt« (Mt 21,43).

2.2.2

Weiter müssen wir hier auch die Stellung des *Judentums* beleuchten, und zwar ebenfalls besonders, was seine Haltung zum kommenden Reich Gottes und dem Trachten danach betrifft.
Die Unterschiede und Abweichungen des Judentums gegenüber den christlichen Kirchen sind weit weniger gravierend als dies in dem Bewußtsein ihrer Anhänger erscheint. Das Judentum hat den Glauben an denselben einen Gott wie die Kirchen, den Schöpfer und Erhalter von Welt und Mensch. Es sieht auch die ›Sünde‹ und ganze Entfremdung des Menschen und deutet sie als Abfall von Gott und seinem Willen. Das Judentum kennt einen Weg zur Befreiung des Menschen, der dem Ansatz des christlichen entsprechen dürfte. Gott ist auch nach seiner Auffassung der ›Erlöser‹ von Mensch und Welt, die er zur Erfüllung seiner Gebote führen will. Ihr Inhalt ist Gerechtigkeit und Recht, aber auch Liebe und Vergebung.
In diesem Rahmen ist für das Judentum die Predigt von der Herrschaft Gottes von erheblicher Bedeutung. Man kann sagen, daß das Judentum die von den Propheten und Apokalyptikern entwickelte *Vorstellung* vom *Kommen des* (endzeitlichen) *Reichs Gottes* und der Neuen Welt der Gerechtigkeit und Liebe *weitgehend bewahrt* hat und auch heute noch *betont.* Es lebt vermutlich stärker in der gegenwärtigen Spannung zu dem Ziel der kommenden Gottesherrschaft hin als die Kirche, die ihr Kommen in Jesus Christus im wesentlichen als in der Vergangenheit geschehen ansieht und eine Zukunftshoffnung oft nur für das Jenseits gelten läßt. Schließlich ist auch im Judentum noch lebendig der Glaube an den zuletzt erscheinenden Heilsbringer, der aus den gleichen Wurzeln wie der Glaube an den Christus entspringt. Dieser Messias soll nach jüdi-

scher Auffassung Israel und seiner Menschengemeinschaft die endgültige Befreiung vermitteln.
Das Judentum *betont* freilich den *mit Gott geschlossenen (alten) Bund* und die *daraus fließenden Gebote und Weisungen, das Gesetz Gottes,* zu stark. In diesem Bezugsfeld wird nicht nur die Schöpfung und Fürsorge Gottes gesehen. Vielmehr wird daraus auch der Abfall des Menschen, seine ›Sünde‹ und Entfremdung begründet und es wird daraus sogar die endzeitliche ›Erlösung‹ im messianischen Gottesreich hergeleitet. Eine *Befreiung durch Jesus als den Messias anerkennt das Judentum nicht.* Daß bereits im Wirken und Verkündigen des historischen Jesus die Neue Welt angebrochen sei, erscheint den Juden anmaßend. Sie lehnen auch die revolutionäre Wende, die durch Kreuz und Auferstehung Jesu erfolgt ist, ab, ebenso wie sie ein abschließendes (Wieder-)Kommen des Menschensohns, der die Züge Jesu tragen soll, nicht für glaubhaft halten.
Nach der hier vertretenen Auffassung sind deshalb Vorbehalte berechtigt, wenn die durch Jesus heraufgeführte Neue Welt negiert wird, und der Weg zum Reich Gottes durch die alte Gottesordnung samt der Tora und ihren moralisch-ethischen Vorschriften bestimmt werden soll. Auch das starke Gewicht der kultisch-rituellen Vorschriften im Judentum berücksichtigt nicht die Kritik, die Jesus begründet daran geübt hat. Endlich ist die Beziehung Jesu zu den Außenseitern, den Armen und Entrechteten sowie den ›Sündern‹ und Feinden, umfassender als dies bisher im Judentum jemals gefordert wurde.
Die Erwählung des Volks Israel als Vorzug und besondere Verantwortung hat Jesus ausdrücklich bejaht. Israel muß danach durchaus als Grundstock und Basis der universalen, alle Völker ergreifenden Menschengemeinschaft des Reichs der Freiheit und Gerechtigkeit angesehen werden. Der positive Kern des Zionismus, das Streben nach einer Heimstätte des Volks Israel in der »Stadt auf dem Berge« (Mt 5,14b) entspricht der Intention und dem Wirken Jesu. Es darf sich freilich nicht zur Benachteiligung anderer nationaler und sozialer Gruppen verkehren. Die schon im Alten Testament angelegte und in Jesus dominierende Weltoffenheit und Universalität sollte heute im Judentum wieder zum positiven Durchbruch kommen. Aus seiner eschatologischen Tradition heraus ist das Judentum jetzt und in Zukunft durchaus auch in der Lage, den in seiner Mitte geborenen und erhöhten Jesus als seinen (im Kommen begriffenen) Messias und Menschensohn anzunehmen (Mt 23,39). Es hat die Chance, die umwälzende Entwicklung zur (bereits angebrochenen) endzeitlichen Gottesherrschaft hin anzuführen und gerade durch Versöhnung mit seinen Nachbarvölkern vorbildhaft und exemplarisch in die Welt hinein zu wirken.
Wenn die Kirchen sich der Lehre und Praxis des Reichs Gottes wieder mehr nähern und nicht (undifferenziert) die Göttlichkeit Jesu Christi sowie seine kultische Würde ins Zentrum rücken, kann auch ein besseres

Verständnis Jesu und seines Werks durch das Judentum, das bis jetzt noch fehlt, erwartet werden. Bisher waren die christliche Vergöttlichung Jesu, die Deutung seines Todes als Sühne-Opfer und die Behauptung einer (mythologisch verstandenen) Auferstehung Jesu unüberwindbare Hindernisse auf dem Wege eines gegenseitigen Verstehens. Werden diese Vorstellungen als der Lehre Jesu selbst entgegenstehend erkannt, so ist auch eine Annäherung des Judentums an den Juden Jesus als den Christus zu erhoffen, der ja so sehr dem tiefsten Gehalt der prophetischen und messianischen Strömungen seines Volkes entspricht. Dann ist auch eine Überwindung der Engführungen möglich, die jetzt noch mit dem Festhalten an der alten Gottesordnung verknüpft sind, also insbesondere der gesetzlichen, rituellen und nationalen Einseitigkeiten. Ob das Judentum als das ›erstgeborene‹ Volk Gottes zu dieser entschiedenen Weiterentwicklung seines eigenen Wegs, zu dieser Bejahung der tatsächlich angebrochenen Gottesherrschaft fähig sein wird, können wir nur erhoffen, es ist nicht einfach zu konstatieren. Dies wird wesentlich auch von der Umkehr und Mitwirkung der Christenheit abhängen, in der die zuwendende und befreiende Herrschaft des erhöhten Jesus deutlich werden kann und soll.

2.2.3

Schließlich gehört in diesen Zusammenhang die Stellung des *Sozialismus*, insbesondere *Marxscher Prägung*, und seine Rolle in dem Rahmen des nahenden Reichs Gottes, des Reichs der Freiheit und Brüderlichkeit. Auch im Marxschen Sozialismus *hat das Reich Gottes seinen Ort*, freilich in stark entmythologisierter Form und zudem betont materialistischer Interpretation, so daß ein Wiedererkennen schwerfällt.
Im einzelnen geht der Marxismus in allen seinen Spielarten ähnlich wie die Kirche (und das Judentum) von der Entfremdung der Menschen aus, und zwar besonders unter dem Aspekt seiner wirtschaftlichen Ausbeutung und Unterdrückung. Diese Entfremdung wird aus den entarteten gesellschaftlichen Beziehungen, speziell aus dem Privateigentum an den Produktionsmitteln, hergeleitet, diesem entspricht auch die Trennung der Klassen, und zwar in herrschende und unterdrückte. Dem Proletariat, der ausgebeuteten Klasse in der kapitalistischen Produktionsweise (im Gegensatz zur Bourgeoisie), ist vom Marxismus die historische Mission zur Aufhebung der Klassen und zur Befreiung aus der Entfremdung zugedacht. Es entspricht damit gewissermaßen dem Messias und seiner Menschengemeinschaft. Das Proletariat soll im Zuge der krisenhaften Zuspitzung der kapitalistischen Produktionsverhältnisse und im Wege des revolutionären Klassenkampfes das kommunistische Reich der Freiheit heraufführen. Ihm geht die Diktatur des Proletariats, d.h. seine politische und soziale Herrschaft, voraus, die zur Vergesellschaftung des Eigentums an den Produktionsmitteln und zu einer klassenlosen Gesell-

schaft unter Aufhebung von Entfremdung und Unterdrückung führen soll.

Wenn der Marxsche Sozialismus somit eine Gesellschaftsordnung anstrebt, in der die Produktionsmittel unter der Herrschaft sämtlicher Mitglieder der Gesellschaft stehen und diese einen gleichen Anteil am gemeinsam erarbeiteten Sozialprodukt erhalten, wobei die bisherigen Klassen mit ihren Ausbeutungs- und Herrschaftsverhältnissen aufgehoben sind, so steht diese inhaltlich in ersichtlicher *Nähe* und *Affinität (K. Barth) zum Reich Gottes.* Die grundlegende Zielvorstellung des Marxismus, die klassenlose Gesellschaft, ist also derjenigen der Verkündigung Jesu von der Gottesherrschaft ausgesprochen verwandt. Dies gilt besonders, was die Befreiung der Menschen von den Mächten privater Herrschaft und ausbeuterischen Eigentums in einem Reich betrifft, in dem gleichberechtigte gemeinsame Herrschaft und gemeinschaftliches Eigentum aller seiner Mitglieder bestehen, und zwar nicht nur in der Produktionssphäre, sondern auch im politischen und kulturellen Bereich. Ähnlich ist ferner der Gedanke, daß gerade den Leidenden und Unterdrückten eine besondere Mission zufällt; denn auch nach Jesus ist den Armen, den Hungernden und Dürstenden, den Mühseligen und Beladenen das Reich Gottes zugedacht. Wer sie aufnimmt, nimmt den Menschensohn auf (Mt 25,31ff).

Allerdings wird man gegenüber dieser Gleichläufigkeit von Reich Gottes und Sozialismus auch *erhebliche Verengungen* erkennen müssen, die vielfach im Sozialismus aufgetreten sind: Da ist die einseitige Betonung der Klassenlosigkeit der zukünftigen Gesellschaft, obwohl es auch auf die Beseitigung anderer Trennungen und Schranken zwischen den Menschen ankommt, wie z.B. derjenigen des Geschlechts, der Abstammung, der Rasse und Nation. Weiter ist der Weg zur Gesellschaft der Zukunft zu stark durch autoritären Zwang und revolutionäre Gewalt gekennzeichnet, während die Vorbildhaftigkeit und Exemplarizität sozialer Formen und Strukturen zurücktritt (obschon auch bei verschiedenen Marxisten die repressive Gesellschaft abgelehnt wird). Die soziale und ökonomische Bestimmung von Mensch und Gesellschaft ist übermäßig hervorgehoben, wozu freilich bei der Neuen Linken Ergänzungen durch die Psychoanalyse Freuds treten (Neurose als Form der Entfremdung und ihre Heilung in einem Emanzipationsprozeß). Der von Marx vertretene *Atheismus* und seine *Negierung des Christusgeschehens,* die gewiß durch deren christliche und idealistische Auslegung mitverursacht worden sind, bedeuten allgemein eine *nicht zu übersehende Gefahr.* Sie liegt in der materialistischen Vereinseitigung, welche die (nicht supranaturalistisch zu verstehende) Macht Gottes verkennt, die schlechthin jeder menschlichen Erfassung überlegen ist. Sie hängt auch ab von der Überschätzung des bloß strukturellen Gesichtspunkts, wodurch er das geschichtliche Wirken Jesu als des Messias, seinen befreienden Tod und seine Erhöhung als nachhaltige Umwälzung der bestehenden Gesellschaftsordnung übersieht. Der Marxsche Sozialismus *läßt* danach insgesamt die *in Gott und dem messianischen Geschehen liegende Offenheit, Dynamik und schöpferische Potenz außer acht,* obwohl er selbst in ihr seine (unbewußten) Wurzeln hat.

Trotz dieser Kritik ist jedoch eine partielle Übereinstimmung des Sozialismus von Marx mit der Botschaft Jesu vom Reich Gottes wegen der Intention beider zur grundlegenden Befreiung und Humanisierung des Menschen nicht zu leugnen. Wenn die Kirchen sich von ihren Bindungen an traditionelle hierarchische und autoritäre Strukturen und an das Privatkapital lösen und auch die damit verquickten ideologischen Anschauungen über das Wesen Gottes und des Christus klären, ist auch die Möglichkeit einer Veränderung des Marxismus und seiner verschiedenen Richtungen im Sinne einer Öffnung und Erweiterung nicht fern. Dann ist die verheißungsvolle Chance gegeben, daß der Marxismus seine Theorie und Praxis vom Reich der Freiheit als eine universale Umwälzung von Mensch und Welt versteht. Es besteht die Aussicht, daß er seinen Atheismus überprüft, d.h. als Kritik des mythologischen Herren-Gottes begreift und nicht als Leugnung des Schöpfer-Gottes, wie ihn Jesus gesehen und gelebt hat, und daß der Marxismus somit insgesamt auf dem Wege zum endzeitlichen Reich Gottes und des befreiten Menschen hin voranschreitet[123].

Wir können zusammenfassend feststellen, daß nicht nur die *christlichen Kirchen,* sondern auch das *Judentum* und der *Marxsche Sozialismus* entscheidende *Momente der Reich-Gottes-Vorstellung und -Praxis* vertreten. Sämtliche Bewegungen weisen aber auch *gewisse Einseitigkeiten* und *Verengungen* auf. Ein Dialog der genannten Bewegungen ist daher um des Reichs Gottes willen dringend erforderlich, ja unumgänglich. Ihr *kritisches Zusammenwirken* kann zu einem neuen und umfassenden Bewußtsein und Aufbruch auf dem Wege zur Gottesherrschaft, einem neuen Trachten nach dem Reich der Freiheit führen. Eine solche Kooperation der verschiedenen Strömungen (und auch noch anderer zeitgenössischer humanistischer Gruppen, Kreise und Richtungen) würde gleichzeitig eine *neue und globale Etappe* im *Herannahen des von Gott herkommenden Reichs,* der Herrschaft von Freiheit und Menschlichkeit sein.

123 Zum Verhältnis von christlichen Kirchen, Judentum und Sozialismus hat sich schon profiliert Ragaz, Reich Gottes, 220, geäußert. Er meint, daß »das Christentum, sich zu Christus bekennend, vom Reiche Gottes abgekommen« sei. »Das Judentum hat den Glauben an das Reich Gottes bewahrt, aber es hat Christus, seinen Offenbarer und Vertreter, verworfen.« Den Christen sagt Ragaz, sie glaubten zwar an Gott – »es ist aber kein rechter Glaube –, jedoch nicht an sein Reich und seine Gerechtigkeit für die Erde«. Die Sozialisten glauben nach Ragaz zwar »in dieser Form an das Reich, aber paradoxerweise nicht an Gott«. Heute beschäftigt sich mit den Beziehungen zwischen den christlichen Kirchen, auch dem Judentum einerseits und dem Sozialismus andererseits bes. Gollwitzer, Revolution, 74ff.95ff.

Wenn wir nun das Kommen des Reichs Gottes von Gott her und das Trachten der Menschen danach sowie seine praktischen Konsequenzen überblicken, so ist zu resümieren, daß wir im Rahmen der in die Welt hereinbrechenden Gottesherrschaft einerseits das Bewußtsein der Menschen nach vorn, zum Aufbruch in die Befreiung, in das Heil, und das unbedingte Wollen, tatsächliche Streben und zweckhafte Wirken nach den entsprechenden Strukturen sehen müssen. Andererseits müssen wir das objektive, in die Geschichte eingehende Kommen des Reichs und seiner Verfassung von Gott her erkennen, das dem Streben danach umfassend gegenübersteht und es gleichzeitig antreibt und zur Entfaltung bringt. Das *Trachten nach der sozialen und universalen Ordnung des Reichs Gottes* ist das *Pendant* und *Gegenstück* zum *objektiven Herannahen dieser Gottesherrschaft.* Es liegt hier zunächst ein ähnlicher Parallelismus vor, wie wir ihn schon zwischen der Zuwendung Gottes zum Menschen und der Weitergabe dieser Zuwendung an die Mitmenschen kennengelernt haben und wie er hier ganz umfassend wirksam und festzustellen ist.

Nun ist zwar das objektive Kommen des Reichs Gottes noch verhüllt und bisher nur ansatzweise sichtbar geworden, jedoch ist in dem Leben Jesu, seinem Tod und seiner Auferstehung sowie der Heilsgemeinschaft seiner Jünger das *Streben* danach, ja das Realisieren der Herrschaft Gottes so entschieden vorangetrieben worden, daß ihr Wirken *nicht mehr nur einfach Reflex und Abbild des Kommens des Reichs Gottes* genannt werden kann. Vielmehr müssen wir in der *Geschichte Jesu* und *seiner Menschengemeinschaft* (als Spitze der Evolution) *nunmehr das objektive Kommen des Reichs und das subjektive Trachten danach* als einen *untrennbar zusammenlaufenden und ineinander übergehenden Gesamtkomplex* erkennen.

Dieses enge Miteinander-Verbundensein beider Strömungen kann jetzt als ein wirklicher, wenn auch verborgener Anbruch des Reichs Gottes und seine Fortentwicklung gesehen werden, als eine nach vorn treibende Tendenz in Latenz des *im Werden begriffenen Prozesses zur vollen Gottesherrschaft* und damit als entsprechende objektiv-reale Möglichkeit (so *Bloch*) des sich entfaltenden Reichs Gottes, jedenfalls was seine irdische Verwirklichungsstufe betrifft. Dabei kann freilich auch eine Gefahr des Scheiterns, von den daran beteiligten Menschen aus, keinesfalls ausgeschlossen werden[124].

In diesem Zusammenhang müssen wir auf das bedeutungsvolle Gleichnis von den zehn Jungfrauen zurückkommen (s. auch S. 111). Auch hier zeigt sich deutlich der enge Parallelismus vom Kommen des Reichs Gottes (in Verbindung mit dem Erscheinen des Men-

124 Vgl. im einzelnen Bloch, Auswahl, 170ff; er spricht von dem »Eigentlichen« oder »Wesen« als demjenigen, »was noch nicht ist, was im Kern der Dinge nach sich selbst treibt, was in der Tendenz-Latenz des Prozesses seine Genesis erwartet«; s. auch Moltmann, Theologie, 204ff.

schensohns) – das wird angedeutet durch das Bevorstehen der Hochzeit und das Nahen des Bräutigams – und vom gleichzeitigen Dahin-Wirken und -Streben der Menschen – dies wird gekennzeichnet durch das Entgegengehen der Brautjungfrauen. In ähnlicher Weise spricht die Apokalypse des Johannes von der Menschengemeinschaft, die nach der Königsherrschaft Gottes sucht, sogar als der »Braut« und wird bei Thomas das Reich Gottes selbst als »Brautgemach« (!) bezeichnet, s. Offb 21,9 und EvThom 75 in Verbindung mit 49. Somit hängen auch im Gleichnis von den zehn Jungfrauen und in den bezeichneten Bildworten das Kommen des Reichs von Gott aus und das menschliche Trachten danach dicht und untrennbar miteinander zusammen und greifen ineinander, und in beider Zentrum sehen wir den Menschensohn.

3 Der fortschreitende Prozeß zur Gottesherrschaft hin. Der gegenläufige Prozeß

In den vorigen Kapiteln ist davon gehandelt worden, daß Gott sich nicht nur in vielfältiger Weise den Menschen zuwendet, sondern daß seine endgültige und umfassende Ordnung zu uns kommt. Die Menschen sollen daraufhin die Zuwendung Gottes annehmen und seinen Willen erfüllen, insbesondere aber nach seinem universalen Reich trachten. Auf diese Weise wird es schließlich zu einem *wirklichen Erscheinen der Herrschaft Gottes*, zu einem *realen Hereinbrechen seines Reichs* und damit zur *tatsächlichen fortschreitenden Befreiung und Heilung der Menschen* kommen[125].

Dabei ist in Entsprechung zu der im vorigen Kapitel bezeichneten Rolle der Menschen nochmals zu betonen, daß natürlich das Kommen des Reichs Gottes keineswegs einseitig oder in erster Linie als eine Folge und Auswirkung menschlichen Tuns vorzustellen ist. Vielmehr ist die Zuwendung von Gott aus, das Kommen seines Reichs die primäre, alles andere in Gang bringende und umgreifende Voraussetzung dieses Geschehens. Das Wirken der Menschen und ihr Trachten danach ist aber eine

125 Daß das *tatsächliche* Kommen des Reichs Gottes verheißen ist, wird zwar normalerweise nicht bestritten, aber vielfach doch, insbesondere in der Bultmann-Schule, einseitig existentiell verstanden, vgl. Bornkamm, Jesus, 85 (»Niemals wird [von Jesus] aber auch von der Zukunft anders gesprochen als so, daß sie die Gegenwart erschließt und erhellt und also das Heute als den Tag der Entscheidung sichtbar werden läßt«), im Anschluß an Bultmann, Jesus, 143 (»Er [Gott] ist . . . der Gott der Zukunft, weil er dem Menschen für das Jetzt der Entscheidung Freiheit gibt und vor ihm steht als die Zukunft, die sich in der Entscheidung dem Menschen öffnet: Gericht oder Gnade«). S. dagegen Moltmann, Theologie, 107ff, wonach die »Verheißungen« Gottes »effektiv auf ein reales, futurisches Erfüllungsgeschehen aus sind«; »Die Hoffnung erhofft . . . vom Kommen Gottes . . . seine erlösende und zurechtbringende Herrschaft in allen Dingen«. M. betont auf S. 111 auch den »Gehorsam« als »Konsequenz der Verheißung« einerseits, umgekehrt »die Erfüllung als Konsequenz des menschlichen Gehorsams«; vgl. ferner Bloch, Auswahl, 69ff.

entscheidende Bedingung dazu, und beide zusammen sollen (im Kontext der Geschichte Jesu) das Reich Gottes sichtbar heraufführen (vgl. ergänzend dazu Joh 6,28, wonach der »glaubende« Mensch »Gottes Werke wirkt«; ähnlich Mt 10,20 Par: »Eures Vaters Geist ist es, der durch euch redet«).
Dieser *Zusammenhang*, diese *Verbindung zwischen dem Tun des Willens Gottes* und dem *tatsächlichen und wirklichen Ankommen des Reichs* ist von Jesus in zahlreichen Worten ausgesprochen worden.

So sagt er zu dem Schriftgelehrten, der sich zur Erfüllung des Liebesgebots bekennt, zunächst allgemein: »Du bist nicht fern vom Reich Gottes!« (Mk 12,34). Im Rahmen der Bergpredigt verkündet er konkreter: »Nicht jeder, der zu mir sagt: Herr, Herr! wird in das Himmelreich kommen, sondern wer den Willen meines Vaters im Himmel tut« (Mt 7,21; ähnlich Lk 6,46 und damit zusammenhängend das Gleichnis vom Haus auf dem Felsen, das der gebaut hat, der »die Worte (Jesu) hört und seinen Willen tut«, s. Lk 6,47–49 Par). In Verbindung mit dem Gleichnis von den ungleichen Brüdern bemerkt Jesus zu den Volksführern: »Die Zöllner und die Dirnen kommen vor euch in das Reich Gottes!«, sie stellen den zweiten Sohn dar, der »den Willen des Vaters getan« hat (s. Mt 21,31). Gegenüber seinen Jüngern sagt Jesus in Mk 3,35 Par, auch in EvThom 99: »Wer den Willen Gottes tut, der ist mir Bruder und Schwester und Mutter« und zu einer »Frau im Volk« in Lk 11,28: »Selig sind die, die Gottes Wort hören und halten« (ebenso Lk 8,15 Par). Schließlich erklärt Jesus in Lk 10,28 prononciert auf die Frage eines »Gesetzeskundigen«, was erforderlich sei, damit er die Gottesherrschaft »ererbe«: »Tue das (nämlich die Liebe zu Gott und dem Nächsten), so wirst du leben!«.

Dasselbe gilt insbesondere auch für das *Trachten nach dem Reich Gottes*. Auch dieses hat eine reale Beziehung zu seinem Kommen und steht unter der *Verheißung* der *Erfüllung*.

Das hat Jesus ebenfalls zur Genüge ausgesprochen: So heißt es nach Lk 12,31.32 Par: »Trachtet nach seinem (Gottes) Reich, dann wird euch dies alles hinzugefügt werden! Fürchte dich (also) nicht, du kleine Herde. Denn es hat eurem Vater gefallen, euch das Reich zu geben.« In Mt 7,7 Par, auch in EvThom 92 u. 94, heißt es: »Sucht, so werdet ihr finden!«. Die Gleichnisse vom bittenden Freund (Lk 11,5–8; ähnlich Mt 7,9.10 Par) und vom ungerechten Richter (Lk 18,2–8) meinen dasselbe: Selbst der ungerechte Richter, um wieviel mehr aber Gott, wird der Witwe Recht schaffen, wenn sie ihn darum bedrängt und sogar tätlich angreift. Und auch der Freund wird seinem Freunde helfen, wenn er ihn um Mitternacht um drei Brote bittet, und sei es auch nur wegen seines Drängens und um seiner Unverschämtheit willen.

In allen diesen Worten ist von Jesus zugesagt, versprochen, daß auch Gott dem Drängen der Menschen nach seiner Königsherrschaft nachgeben wird, wenn es ernsthaft und andauernd geschieht. Gott wird sein Reich den Menschen geben und sie nicht ständig danach verlangen und darum ringen und kämpfen lassen. Es wird auch nicht nur darum gehen, daß einzelne in die Gottesherrschaft »eingehen«. Vielmehr dürfen die Menschen des Reichs Gottes als solchem versichert sein und daran mitwirken. Ein Reich Gottes ohne Menschen, die darin »eingehen«, wird von Jesus nicht in Betracht gezogen. Die verheißene Gottesherrschaft reicht als solche durchaus so weit, wie Menschen dazugehören und von ihr umfaßt werden.

Der damit bezeichnete »*Weg*« *zum Reich Gottes* (Mt 7,14) soll beim einzelnen, der als solcher oder besser in einer Gemeinschaft den Willen Gottes tut, seinen Anfang nehmen. Von diesem soll eine Ausstrahlung ausgehen, die sich auf seine Mitmenschen, andere Gemeinschaften und die ganze Umgebung erstreckt. Dort kann sie sich in veränderten sozialen Verhältnissen und Institutionen verfestigen und auf weitere Kreise und Gruppen übergreifen bis hin zur Konstituierung einer gesamtgesellschaftlichen Ordnung. Die auf diese Weise sich entfaltende Ausstrahlung soll dann wieder auf den handelnden Menschen und seine Verbindung, die den Willen Gottes getan hat, zurückwirken, so daß es zu einer immer weiter um sich greifenden Heilung und Befreiung der Menschen kommen kann. Hier ist eine *zweite entscheidende Reflexwirkung der Zuwendung und Herrschaft Gottes* festzustellen, die diesmal vom Menschen ihren Ausgang nimmt. Sie erstreckt sich *auf weitere Menschen* bzw. *ihre Gemeinschaften und Ordnungen* und wirkt *letztlich* wieder *auf den handelnden Menschen* zurück[126].

Jesus beschreibt diesen Vorgang mit folgenden Worten: »Vergebt, so wird euch vergeben!« (d.h. durchaus auch vom Mitmenschen!) und »Richtet nicht, so werdet ihr (auch) nicht gerichtet!« (ebenfalls vom Mitmenschen!) (Lk 6,37 Par). Ähnlich lauten Mt 6,14 Par: »Wenn ihr den Menschen ihre Verfehlungen vergebt, wird euer himmlischer Vater euch auch vergeben« und Mt 5,7: »Selig sind die Barmherzigen; denn sie werden Barmherzigkeit erlangen.« In Lk 6,38 sagt Jesus zusammenfassend: »Mit welchem Maß ihr meßt, mit dem wird man euch wieder messen« und schließlich nach dem apokryphen 1Clem 13,2: »Wie ihr tut, so wird euch getan werden.«

Auf diese Weise soll es fortschreitend und sich immer weiter entwikkelnd zur Befreiung und Heilung auch weiterer Gruppen und Kreise von Menschen sowie der Völker und Nationen und möglicherweise zuletzt der Menschheit kommen. Auf diese fortwährende Entfaltung und Umwälzung dürfen wir vertrauen und hoffen. Indem wir auf diese um sich greifende *Entwicklung* und *Neugestaltung* setzen und in ihr tätig werden und damit nach der Königsherrschaft Gottes und ihren Strukturen trachten, besteht auch die reale Chance ihrer Verwirklichung (auf irdischer Stufe). Freilich ist bei gegenteiligem Verhalten, Hindern und Blockieren auch eine davon wegführende Entwicklung nicht auszuschließen, wie die Formulierung der obigen Logien zeigt.

126 Vgl. Anm. 6. Von dieser zweiten Reflexwirkung ist anders als von der ersten in der theologischen Literatur kaum die Rede. Das mag daran liegen, daß bei den nachgenannten Logien das Hauptaugenmerk auf dem Wirken Gottes liegt (denn es handelt sich dort um ein sogenanntes passivum divinum, s. Jeremias, Theologie, 20ff). Indessen widerstrebt dies der vertretenen Auffassung nicht, da Gott durch Menschen handeln kann und wird und zu diesem Wirken gerade die verhüllende Umschreibung gut paßt.

In diesem Zusammenhang muß auf eine Reihe von Bildern und Gleichnissen Jesu hingewiesen werden, die z.T. als *Wachstumsgleichnisse* bekannt geworden sind. Sie wollen den Gedanken des *wirklichen Kommens des Reichs Gottes* sowie *seiner Ausdehnung und Entwicklung, der die Menschen folgen sollen,* in besonders pointierter Form herausstellen[127].

Zunächst klingt der Gedanke der tatsächlichen Entwicklung schon an, wenn Jesus das Reich Gottes mit einem »Fischzug« vergleicht und seine Jünger zu »Menschenfischern« machen will (z.B. Mk 1,17 Par; in Lk 5,1–10 ist das Wort aus V.10 zur Erzählung vom wunderbaren Fischzug ausgesponnen worden; sowie das Gleichnis vom Fischnetz, Mt 13,47ff). Noch deutlicher wird die Entfaltung und Neuwerdung zum Gottesreich hin in den (charakteristischerweise zusammengefaßten) Gleichnissen vom Senfkorn und vom Sauerteig dargestellt; hier wird besonders auch der Kontrast von »alter« und »neuer Welt« ausgeführt (vgl. Mt 13,31–33 und Lk 13,18–21 Par Mk 4,30–32, auch in EvThom 20 und 96). Jesus vergleicht zunächst die Herrschaft Gottes mit »einem Senfkorn«, »das, wenn es in die Erde gesät wird, kleiner ist als alle (anderen) Arten von Samen auf Erden«. »Wenn es gesät wird, geht es auf und wird größer als alle Gewächse des Gartens und treibt große Zweige, so daß die Vögel des Himmels unter seinem Schatten nisten können.« Weiter ist das Reich Gottes nach den Worten Jesu »gleich einem Sauerteig«, »den eine Frau nahm und unter drei Scheffel Mehl mengte, bis es ganz durchsäuert war«.
Die wirkliche Veränderung zur Königsherrschaft Gottes und die dadurch begründete Hoffnung und Zuversicht wird überzeugend demonstriert in dem Gleichnis von der von selbst wachsenden Saat (Mk 4,26–29). Danach ist es mit dem Reich Gottes so, »wie wenn ein Mensch den Samen in die Erde wirft und schläft und aufsteht Nacht und Tag, und der Same sproßt und wird groß, er weiß selbst nicht wie. Von allein bringt die Erde Frucht, zuerst (!) den Halm, dann (!) die Ähre, dann (!) den vollen Weizen in der Ähre . . .«
Schließlich gehören auch die Parabeln vom Unkraut unter dem Weizen und vom Sämann in diesen Zusammenhang (Mk 4,3–8 und 13–20 Par; Mt 13,24–30 und 36–43 Par EvThom 57 und 9). In diesen beiden Gleichnissen wird die Gottesherrschaft mit einem Men-

127 *Gegen* den Entwicklungs- und Wachstumsgedanken neben Weiß, Reich Gottes, 48.84 (der als »Hauptgesichtspunkt« der bezeichneten Gleichnisse nicht den »langsamen, allmählichen Entwicklungsprozeß«, sondern den »Kontrast zwischen den kleinen, unscheinbaren Anfängen und dem überraschend großen Fortgange« nennt) auch Bultmann, Jesus, 29, und Bornkamm, Jesus, 66ff (Der »Vergleichspunkt . . . ist nicht der natürlich-begreifliche Entwicklungsprozeß und erst recht nicht der Gedanke, daß Mühe und Arbeit des Menschen die Herrschaft Gottes verwirklichen soll«). *A. M.* Schäfer, Jesus, 57ff (»Das Reich Gottes kann . . . doch mit einem wachstümlichen Prozeß verglichen werden«), in Anlehnung an die Tradition Ritschls; ferner Flusser, Jesus, 87; danach spricht Jesus vom »Wachsen des Himmelreichs« und seinem »Ausbreiten unter den Menschen«. Ähnlich wie hier Jeremias, Gleichnisse, 103.104; er hebt hervor, daß »der Kontrast nicht die ganze Wahrheit« sei; »Aus dem Anfang wird [!] das Ende«; »Im Jetzt hebt das Geschehen [der Königsherrschaft Gottes] schon an« und Bartsch, Jesus, 102.103; nach ihm ist im Gleichnis von der selbstwachsenden Saat »das Wunder des Wachstums, d.h. des Kommens des Gottesreiches der zentrale Vergleichspunkt«. Die Gegenmeinung von Weiß und Bultmann ist zu einseitig, sie übersieht den Entwicklungsgedanken, der in *allen* Wachstumsgleichnissen enthalten ist, und stört sich zu Unrecht an ihm, zumal dieser Prozeß des kommenden Gottesreichs keineswegs nur gradlinig und kontinuierlich, sondern auch sprunghaft und unter dialektischen Widersprüchen erfolgen kann. Zum Verhältnis von Evolution und Revolution auch Ragaz, Reich Gottes, 306.

schen verglichen, der »guten Samen auf seinen Acker säte«. Im ersteren fiel der Samen zum Teil »auf den guten Boden und brachte Frucht, indem er aufging und wuchs«, während anderer Samen »auf den Weg«, »auf Felsen« oder »unter die Dornen« »fiel« und daher ohne Frucht blieb. In dem anderen Gleichnis kam auch »der Feind« des Menschen zur Saat und »säte Unkraut (genauer: Lolch) mitten unter den Weizen« und beides wuchs bis zur Ernte miteinander.

Hier wird der Gedanke hinzugefügt, daß *mit dem Prozeß des Wachsens und Sich-Entfaltens des Reichs Gottes* auch *gleichzeitig* immer eine *gegenläufige, der Gottesherrschaft widerstrebende Bewegung verbunden* ist, die auf *eine Befestigung und Ausweitung der Macht des Bösen* hin tendiert.

Dies mag auch aus dem Gleichnis vom Fischnetz hervorgehen (Mt 13,47–50; zw.), in dem »Fische von allerlei Art zusammengefischt« werden, »gute« und »faule«, und das Netz »davon voll wird«, bis sie endlich an Land gezogen werden. Weiter sei noch auf das Bildwort vom unreinen Geist hingewiesen (Mt 12,43–45 Par), der zunächst zwar aus dem Hause ausgefahren war, aber, als er es bei seiner Rückkehr leer fand, mit sieben schlimmeren Geistern wieder einzog.

Mit dem der Gottesherrschaft widerstrebenden Prozeß besteht daher auch *die Gefahr der Verirrung und des Abweichens* vom Wege zum Reich Gottes. Diese kann (jedenfalls zeitweilig) auch immer weiter um sich greifen.

Dies wird etwa in dem Gleichnis von den anvertrauten Pfunden sichtbar (Mt 25,14–30 Par Lk 19,12–27). Hier beläßt ein Mann seinen Knechten für die Zeit seiner Abwesenheit diverse Gelder, damit sie mit ihnen Handel trieben. Während zwei seiner Knechte die Gelder bei seiner Rückkehr gewinnbringend verwendet hatten, hatte ein Knecht sein eines Pfund in keiner Weise genutzt, da »er wußte, daß sein Herr ein harter Mensch war«, sondern es »in der Erde vergraben«. Darauf nahm dieser es ihm weg und schlug es dem Knecht mit den meisten Geldern zu. So »wird jedem, der hat, gegeben werden«. »Dem aber, der nicht hat, wird auch das genommen werden, was er hat« (s. auch Mk 4,25 Par EvThom 41).
In ähnlicher Weise zeigt auch das wenig bekannte Gleichnis von der Frau mit dem Krug (EvThom 97) die Gefahr des immer weiter wegführenden Abkommens vom Wege Gottes. Dieses Gleichnis vergleicht »das Reich des Vaters« (= Reich Gottes) mit einer Frau, die einen Krug voll Mehl trägt und damit einen weiten Weg geht. Ohne daß sie es bemerkte, zerbrach der Henkel des Krugs, und das Mehl strömte hinter ihr auf den Weg, bis der Krug, als sie zu Hause angelangt war, leer war.

Es besteht somit *eine zum Reich Gottes hin drängende, sich ständig entfaltende Tendenz,* aber *auch eine dem widerstrebende, gegenläufige Bewegung,* die sich ebenfalls dauernd weiterentwickelt und auch gefährlich, ja katastrophal zuspitzen kann. Diese muß freilich letztlich auch am schöpferischen Gesamtprozeß zur Gottesherrschaft hin mitwirken und soll zum Schluß ganz überwunden werden.
Dies zeigt das in besonders vielen Worten Jesu, zumal im Zusammenhang mit den vorgenannten Gleichnissen ausgeführte Bild von der *gro-*

ßen Ernte, bei der die gute Frucht, der reife Weizen, zuletzt in die »Scheune« des Menschen »gesammelt« wird, das mitgewucherte Unkraut aber »zusammengesucht«, »gebündelt« und »verbrannt« wird.

Vgl. dazu besonders Mt 13,30 und 39 Par EvThom 57. Das Ernte-Motiv als Sinnbild für das Reich Gottes stammt aus dem Alten Testament (Jes 9,2; Ps 126,5). Es findet sich bei Jesus ferner in Mt 9,37; Mk 4,29; Lk 10,2; EvThom 73 und Joh 4,35–38.

In dieser großen Ernte wird das *Ende des dialektischen Erneuerungsprozesses* mit seinen verschiedenen widersprüchlichen Linien dargestellt. In ihm *triumphiert* zuletzt sieg- und ertragreich die Königsherrschaft Gottes nach dem gesamten Hin und Her ihrer Entwicklung, nämlich dem unauffälligen Voranschreiten der befreienden und heilenden Kräfte, aber gleichzeitig auch dem Erstarken und Sich-Aufbäumen der hemmenden Mächte, die jedoch schließlich nach großen Umbrüchen ebenfalls am *umwälzenden Prozeß zur planetarischen Neuordnung der Gottesherrschaft* mitwirken müssen.

4 Die traditionellen Heilstatsachen als Voraussetzungen des Kommens der Gottesherrschaft?

Wenn es, wie dargestellt, für das tatsächliche Kommen des Reichs Gottes, den dynamischen Prozeß dahin entscheidend auf die Zuwendung Gottes, ihre Annahme und das Tun seines Willens sowie besonders auf das Trachten nach dem endzeitlichen Reich ankommt, so ist doch zu fragen, welche Bedeutung dann eigentlich die sogenannten *Heilstatsachen der christlichen Tradition* dafür haben. Hier sind zu nennen im besonderen 1. der *Opfertod Jesu,* ferner *seine Auferstehung* und 2. die *Sakramente,* die von Jesus eingesetzt worden sein sollen, also die Taufe und das Abendmahl (nach protestantischer Anschauung), ferner Beichte, Firmung, Priesterweihe, Ehe und letzte Ölung (so die katholische und orthodoxe Auffassung). Diese Heilstatsachen sind in der kirchlichen und theologischen Überlieferung vielfach besonders betont und als notwendig für das Kommen des Reichs Gottes dargestellt worden. Sie werden auch heute von konservativ gestimmten Gruppen wieder stark hervorgehoben.

4.1 Der Opfertod Jesu

Zunächst ist von der Auffassung des *Todes Jesu* als eines *Sühne-Opfers* zu sprechen, durch den dieser den Zorn Gottes über die menschliche

Sünde getragen und den Menschen damit von der ewigen Verdammnis erlöst habe.
Diese Anschauung vom Opfertod Jesu stammt jedoch *nicht* von Jesus selbst, sie ist vielmehr von Paulus und Johannes durch verschiedene Wendungen, die aber auch bei diesen eher peripheren Charakter haben, nahegelegt und von späteren ausgeführt worden.

So heißt es bei Paulus in einer viel herangezogenen Formulierung, s. Röm 3,23ff: »Alle (Menschen) haben ja gesündigt und ermangeln der Ehre vor Gott und werden gerechtgesprochen ohne Verdienst durch seine Gnade mittels der Erlösung, die in Christus Jesus ist. Ihn hat Gott hingestellt als ein Sühneopfer durch den Glauben in seinem Blut zur Erweisung seiner Gerechtigkeit . . .« Johannes kann ähnlich verstanden werden, s. Joh 1,29: »Seht, das ist Gottes Lamm, das die Sünde der Welt hinwegnimmt (Luther übersetzt: trägt).« Es sei ferner auf die Stellen Röm 5,9ff; 8,3.4; 1Kor 5,6ff; Gal 3,10ff und 1Joh 1,7; 2,2; 4,10 verwiesen, die jedoch neutraler formulieren.

Jesus wendet sich demgegenüber deutlich *gegen jedes Opfer* (im kultischen Sinne)[128].

So sagt er, wie Matthäus an zwei verschiedenen Stellen bezeugt (Mt 9,13 und 12,7): »Geht aber hin und lernt, was das heißt: Barmherzigkeit will ich und nicht Opfer« (im Anschluß an Hos 6,6; Am 5,21 u. 1Sam 15,22). Auch in Mk 12,33 äußert er sich kritisch gegenüber dem Opfer: »Ihn (also Gott) zu lieben aus ganzem Herzen und aus ganzer Erkenntnis und aus ganzer Kraft und den Nächsten zu lieben wie sich selbst, ist weit mehr als alle Brandopfer und Schlachtopfer.« Ganz kraß lehnt schließlich das Jesus zugeschriebene Wort im Ebioniter-Evangelium Fragm. 11 das Opfer ab: »Ich bin gekommen, die Opfer aufzulösen, und wenn ihr nicht ablaßt zu opfern, wird (auch) der Zorn von euch nicht ablassen« (zu den übrigen Stellen zum Opfer s. bereits im einzelnen S. 31).

Auch die *Vergeltung,* sei es durch Gott oder den Menschen, *lehnt Jesus ab.*

So stellt er in der Bergpredigt der Ordnung des Auge-um-Auge, Zahn-um-Zahn das Neue Leben des Reichs Gottes entgegen, in dem dem Bösen nicht widerstanden, sondern Böses mit Gutem »vergolten« wird (s. ebenfalls schon die Beispiele auf S. 37). Auch soll die paradoxe Weisung gelten: »Wer dich auf die rechte Backe schlägt, dem biete auch die andere dar!« (Mt 5,39b). Danach widerspricht Jesus der Sühne, wenn sie gleichbedeutend mit Vergeltung ist.

128 Str., jedoch wird im allgemeinen bejaht, daß Jesus mit der Tempelaktion das vorgeschriebene Opferwesen angetastet hat, so z.B. Braun, Jesus, 77.78 (»Jesu Vorgehen hätte, wäre es Grundlage einer neuen Praxis geworden, jeden jüdisch international bestimmten Opferdienst unmöglich gemacht«); schärfer Bartsch, Jesus, 47ff (»Eindeutig stoppt Jesus den gesamten Opferkult«), und Schäfer, Jesus, 52; ferner Bornkamm, Jesus, 90ff. *A. M.* Jeremias, Theologie, 200.201. Die heftigen Angriffe Jesu gegen den Tempel, s.S. 30, zielen jedoch in die gleiche Richtung wie die Antastung des Opferwesens; demgegenüber kann man nicht aus Mt 23,16ff herauslesen, daß Jesus eine »ehrfürchtige Haltung« in bezug auf Tempel und Altar mit seinem Opferdienst fordere (wie Jeremias will). Vgl. auch Lohmeyer, Kultus, 33ff.60, wonach »Jesu Wirken den Sinn [hatte], ›die Opfer aufzulösen‹«.

Jesus redet auch *nicht ausnahmsweise von seinem Tod als einem Sühneopfer*[129]. Ein direktes Logion fehlt völlig. Mittelbar kommen hier allenfalls die Bildworte in Mk 14,22–24 Par Mt 26,26–28 und Lk 22,17.19–20 (auch in 1Kor 11,23–25) sowie in Mk 10,45 Par in Betracht.

Das erstere Wort steht im Rahmen der Erzählung vom letzten Mahl Jesu mit seinen Jüngern, dem ›Abendmahl‹: »Und als sie aßen, nahm er Brot, sprach das Dankgebet darüber, brach es, gab es ihnen und sagte: ›Nehmt! Das ist mein Leib.‹ Und er nahm den Kelch, sprach das Dankgebet darüber und gab ihnen denselben, und sie tranken alle daraus. Und er sprach zu ihnen: ›Das ist mein Blut des (neuen) Bundes, das für viele (= alle) vergossen wird.‹« Diese Stelle ist, zumindest was die Anspielung auf das Blut Jesu betrifft, wahrscheinlich eine frühe, hellenistische Gemeindebildung (vgl. dazu die einige Jahre vorher entstandene abweichende Version in 1Kor 11,25 Par Lk 22,20b: »Dieser Kelch ist der neue Bund in meinem Blute . . .« sowie eine möglicherweise noch ältere Fassung in einer frühen Handschrift der Lukas-Par, die sogar die Verse Lk 22,19b–20 und damit den ganzen Bezug auf das Blut Jesu, der völlig unjüdisch ist, noch nicht kennt). Aber auch der Hinweis: »Das ist mein Leib« ist vielleicht eine Gemeindebildung, da er anscheinend nach Form und Gehalt von der liturgischen Übung des hellenistischen Christentums geprägt ist; dafür spricht auch, daß das traditionsgeschichtlich älteste Stück des gesamten Berichts, nämlich Lk 22,16–18 bzw. Mk 14,25, davon nichts weiß.
Freilich kann auch ein Kernbestand des Abendmahlsberichts und auch der Deuteworte echt sein; sie interpretieren aber den Tod Jesu keineswegs als ein Sühneopfer zur Besänftigung göttlichen Zorns. Vielmehr spricht das Kelchwort vom Neuen Bund und knüpft dabei an den ›alten Bund‹ Gottes mit Israel am Berge Sinai an (vgl. Ex 24). Dieser ›alte Bund‹ wird damit überboten. In Entsprechung zu Jer 31,31ff soll ein *Neuer Bund* geschlossen werden, durch den der von Jesus gegründeten Menschengemeinschaft die endgültige Inkraftsetzung des Reichs Gottes versprochen wird. Dieser Bund soll durch Jesu Blut besiegelt werden. Das Brotwort sagt Jesu Gegenwart in der kommenden Gottesherrschaft an. Diese steht ebenfalls unter dem Vorzeichen seines Todes (wie das Brechen des Brotes zeigt). Schließlich kann in der Abendmahlserzählung (falls es sich um ein Passamahl handelte) auch noch die Erinnerung an die Befreiung Israels aus dem ägyptischen Joch mitschwingen (s. dazu Ex 12). Auch unter diesem Aspekt ist der Tod Jesu jedoch nicht als Sühnemittel zu deuten. Vielmehr ist er wie die Schlachtung der Passalämmer als Weg zur Befreiung der »Vielen« aus ihrer Knechtschaft und Entfremdung gesehen.
Das weitere oft zitierte Wort in Mk 10,45 lautet wie folgt: »Denn der Sohn des Menschen

129 Vgl. Bultmann, Jesus, 24.145 (»Jesus hat nicht von seinem Tod und seiner Auferstehung und von ihrer Heilsbedeutung geredet«); Braun, Jesus, 76.142 (»Denn Jesus selbst hat von der sühnenden Heilsbedeutung seines Todes und von seiner Auferstehung wohl nicht gesprochen«); Bornkamm, Jesus, 148.207; Schweizer, Jesus, 94ff; Dibelius, Jesus, 49; Kümmel, Theologie, 81ff (mit vermittelnder Lösung). S. auch Bloch, Christentum, 158ff, wonach in der Opfertodlehre »entscheidend gerade nichtjüdische Quellen flossen«. *A.M.* Jeremias, Theologie, 272ff, der die Bildworte Mk 14,22ff und 10,45 für im wesentlichen echt hält; ähnlich Goppelt, Theologie, 261ff. Das besagt aber nichts für die Lehre vom Sühneopfer, wie Gloege, Tag, 211 (bzgl. Mk 10,45), und Kümmel, Theologie, 83.84 (zu Mk 14,22ff), treffend herausgestellt haben. So auch schon Schweitzer, Reich Gottes, 139ff(142): »Obwohl Jesus das von dem leidenden Knecht Gottes Gesagte auf sich bezieht, faßt er doch seinen Tod . . . nicht als Sühnetod auf, sondern als ein Dienen und ein Entrichten eines Lösegeldes.«

ist nicht gekommen, damit ihm gedient werde, sondern damit er diene – und sein Leben gebe als Lösegeld für viele (= alle).« Auch der letzte Absatz dieses Logions spricht nicht davon, daß Jesu Tod als Sühneopfer zur Vergeltung der ›Sünde‹ der Menschen gedacht sei, sondern gleichermaßen nur, daß er ihrer Auslösung und Befreiung von den sie unterdrükkenden Mächten der ›alten Welt‹ diene. Außerdem wird dieser Absatz ebenfalls überwiegend als eine spätere christliche Ergänzung angesehen (etwa im Sinne der Formulierung in 1Tim 2,6). Dies liegt deshalb besonders nahe, weil er bei der Par Lk 22,27 fehlt und auch sonst kein synoptisches Pendant hat.

Es muß daher klargestellt werden: Die Auffassung, daß Jesus stellvertretend für die Menschen *geopfert* worden sei, um ihre ›Sünden‹ zu *vergelten,* und die Menschen dadurch ›erlöst‹ worden seien, ist *bedenklich.* Sie ist nicht mit der überwiegenden Liebe und Zuwendung Gottes in Einklang zu bringen, die über der bloßen Gerechtigkeit steht und auf Sühne und Vergeltung sehr wohl verzichten kann. Ja, sie hat, genau genommen, nicht einmal mit wirklicher Gerechtigkeit zu tun, da sie den Unschuldigen trifft und somit Gott als bloßen Vergeltungs-Automaten sieht. Diese Anschauung führt zudem zu der irrigen Vorstellung, daß es auf das Tun des Willens Gottes durch den Menschen nicht mehr ankomme, weil mit Jesu Sühne-Opfer alles zur ›Erlösung‹ Erforderliche bereits getan sei. Sie ist daher praxisfeindlich und auch aus diesem Grunde abzulehnen. Die Ansicht vom Opfertod beruht allgemein auf einer magischen und supranaturalistischen Vorstellung vom Wirken Gottes, die mit der hier dargestellten Offenbarung Gottes im Leben und Handeln der Menschen nicht zusammenpaßt.

Richtig ist allerdings folgendes, und auch das ist (im Sinne Jesu und einer breiten urchristlichen Überlieferung) herauszustellen: *Gottes Zuwendung* zu den Menschen, die es heilsentscheidend anzunehmen gilt, ist nicht nur in Jesu Leben, sondern *auch in seinem Tode offenbar* geworden. Gerade der Tod Jesu als des Repräsentanten Gottes zeigt die tiefe Erniedrigung Gottes bis hin zu seiner Selbstaufgabe (s. dazu schon S. 26 und auch den Zusammenhang des Wortes Mk 10,45 mit dem Sklavendienst). Außerdem ist richtig, daß *Jesus den Kreuzestod im Hören auf Gottes Willen* als ein unausweichliches Übel, das ihm von den Mitmenschen bereitet und das von Gott zugelassen worden ist, *auf sich genommen* hat (S. 84). Er hat ihn als den *ihm zukommenden Anteil an der großen endzeitlichen Drangsal ertragen* und *dadurch die Macht des Todes, der ›Sünde‹, der ganzen ›alten‹ Herrschafts- und Vergeltungsordnung* in ihrer letzten Machtlosigkeit *entlarvt* und *niedergerungen*[130] (s. zu die-

130 Insoweit als im Kreuz Jesu die Unrechtsstruktur, der ›Sündencharakter‹ der ›alten Welt‹ enthüllt und überwunden ist, kann man (im Sinne Jesu) auch von der endgültigen Konstituierung der Sündenvergebung (Versöhnung) sprechen. Es ist auch zutreffend, in ihm die Rechtfertigung des Menschen (als seine Einweisung auf den richtigen Weg zur Gottesherrschaft) zu sehen, freilich beides nicht unter Vermittlung durch Sühne und kultisches Opfer, sondern gerade als Ende jeden Vergeltungs-Opfers, als Aufrichtung des neuen Gottes-Rechts.

sem Punkt S. 87). Auf diese Weise hat er schließlich, und das ist entscheidend, *für die ihm Nachfolgenden* und *an ihrer Statt* und damit potentiell *zugunsten aller Menschen*, eine Bresche geschlagen, den Weg für sie gebahnt und einen *allgemeinen Befreiungs- und Heilungsprozeß zum Reich Gottes hin* in Gang gesetzt – wenn auch die Vollendung dieses Prozesses noch aussteht und daher immer wieder Situationen auftreten können, in denen die Menschen in seiner Nachfolge ›Opfer‹ (im weiteren Sinne) bringen müssen (s. dazu auch S. 87).

Auf die *Auferstehung Jesu* ist hier in diesem Zusammenhang nicht mehr näher einzugehen. Sie ist, wie einsichtig, ebenfalls keine Heilstatsache mit supranaturalistischer oder mystischer Bedeutung. Sie offenbart vielmehr die Zuwendung Gottes, die in Jesu Kreuzestod den Menschen zuteil wurde, und konstituiert den dadurch eingeleiteten Prozeß des Reichs Gottes, in Ansatz und Geltung sowie unwiderruflich, für die Person Jesu und die ihm Nachfolgenden und potentiell für die ganze Welt (s. näher S. 89ff).

4.2 Die Sakramente

Auch die *Sakramente* stehen nach traditioneller Auffassung in engem Bezug zur ›Erlösung‹ des Menschen und sind besonders mit der ›Sündenvergebung‹ untrennbar verbunden. Vgl. in diesem Sinne Mk 1,4: »So taufte Johannes in der Wüste und predigte, man solle sich taufen lassen aufgrund der Buße zur Vergebung der Sünden« und Mt 26,28 für das Abendmahl: »Das ist mein Blut des (neuen) Bundes, das für viele vergossen wird – zur Vergebung der Sünden.« Beide Stellen sind, wie sich schon aus den Par aufweisen läßt, bezüglich der ›Sündenvergebung‹ christlich überarbeitet[131]. Dieser Bezug zur ›Sündenvergebung‹ zeigt sich noch deutlicher später in Apg 2,38 und ähnlichen Stellen: »Tut Buße und lasse ein jeglicher sich taufen auf den Namen Jesu Christi zur Vergebung der Sünden, so werdet ihr empfangen die Gabe des heiligen Geistes.«

Hier ist jedoch ebenfalls nachzuforschen, ob Jesus den Sakramenten diese Bedeutung gegeben hat, ja es ist zunächst sogar zu fragen, ob er sie überhaupt eingesetzt hat.

Zunächst zur *Taufe*[132]. Jesus hat sich allerdings von Johannes taufen lassen (Mk 1,9–11 Par) und seine Taufe als Einleitung der Endzeit auch besonders geschätzt (s. z.B. Lk 7,24–35; 16,16 Par). Er hat aber selbst nicht getauft (so die synoptische Darstellung, vgl. Mk 1,8 Par) oder zumindest die Taufe alsbald nach seinem öffentlichen Auftreten aufgegeben und nicht wieder aufgenommen (so scheint es nach Joh 3,22.26 mit sekundärem Zusatz 4,2 gewesen zu sein, vielleicht um einer Verfolgung

131 So Jeremias, Theologie, 52 und 190 Anm. 79; Goppelt, Theologie 186.

als Johannes-Anhänger durch den galiläischen König Herodes zu entgehen). Auch die Jünger Jesu haben zu seinen Lebzeiten nicht getauft; die sogenannten Taufbefehle in Mk 16,15ff und Mt 28,18ff sind nachösterlich.

Die von Jesus akzeptierte Taufe des Johannes sollte freilich nicht in magischer Weise dem Täufling die ›Sündenvergebung‹ und die Teilnahme am Reich Gottes garantieren. Das zeigt schon, daß sie die Umkehr des Getauften notwendig voraussetzte, s. Mk 1,4 und öfter. Sie sollte vielmehr dem Täufling durch ein Tauchbad im Jordan *zeichenhaft* die *Umwandlung des ›alten‹ Menschen* zum *Neuen Menschen in der eschatologischen Herrschaft Gottes verdeutlichen* und *nahebringen* (vgl. dazu etwa Mt 3,2ff, besonders 8 und 11 Par, wohl im Anschluß an Ez 36,24ff mit 37,9). Auch handelte es sich bei der Taufe *nicht* um einen Akt von wesentlich kultischer oder zeremonieller Bedeutung (zu Jesu Stellung dazu s.S. 31ff).

Ähnlich war es mit dem *Abendmahl* (der Eucharistie)[132], s. dazu Mk 14,22–25 Par, wie S. 138, auch in 1Kor 11,23–26. Auch hier hat Jesus keineswegs einen neuen Kult oder Ritus eingeführt. Vielmehr hielt er mit seinen Anhängern eine Reihe von eschatologischen Mahlen ab wie die Mahle mit den Volksmassen und das Zöllnermahl mit den Ausgestoßenen der Gesellschaft (s. im einzelnen noch später); durch sie sollte *im Vorgriff auf das Reich Gottes zeichenhaft* die *Gemeinschaft aller befreiten Menschen in der Gottesherrschaft vergewissert* werden. Zu diesen Mahlen gehörte auch das letzte Mahl Jesu. Hier ist die Beziehung zum Reich Gottes besonders durch das Gelöbnis in Lk 22,16 gegeben, das Mahl mit seinen Jüngern nicht mehr zu essen, »bis es in seiner Vollendung gefeiert wird im Reiche Gottes« (s.S. 186). Die Hinweise auf das herumgereichte Brot als den »Leib« Jesu und den kreisenden Kelch als (neuen) Bund haben, wenn sie echt sind, ebenfalls eine Verbindung zum Reich Gottes und seiner Menschengemeinschaft. Dagegen sollte mit der Teilnahme an diesem Abendmahl *nicht* in magischer bzw. mysterienhafter Weise die ›Sündenvergebung‹ (oder die Aufnahme ins Reich Gottes) verknüpft werden. Wie bereits gezeigt wurde, hat Jesus ja auch zahlreiche andere Handlungen als Zeichen und sogar partielle Verwirklichungen des kommenden Reichs Gottes ausgeführt, wie z.B. seine Heilungen und Dämonenaustreibungen, bestimmte demonstrative Gesetzesverstöße, die spektakuläre Aktion im Jerusalemer Tempel usw. Schließlich war sein ganzes Wirken in diesem Sinne zu verstehen, ohne daß damit das Magische oder der Kult betont worden wären.

Auch hier ist also *zusammenzufassen: Taufe* und *Abendmahl* dürfen *nicht* so verstanden werden, als *vergegenständlichten* sie die *Teilnahme am Reich Gottes* und die *›Sündenvergebung‹* in *verfügbarer Weise*, so

132 Zu Taufe und Abendmahl s. bes. Bornkamm, Jesus, 42ff, 147ff; Braun, Jesus, 75ff; Dibelius, Jesus, 43ff.110ff; ferner Schweizer, Jesus, 116ff.

daß sie heilsentscheidend wären. Das wäre eine Auffassung, die *magische* bzw. *supranaturalistische* Züge trägt. Beide Sakramente *verdeutlichen* vielmehr *dem Menschen* nur *chiffrehaft*, daß *Gott ihm mit seinem Reich nahegekommen* und *er darin aufgenommen ist*, und sie *wirken gleichzeitig dazu mit*. Das heißt bei der Taufe, daß dem Menschen durch die Zuwendung Gottes seine persönliche Erneuerung, der Neue Mensch zugesagt ist, und beim Abendmahl, daß ihm Gemeinschaft mit allen befreiten Menschen und damit auch mit Gott und dem erhöhten Jesus gegeben wird. Die *kultische* und rituelle Seite der Sakramente, etwa die Mitwirkung von Priestern, die Benutzung sakraler Gegenstände oder ein bestimmtes Zeremoniell pp., ist *nicht* erheblich[133].

Die weiteren Sakramente (der katholischen und orthodoxen Kirche) sollen hier nicht weiter behandelt werden, da sie zweifelsfrei nicht von Jesus eingesetzt worden sind.

Nach alledem bleibt auch in diesem Zusammenhang festzuhalten, daß für das *wirkliche Kommen des Reichs Gottes* und die *Teilnahme an ihm* die *Zuwendung Gottes* und die *Annahme* und *Erfüllung seines Willens* sowie das *Trachten nach seinem Reich* entscheidend sind (sie können übrigens bei Unmündigen auch ausnahmsweise stellvertretend erfolgen, s. zum stellvertretenden ›Glauben‹ z.B. Mk 5,22ff Par). In dem *historischen Leben Jesu, seinem Tod und seiner Erhöhung* macht sich allerdings das *zuwendende Reichs-Handeln Gottes, sein erneuerndes Wirken*, maßgeblich geltend. Es *begründet* und *ermöglicht den Menschen* die *Umkehr*, das *Tun des Willens Gottes* und das *Streben nach seinem Reich*, und zwar immer wieder von neuem, und hilft gleichzeitig ziel- und richtunggebend dabei mit. Das *Wirken Jesu* ist somit eine entscheidende *Bedingung*, ja die *erste Stufe des tatsächlichen Kommens der Herrschaft Gottes*. Im Rahmen seiner historischen Tätigkeit sind die *Zeichenhandlungen der Taufe und des Abendmahls von Jesus eingesetzt* oder *jedenfalls übernommen* worden. Sie sind ebenfalls eine *wichtige Grundlage* und *Hilfe zum Reich Gottes hin*, seine *Bekräftigung* und *Gewährleistung* und seine *erste Vorwegnahme*.

133 Die Bedeutung der Zeichenhandlung betont in diesem Zusammenhang Dibelius, Jesus, 44.110ff, zur Frage des Kults äußert sich hier Braun, Jesus, 75ff. Zu 1 (»Die Taufe ist keine Zauberhandlung . . . [und] auch keine bloße symbolische Handlung im heutigen Sinne; vielmehr ist sie ein ›Zeichen‹ in jener antiken Bedeutung des Wortes, die eine geheimnisvolle Verbindung des jetzt geschehenden Symbolakts und des künftigen Ereignisses verbürgt, auf das der Symbolakt verweist«). Zu 2 kann zusammengefaßt werden, daß nach Braun weder Taufe noch Abendmahl ursprünglich Kulthandlungen waren.

5 Ewiges Bestehen und zeitliches Kommen des Reichs Gottes

Wenn vom wirklichen Kommen des Reichs Gottes die Rede ist, muß vorab noch ein scheinbarer Widerspruch geklärt werden. Dieser ergibt sich daraus, daß es einerseits eine Herrschaft Gottes geben soll, die bereits vom Anbeginn aller Zeiten bestanden haben soll. Andererseits soll sich aber die Herrschaft Gottes erst noch in einem Prozeß tatsächlich entwickeln und dann in der Endzeit voll hereinbrechen.

Hierzu ist zunächst zu sagen, daß die Vorstellung von Gottes Allmacht auch das *ewige Bestehen seiner Herrschaft,* seines Reichs voraussetzt. Diese ewige Herrschaft Gottes erweist sich etwa in der Schöpfung des Menschen und der Welt durch Gott und in ihrer Erhaltung und Führung zu einem Ziel. Sie wird deutlich in der persönlichen Fürsorge und Vorsehung gegenüber dem Menschen sowie in seiner Offenbarung ihm gegenüber. Sie soll sich schließlich in der endzeitlichen ›Erlösung‹ und Befreiung von Mensch und Welt zeigen.

In diesem allgemeinen Sinne hat auch Jesus gelegentlich von der Herrschaft Gottes geredet.

So spricht er etwa im Anschluß an Ps 145,13 (ähnlich Ps 74,12 u.a.) von Gott als dem »Herrn des Himmels und der Erde« (vgl. Mt 11,25 Par) und bezeichnet den Himmel als »Gottes Thron« und die Erde als den »Schemel seiner Füße« (Mt 5,34). Auch die (sekundäre) Lobpreisung im Vaterunser: »Denn dein ist das Reich und die Kraft und die Herrlichkeit in Ewigkeit« dürfte in diesem Sinne gemeint gewesen sein (Mt 6,13b).

Andererseits wird aber ausgesprochen, daß sich die *Herrschaft Gottes erst noch entfalten* und dann *in der Endzeit tatsächlich voll hereinbrechen* solle. Um diese *endzeitliche Gottesherrschaft,* dieses *eschatologische Reich Gottes* geht es in den ganzen vorstehenden Ausführungen zentral und in erster Linie. Dieses Reich Gottes ist auch der *Mittelpunkt der gesamten Verkündigung und Praxis Jesu* und regelmäßig damit gemeint, wenn Jesus vom Reich Gottes, Himmelreich oder auch (ewigen) Leben u.ä. redet[134].

Die *Lösung* der damit gegebenen Paradoxie dürfte in folgendem bereits angedeuteten Gedanken zu finden sein: daß nämlich das eschatologische Kommen oder Hereinbrechen des Reichs Gottes eigentlich die *endgültige Offenbarung der allgemeinen Herrschaft Gottes in der Welt* darstel-

134 Herrschende Meinung, s. Jeremias, Theologie, 103ff; Schnackenburg, Gottes Herrschaft, 49ff, u.a. Die Unterscheidung Jesu zwischen der immer bestehenden und der eschatologisch hereinbrechenden Herrschaft Gottes verbietet deutlich ein bloß ewigkeitliches oder einseitig transzendentes Verständnis vom Reich Gottes, desgleichen kann danach auch das Zeitmoment nicht einfach vergleichgültigt werden, beides entspricht nicht der differenzierten Aussage Jesu.

len soll, die bisher nur verhüllt und unter Einschränkungen vorhanden war. Dies gilt nicht nur in dem Sinne, daß der Mensch sich nun *subjektiv* die Herrschaft Gottes in ihrer ganzen Tiefe vorstellen kann, sich ihrer *bewußt* und *gewiß* werden kann. Es ist vielmehr auch so zu verstehen, daß die Herrschaft Gottes jetzt als *Führung mit Richtung auf ein bestimmtes letztes Ziel hin objektiv aufgedeckt wird* und *ans Licht tritt* und damit eine allgemeine Tendenz und Zielgerichtetheit des weltlichen und menschlichen Geschehens voll ausgeprägt wird[135].

Zur Begründung sei auch in diesem Zusammenhang nochmals auf die Worte Jesu in Mt 11,25 Par verwiesen: »Ich preise dich, Vater, Herr des Himmels und der Erde, daß du dies (gemeint ist die Botschaft vom Reich Gottes) . . . den Unmündigen geoffenbart hast« (während sie den »Weisen und Klugen« noch verborgen ist!). Noch treffender heißt es in Mk 4,22 Par von der Gottesherrschaft: »Denn nichts ist verborgen, außer damit es offenbar wird, und nichts ist ein Geheimnis geworden, außer damit es an den Tag kommt. Wenn jemand Ohren hat zu hören, so höre er!« (ähnlich und sehr betont auch EvThom 5 und 6b; ferner Mk 4,11 Par, S. 50). In analoger Weise wie vom Reich Gottes spricht Jesus auch von dem »Tag, wenn der Sohn des Menschen sich offenbaren wird« (Lk 17,30).

Im einzelnen kann der bezeichnete *Prozeß der Offenbarung der Königsherrschaft Gottes* im *größeren Rahmen der Welt- und Menschheitsgeschichte* heute wie folgt nachgezeichnet werden:
Das *schöpferische Wirken Gottes* ist bereits zu erkennen im Entstehen der Materie und ihrer Zusammenballungen, wie sie sich im kosmischen Geschehen gebildet haben. In vielen Milliarden Jahren werden dann die Zelle und ihre komplexen Verzweigungen geformt. Weiter kommt es in vielen Millionen Jahren über eine immer stärkere Differenzierung des Lebens und besonders eine Verfeinerung des Zentralnervensystems der Tiere schließlich zur Entwicklung und Gestaltung der Primaten und der Vor-Menschen. Der Mensch wird zum Homo sapiens mit der Entfaltung seines Ich-Bewußtseins und der Ingangsetzung seines damit verknüpften schöpferischen Tätigwerdens. Bei allen diesen Evolutionsstufen handelt es sich nicht um eine schlicht-kontinuierliche Fortentwicklung, sondern z.T. auch um ein sprunghaft-diskontinuierliches Umschlagen, das gleichzeitig mit einem Abbrechen der bisherigen Entwicklungstendenzen sowie dem Entstehen neuer Widersprüchlichkeiten verbunden sein kann.

135 Vgl. dazu auch Jeremias, Theologie, 102 (»Doch ist im gegenwärtigen Äon Gottes Herrschaft begrenzt und verborgen, weil Israel unter der Knechtschaft der Heidenvölker steht, die die Königsherrschaft Gottes verwerfen . . . Aber es kommt die Stunde, in der diese Dissonanz ihre Auflösung findet. Israel wird befreit werden, die Königsherrschaft Gottes wird sich in ihrer ganzen Herrlichkeit offenbaren, und die ganze Welt wird Gott als König sehen und anerkennen«); Flusser, Jesus, 82.83 u.a. Moltmann, Theologie, 208 ergänzt: »Die Offenbarung Christi kann . . . nicht nur in der Enthüllung des verborgenermaßen schon Geschehenen für die Erkenntnis bestehen, sondern muß in Ereignissen erwartet werden, die das erfüllen, was mit dem Christusgeschehen verheißen ist.«

Diese Deutung entspricht auch im wesentlichen dem Sinngehalt des alttestamentarischen Mythos vom ›Paradies‹ und der ›Vertreibung‹ des Menschen daraus nach dem ›Sündenfall‹ (vgl. Gen 2.3 sowie die Bezugnahme darauf in Mk 10,6 Par; 13,19 und EvThom 85). In seinem ursprünglichen Zustand war der Mensch danach noch, unbewußt dahinlebend, mit der übrigen Schöpfung, besonders der Tierwelt, eins. Durch den Griff nach der Frucht des »Baums der Erkenntnis des Guten und Bösen« trennte er sich davon und gewann sein eigenes Menschsein. Dabei wird das hierdurch zum Ausdruck kommende Bestreben des Menschen, sich aus der übrigen Schöpfung zu lösen und mit freiem Willen und Bewußtsein die Welt zu beherrschen, als solches nicht denunziert (das folgt daraus, daß Gott den Menschen nach Gen 1,27 »zu seinem Bild geschaffen« und die Erde seiner Herrschaft überantwortet hat, weiter, daß er die vom Menschen erlangte Stellung ihm auch nach seinem Griff zur Frucht des Baums nicht wieder genommen, sondern ausdrücklich belassen hat, Gen 3,22ff). Kritisch wird nur gesehen, daß das emanzipatorische Streben des Menschen nicht gepaart ist mit der Bereitschaft, »auf Gott zu hören« und seinen Willen zu tun, d.h. die mit der vom Menschen erstrebten Stellung verbundenen Anforderungen der Schöpfung zu übernehmen und so die sich aus dieser Stellung ergebende Konsequenz zu ziehen. Auf diese Weise kommt es dann auch zu den Übeln der ›Vertreibung‹, die in der Genesis beschrieben werden.

Im Rahmen der historischen Entwicklung wird ein weiteres Wirken Gottes deutlich im Aufstieg des *menschlichen* Bewußtseins und, damit zusammenhängend, in der Differenzierung seines Handelns. Der Mensch gewinnt die Erkenntnis, daß er an die Spitze der Evolution des Kosmos gestellt ist und wird in dieser Entwicklung selbstverantwortlich tätig. Gleichzeitig kommt es mit dem Aufstieg des bewußten Handelns zu Akten der Befreiung und zur Bildung von menschlichen Gruppen und Stämmen und deren Zusammenwachsen zu Völkern und Nationen. Dieser Prozeß vollzieht sich beispielhaft in der Entstehung des *jüdischen Volkes*, das aus der ägyptischen Knechtschaft befreit wurde und das Gott im (alten) Bund zu einer Einheit als Volk verbunden hat. Vergleichbare Entwicklungen mögen bei anderen Völkern zu beobachten sein(wenn auch nicht so bewußt wie bei Israel).

Die Geschichte Gottes mit der Welt gewinnt dann im *Wirken Jesu von Nazareth* einen *Höhepunkt*, der alle bisherigen Begrenzungen überwindet und eine *endgültige Offenbarung und Aufdeckung der Herrschaft Gottes* (im eschatologischen Sinne) einleitet. Jesus von Nazareth macht neben der radikalen Mündigkeit die Brüderlichkeit und Solidarisierung nicht nur seines Volkes, sondern aller Menschen zum Gegenstand seiner Lehre und verwirklicht sie im Selbsteinsatz (so *Bloch*). Auch hier ist freilich keine nahtlose und gradlinige Entwicklung zu freiem und solidarischem Gemeinschaftsverhalten und damit zur Aufhebung der bestehenden Entfremdungen festzustellen. Jesus von Nazareth stößt auf Widerstand, er wird verfolgt und zuletzt von seinen Gegnern umgebracht. Seinem Tod folgt jedoch, zunächst in den Augen seiner Jünger, die Bestätigung seines Wirkens durch Gott, seine Erhöhung zu Macht und Wirkkraft und die unwiderrufliche und definitive Konstituierung der kommenden Herrschaft Gottes in Jesu Sinne. Durch die Sendung der

Jünger und die Verfassung der Jesus nachfolgenden universalen Menschengemeinschaft wird der Prozeß der vollen Offenbarung des Reichs Gottes nunmehr weiter vorangetrieben. Dieser entfaltet sich in den folgenden Jahrhunderten in der Ausgestaltung des Christentums, daneben in gewissen Formen des Judentums sowie schließlich in säkularisierten Fortbildungen beider wie etwa dem Sozialismus. Alle diese Bewegungen erweisen, wenn auch oft verhüllt, die mit letzter Macht heraufziehende Herrschaft und Offenbarung Gottes in der unaufhaltsam fortschreitenden Entwicklung ihrer Lehre und Praxis, unter Umständen aber auch wieder in revolutionären Umbrüchen, die zeitweilig noch zu neuen Entfremdungen und katastrophenhaften Zuspitzungen führen können.
Danach kann man sagen: In der gesamten dargestellten Entwicklung von den Anfängen der Materie bis zur Sozialisation des Menschen und seiner Verbindung wird (nach *Teilhard de Chardin*) ein durchgehender Trend, eine aufsteigende Linie erkennbar. Diese macht sich in zunehmender Komplexität und Differenzierung sowie Agglomeration (Zusammenballung) und letztlich Konvergenz in einem zukünftigen universalen und globalen Zentrum geltend. Dieses umfassende Zentrum, das *Teilhard* den ›Punkt Omega‹ nennt, ist durch seine Überpersonalität gekennzeichnet, in der die Personalität aller gesammelt und bewahrt wird[136].
Zu einem ähnlichen Ergebnis wie diesem, das von einem naturwissenschaftlichen Ausgangspunkt her gewonnen wurde, kommt *Bloch* aus der Betrachtung der Geschichte von Mensch und Welt. Bloch sieht als eigentliches Sein das an, was noch nicht ist, was im Kern der Dinge nach sich selbst treibt und in der verborgenen Tendenz des Prozesses seine Genese (Erschaffung) erwartet. Ziel und Inhalt dieses »Prinzips Hoffnung«, welche auch durchaus enttäuschbar ist, ist die unentfremdete Identität des Menschen mit sich selbst und seines in Heimat verwandelten Planeten[137].

In der Auffassung beider Denker kann das *tiefere Wesen* der bezeichneten *Offenbarung* und *Ausprägung* der *ewigen Herrschaft Gottes* in der *prozeßhaften Entwicklung der Welt* bis zu ihrer *Vollendung im kommenden Reich Gottes* verständlich werden, wenn auch Einzelheiten vielfach umstritten sind:
Diese Offenbarung ist die *fortschreitende Aufdeckung* und *Herausschälung* des *eigentlichen Ziels und Kerns* der (ewigen) *Führung Gottes, bis diese endlich in der eschatologischen Gottesherrschaft voll offengelegt* und *ausgeformt* ist. Diese Führung Gottes bezieht sich auf die Menschen und die Welt, an denen sich auch ihr Kern und letzter Zweck enthüllt. Dieses schließliche Ziel, dieses Herzstück der im Kommen begriffenen Herrschaft Gottes kann als eigentliche Menschwerdung in einer menschenfreundlichen Welt angedeutet werden (*Teilhard de Chardin:* ›Per-

136 Teilhard de Chardin, Mensch, 243ff(267).
137 Bloch, Auswahl, 170ff(172).

sonalität in der Überpersonalität‹, *Bloch:* ›Unentfremdete Identität in der heimatlichen Welt‹ oder mythologisch: ein neues ›Paradies‹ auf höherer Stufe [Lk 23,43]). Was damit im einzelnen gemeint ist und ob es sich um ein der Geschichte immanentes oder sie transzendierendes Ziel handelt, das soll jedoch erst in den nächsten Kapiteln behandelt werden.

IV

Das Reich Gottes als Endziel

1 Das Reich Gottes in Gegenwart und Zukunft

Nachdem wir in den letzten Kapiteln dem Prozeß zum Reich Gottes nachgegangen sind und im einzelnen überlegt haben, wie im Trachten nach dieser neuen Ordnung der Freiheit und Solidarität ein tatsächliches Kommen und Hereinbrechen der Gottesherrschaft erfolgt, müssen wir in den folgenden Abschnitten fragen, wie sich dieses endzeitliche Reich Gottes nun als solches näher darstellt. Es ist zu erwägen, was das Reich Gottes für den heutigen Menschen *inhaltlich* bedeutet. Weiter ist zu klären, welchen Inhalt es für den Menschen in der Zukunft hat. Es ist zu überlegen, ob die Gottesherrschaft jetzt schon faktisch oder zumindest zeichenhaft verwirklicht ist oder ob sie erst in der Zukunft eingerichtet wird. Ist sie ein Ereignis in dieser Welt, das festgestellt und verifiziert werden kann? Oder greift sie erst in einem Jenseits Platz? Ist die Herrschaft Gottes vorwiegend eine Sache der Innerlichkeit oder der exklusiven Gemeinschaftlichkeit? Oder ist sie mehr eine soziale und universale Größe? Der zentrale Inhalt des Reichs Gottes oder der Gottesherrschaft ist somit jetzt zu bedenken und damit auch die Frage nach dem eigentlichen *Endziel* dieses Königtums Gottes.

1.1
Gegenwart und Zukunft der Gottesherrschaft im allgemeinen

Es kann zunächst nicht übersehen werden, daß einerseits die Welt trotz der Verheißung Gottes noch Welt, der Mensch trotz ihrer noch Mensch geblieben ist, in seinem Elend. Aber ebensowenig darf geleugnet werden: Die Signale des Aufbruchs sind schon hörbar. Der Trend zum Umbruch ist nicht zu übersehen. Der Mensch und die Welt sind bereits im Exodus zum Reich Gottes hin.

Im besonderen hat Jesus in seinem Leben und Wirken entscheidende neue Zeichen und Entwicklungslinien gesetzt und in Kreuz und Auferstehung zur Geltung gebracht. Diese sind auch heute erkennbar und werden es weiter sein, bis sie einmal zum vollen Durchbruch kommen werden. Körperlich und geistig Kranke sind durch Jesus gesund geworden. Er hat Hungrige gespeist. Arme, Notleidende und Verstoßene hat er gestärkt und in die Gesellschaft zurückgeführt. Die Macht selbst des Todes ist durch Jesus zeichenhaft gebrochen worden. Heute sind die Geißeln der Menschheit, die großen Seuchen, von bedeutenden Ärzten in großem Umfang besiegt worden. Wahnleiden und seelische Krankheiten sind jedenfalls zurückgedrängt. Auch die Bürde der Arbeit ist verringert. Dagegen quälen Armut, Hunger und vielerlei äußere und innere Not noch immer große Teile der Menschheit, die ihnen bis zum Tode ausgeliefert sind, dessen letztliche Überwindung noch ferne ist (*leiblich-seelische Entfremdung*, s.S. 11).

Jesus hat den Menschen ihre Schuld vergeben und vom Richten Abstand genommen. Er hat auf Herrschaft und Zwang verzichtet. Er hat den Menschen statt dessen Solidarität, Brüderlichkeit und Gemeinschaft entgegengebracht und damit vielfältig als Vorbild gewirkt. Viele Menschen sind bis auf den heutigen Tag vom Verhalten der Aggression und Zerstörungssucht zur Mitmenschlichkeit gewandelt worden. Auch soziale Ungerechtigkeiten und unnötige Herrschaft sind in gewissem Umfang beseitigt worden, wenn auch nicht unbedingt im Namen Jesu, so doch unter dem Einfluß auch seines Wirkens. Beispielhaft sei hier für die Moderne auf Politiker wie *Mahatma Gandhi* und *Martin Luther King* verwiesen, die in gewaltfreier Aktion Freiheit und Solidarität in ihrer Umwelt verwirklicht haben. Auch hier muß jedoch betont werden, daß noch viel zu tun bleibt. Undemokratische Herrschaft und Gewalt sind noch weit verbreitet. Die Todesstrafe ist noch nicht überall abgeschafft. Die Schrecken von Krieg und Völkermord sind noch immer nicht besiegt (*ethische Entfremdung*).

Jesus hat schließlich vielen Menschen zur Überwindung der Leere ihres Lebens und zu einem wahrhaftigen und bewußten Dasein verholfen. Auch in der Folge haben bis heute große Erzieher zahlreiche Menschen von Unwissenheit, Verdummung und Aberglaube befreit. Vielfach ist Aufklärung an ihre Stelle getreten. Andererseits gibt es auch in großem Umfang sowohl Analphabetentum als auch fehlgeleitete Bildung; diese erschöpft sich oft in bloßem Zweifel und in Verneinung bis hin zum Selbstmord. Die eigentliche Sinngebung des Lebens ist noch in weitem Umfange unbekannt (*geistige Entfremdung*, nach *Tillich*). Auch hier kann nicht verschwiegen werden, daß im Namen Jesu auch in großem Maße der Befreiung aus der Entfremdung entgegengewirkt worden ist, jedoch beruhte solches Verhalten nicht auf der recht verstandenen Verkündigung Jesu, sondern dem Mißbrauch seines Namens. Überhaupt muß in diesem Zusammenhang wieder betont werden, daß es nicht auf den wie auch immer gearteten Gebrauch des Namens Jesu oder auch Gottes ankommt, sondern derjenige eigentlich in seinem Namen wirkt, ihn »vor den Menschen bekennt« (Lk 12,8 Par), der, wenn auch oft unbewußt, für seine Sache einsteht[138].

138 S. Braun, Jesus, 65.66 (»[Lk 12,8.9] meint darum mit ›bekennen‹ und ›verleugnen‹ nicht die Annahme oder Ablehnung einer bestimmten Würdestellung und Titulatur Jesu,

Die Gottesherrschaft, das Reich Gottes ist somit *im Ansatz* und *in der Tendenz* bereits *Wirklichkeit* geworden. Das Neue Sein ist *zeichenhaft* und *insgeheim* schon *jetzt gekommen*. Der Menschensohn ist in Jesus bereits verhüllt auf Erden erschienen. Anders ausgedrückt: Das Eschaton, die Endzeit ist in der Gegenwart schon angebrochen und zu den Menschen gelangt[139].

Das entspricht der *Verkündigung Jesu* (diese geht hier ebenfalls über die Vorstellungen des zeitgenössischen, besonders apokalyptischen Judentums hinaus, das einen derartigen Einbruch der Endzeit in die Gegenwart nicht kannte):

In Lk 4,16–21 »stand Jesus (in der Synagoge von Nazareth) auf, um vorzulesen« und »er fand die Stelle« in Jes 61,1–2, in der den »Armen«, »Gefangenen«, »Blinden« und »Zerschlagenen« »ein Gnadenjahr des Herrn« verheißen wird. Er begann zu predigen und sagte seinen Zuhörern: »Heute ist dieses Schriftwort erfüllt vor euren Ohren!« Den Jüngern Johannes des Täufers antwortete er bei einer anderen Gelegenheit auf ihre Frage: »Bist du es, der da kommen soll (also der Menschensohn-Messias nach Dan 7,13 und Sach 9,9) oder sollen wir auf einen anderen warten?« wie folgt, ebenfalls unter Benutzung alttestamentlicher Vorstellungen von der messianischen Zeit: »Geht hin und berichtet dem Johannes, was ihr hört und seht: Blinde werden sehend und Lahme gehen, Aussätzige werden rein und Taube hören, Tote werden auferweckt und Armen wird die frohe Botschaft gebracht,

sondern den Ernst des Gehorsams gegenüber dem, was Jesus von dem Hörer fordert«); a.M. Conzelmann, Theologie, 155.156.

139 Über die Frage der Gegenwärtigkeit oder Zukünftigkeit des von Jesus verkündeten Reichs Gottes im eschatologischen Sinn ist viel gestritten worden. Für eine streng futurische Betrachtungsweise sprechen sich Schweitzer, Leben Jesu, 415ff, und seine Schüler sowie Niederwimmer, Jesus, 37 Anm. 15, aus (›Konsequente Eschatologie‹). Diese wird modifiziert durch Dibelius, Jesus, 56, im Anschluß an Weiß, Reich Gottes, 95ff, die lediglich eine verborgene Gegenwart des Reichs Gottes gelten lassen, die in Zeichen sichtbar werden kann. Dem verwandt ist die Auffassung, die von Bultmann, Jesus, 38ff; ähnlich Bornkamm, Jesus, 84ff, vertreten wird; danach ist die Gottesherrschaft zwar Zukunft, doch sie bestimmt die Gegenwart insofern, als sie den Menschen in die Entscheidung stellt; s. ferner Braun, Jesus, 61; Conzelmann, Theologie, 133 (›Existentiale Eschatologie‹). In diese Richtung geht auch die ›transzendentale‹ Lehre von der Endzeit; sie ist (zeitweilig) von Barth und von Althaus, RGG[2] (Reich Gottes), 1822ff bejaht worden; danach ist das Reich Gottes »überweltlich« und »übermenschlich«, es wird gegenwärtig nur »in kämpferischer Buße und sehnsüchtiger Hoffnung«. Eine ›sich realisierende Eschatologie‹, die der hier dargestellten weitgehend entspricht, behaupten Jeremias, Theologie, 107 (»Die Weltvollendung ist im Anbruch, jetzt schon«); ähnlich schon Otto, Reich Gottes, 90ff; weiter Kümmel, Verheißung, 133ff, der ebenfalls das »Nahen« und die »Gegenwart« der Gottesherrschaft spannungsvoll miteinander verbindet; Schnackenburg, Gottes Herrschaft, 88; Flusser, Jesus, 87; Käsemann, Versuche I, 212, sowie die ›heilsgeschichtliche‹ Auffassung von Cullmann, Christologie, 333ff. Bemerkenswert ist auch die ›politische Eschatologie‹ etwa von Bartsch, Jesus, 106 (»Jesus proklamiert diese Zukunft nicht nur als unmittelbar bevorstehend, sondern er verwirklicht sie beispielhaft in seinem eigenen Verhalten, in seinen Beziehungen zu denen, die die Freiheit nicht kennen«). Eine stark präsentische Betrachtungsweise hat schließlich Dodd, Mann, 122, wonach Jesu »Erklärung« charakteristisch sei, »daß das Reich da ist«; dgl. vertreten andere angelsächsische Forscher diese ›realisierte Eschatologie‹; ähnlich aber auch Stauffer, Jesus, 118. S. schließlich die Übersicht von Klappert, ThBL (Reich Gottes), 1031ff.

und selig ist, wer an mir keinen Anstoß nimmt« (Mt 11,2–6 Par). Zu seinen Jüngern sagte Jesus in Lk 10,23–24 Par: »Selig sind die Augen, die sehen, was ihr seht; denn ich sage euch: Viele Propheten und Könige haben zu sehen gewünscht, was ihr seht, und haben nicht gesehen, und zu hören gewünscht, was ihr hört, und haben es nicht gehört.« Am markantesten wird der gegenwärtige Anbruch des Reichs Gottes charakterisiert durch die alten und gut gesicherten Logien Jesu in Lk 11,20 Par: »Wenn ich dagegen durch den Finger Gottes (in der Matthäus-Par heißt es: »durch den Geist Gottes«) die Dämonen austreibe, so ist ja das Reich Gottes zu euch gekommen« sowie in Lk 17,21 Par EvThom 3.113: »Denn seht, das Reich Gottes ist in eurer Mitte« (s. noch ähnlich Mt 11,12 Par, S. 163). Mit dem Logion in Lk 17,21 wird die Gegenwart der Gottesherrschaft auch in den Jüngern Jesu und ihrer Nachfolge angedeutet, vgl. dazu ferner Lk 10,9–11 Par in Verbindung mit 10,17.18, die Bezug nehmen auf die Heilungen und die Reich-Gottes-Verkündigung der Jünger[140].

Weiter sei darauf hingewiesen, daß Jesus bestimmte *bildliche* Umschreibungen der Königsherrschaft Gottes und auch seiner Person als deren Schlüsselfigur bereits für die Jetztzeit verwendet:

Der »Menschensohn«, der ja eigentlich erst in der Vollendung des Gottesreichs erscheinen soll, »vergibt« schon heute vollmächtig »Sünden«. Er ist »Herr über den Sabbat« und wird als »Fresser und Weinsäufer«, »Freund der Zöllner und Sünder« beschimpft (s. Mk 2,10; 2,28; Mt 11,19; alle Par). Das »große Hochzeitsmahl« findet schon jetzt statt, so daß »die Hochzeitsleute nicht fasten können« (Mk 2,19 Par) und auch die »Ernte« ist jetzt bereits da (Mt 9,37 Par); »die Felder sind« – nach Joh 4,35 – »weiß zur Ernte«.

Schließlich ergibt sich auch aus gewissen *Gleichnissen* Jesu, daß dieser die Gottesherrschaft bereits als gegenwärtig angebrochen ansieht (so *Jeremias*)[141].

Jesus hat durch diese Gleichnisse sein praktisches Verhalten, mit dem er das Reich Gottes im Ansatz und chiffrehaft verwirklichte, gegenüber Pharisäern und Schriftgelehrten gerechtfertigt und dabei hervorgehoben, daß dieses Tun eine gegenwärtige Aktualisierung der übergreifenden Herrschaft und Vergebung Gottes gegenüber Rechtsbrechern und Dirnen darstelle, die auch schon hier und jetzt wirksam werde. So will er mit dem Gleichnis vom verlorenen Schaf und vom verlorenen Groschen (vgl. Lk 15,4–7 Par und 8–10) auch deutlich machen, daß bereits jetzt der Hirte »dem verlorenen Schaf nachgeht« und heute schon die Frau »den verlorenen Groschen mit Fleiß sucht, bis sie ihn findet«. Desgleichen nimmt der Vater schon jetzt den »verlorenen Sohn« in seinem Vaterhaus auf (Lk 15,11–32). Nach dem Gleichnis von den zwei Schuldnern (s. Lk 7,41–43) wird der Geldverleiher nicht erst in weiter Zukunft den Schuldnern ihre Schulden erlassen, und das

140 S. Schnackenburg, Gottes Herrschaft, 95, der von einer Ausdehnung des Einbruchs der Gottesherrschaft »auch auf das Wirken der Jünger« spricht; Jeremias, Theologie, 222 (»Die Königsherrschaft realisiert sich durch die Verkündigung der Frohbotschaft in Wort und Tat. Diese Verkündigung vollzieht Jesus nicht allein, sondern er stellt neben sich die Boten des Evangeliums«); ferner Gloege, Reich Gottes, 126 (»Auch im Wunderwirken der Jünger hat Jesus die siegreich in Kraft stehende Gegenwart der Gottesherrschaft erkannt: der Satan ist gestürzt. Gott sitzt im Regiment«).
141 Vgl. Jeremias, Gleichnisse, 84ff.152; ähnlich Goppelt, Theologie, 115ff.

Gleichnis von den Arbeitern im Weinberg (Mt 20,1–15) spricht aus, daß schon heute die Abrechnung beginnt, bei der allen Arbeitern voller und gleicher Lohn ausgezahlt werden soll.
Eine Besonderheit stellt die Beispielerzählung vom Pharisäer und Zöllner dar (Lk 18,9–14a; ähnlich Lk 16,15). Hier erklärt Jesus den betrügerischen Zolleinnehmer, der das Bauen auf die eigene sittliche Leistung sein läßt und nur auf Gottes Macht vertraut, für »gerechtfertigt« (eigentlich: gerechtgesprochen), dagegen nicht den selbstgefälligen und auf das Gesetz pochenden Pharisäer. Damit zeigt sich hier auch die allerdings begrenzte Bedeutung der später von Paulus wesentlich stärker betonten Rechtfertigung des Menschen hier und jetzt. Dieser ist dann *»gerechtfertigt«*, d.h. auf den rechten (richtigen) Weg zur Gottesherrschaft geführt, wenn er nicht im Vertrauen auf die eigene Leistung, sondern auf Gottes Kraft nach seinem Reich strebt.

Nach alledem ist in Jesu Leben und Wirken die anbruchhafte Gegenwart des Reichs Gottes begründet und hergestellt. *Schon jetzt* wird damit die *Befreiung von Menschen und Welt zeichenhaft aufgerichtet. Ihre Heilung und Sinnerfüllung* wird *Wirklichkeit,* wenn auch nur geheimnisvoll und unter Kämpfen und Verfolgung (Mt 11,12; Mk 10,30 u.a.).

Diese Gegenwart der Königsherrschaft Gottes sollte auch mit Jesu Tode keineswegs aufhören, sondern vielmehr voranschreiten. Sie ist auch tatsächlich durch ihn entscheidend und unwiderruflich vorwärtsgekommen und hat eine universale Umwälzung und Neuwerdung eingeleitet. Diese wird, wie schon näher gezeigt, in den mythologisch beschriebenen Ereignissen der Auferstehung, Himmelfahrt und Erhöhung Jesu zur Rechten Gottes ausgesagt und bestätigt (vgl. S. 89,90). Sie wird konkret wirksam in der Ausgießung des heiligen Geistes zu Pfingsten (S. 96). Diese Geschehnisse haben unwiderruflich die Herrschaft Jesu neben derjenigen Gottes auf der Erde errichtet, und zwar, da Jesus nicht mehr körperlich auf ihr wirkt, in seiner geistigen Gegenwart und Wirkkraft. Diese macht sich in der Sendung seiner Jünger geltend und zeigt sich in ihrer Verkündigung und ihren Machttaten. Sie wird realisiert in der Entfaltung seiner Menschengemeinschaft und schließlich der Neuwerdung der ganzen Welt. Damit führt der erhöhte Jesus nunmehr neben Gott das globale Reich herauf, bis es sich in seiner Vollendung und in der Ankunft des Menschensohns abschließend konstituiert.

Diese Anschauung findet ebenfalls noch Anhalt an der Predigt Jesu. Überliefert ist insoweit das Logion Jesu in Mt 18,20: »Wo zwei oder drei in meinem Namen versammelt sind, da bin ich mitten unter ihnen« (freilich str.). Dem Auferstandenen ist dagegen das Wort Mt 28,18–20 zuzurechnen: »Mir ist gegeben alle Gewalt im Himmel und auf Erden . . . Und seht, ich bin bei euch alle Tage bis an das Ende der Welt.« Das apokryphe Wort Jesu in Papyros Oxyrhynchos 1 Ziffer 5 Par EvThom 30.77 ist zumindest gut bezeugt: »Wo einer allein ist, da bin ich bei ihm. Richte den Stein auf und du wirst mich finden, spalte das Holz und ich bin da!«

Jesu Gegenwart und die Königsherrschaft Gottes sollen sich ganz *besonders* im *Wirken seiner Jünger* und der *befreienden Tätigkeit und Ordnung seiner Heilsgemeinde* zeigen[142]. An ihnen wird sich das immer weiter fortschreitende Kommen des Reichs Gottes erweisen und verwirklichen, bis hin zur Erneuerung aller Menschen, der ganzen Welt.

So sagt Jesus in der Stelle Lk 10,16: »Wer euch (d.h. die Jünger) hört, der hört mich, und wer euch verwirft, der verwirft mich« und in dem ähnlichen Wort Mt 10,40: »Wer euch aufnimmt, der nimmt mich auf«, s. entsprechend noch Joh 13,20 – jeweils auch mit Bezug auf »den (Gott), der mich gesandt hat«. Jesus verbindet schließlich seine Jünger beim Abendmahl und sagt ihnen seine Gegenwart und das Kommen des Reichs Gottes zu, wenn er das Brot und den Kelch unter ihnen verteilt und sie darauf hinweist: »Das ist mein Leib (= das bin ich)« und »Dieser Kelch ist der neue Bund in meinem Blut, das für euch (nach Mk wohl ursprünglicher: »für die Vielen«) vergossen wird« (Lk 22,20 Par; str.; s.S. 138).

Mit seiner *ganzen Fülle* und »*Macht*« (Mk 9,1) ist das Reich Gottes jedoch *noch keineswegs gegenwärtig,* damit soll es erst *in der Zukunft Wirklichkeit* werden. Die *Vollendung* der Herrschaft Gottes und seiner Zuwendung an die Menschen *steht noch aus.* Die erfüllten »Tage des Menschensohns« sollen erst noch kommen (Lk 17,22). Auf diese letzte Verwirklichung des Reichs Gottes in seiner Herrlichkeit warten wir. Wir erhoffen diese abschließende Befreiung von Mensch und Welt und streben nach ihr mit besten Kräften[143].

Auf dieser Aussage liegt noch mehr Gewicht als auf der Betonung der Gegenwart des Reichs, die Zeichen, Beginn und Vorwegnahme von dessen Zukunft ist. Der futurische Charakter der Gottesherrschaft durchzieht die gesamte Verkündigung Jesu und wird im folgenden noch näher darzustellen sein. Das betrifft einerseits die Worte, nach denen die Königsherrschaft Gottes in Zukunft »kommen« möge bzw. werde (typisch z.B. Mt 6,10 Par: »Dein Reich komme!«; ferner Mk 9,1; Lk 22,18 Par u.ä.). Andererseits zeigen dies auch die Worte, daß die »Erwählten« in das Reich Gottes künftig »eingehen« oder es »ererben« werden bzw. die anderen Gefahr laufen, nicht hineinzukommen (hier ist kennzeichnend z.B. Mk 10,23 Par: »Wie schwer werden die Begüterten in das Reich Gottes kommen (eingehen)!«; ferner S. 34 und Mt 25,34 usw.). Futurisch sind schließlich auch die Worte, nach denen Gott das Reich »geben« oder »stiften« (vermachen) wird (s.S. 108), nach denen es bestimmten Menschen »gehört« o.ä. (S. 23) oder nach denen darum zu »ringen« und danach zu »trachten« ist (so S. 110).

Alle diese Verheißungen auf das letzte Kommen des Reichs Gottes be-

142 S. Jeremias, Theologie, 228.229; weitergehend Schnackenburg, Gottes Herrschaft, 159.160; ablehnend Kümmel, Theologie, 34.

143 Zu dieser Spannung zwischen Gegenwarts- und Zukunftsaussagen, s. Anm. 139 mit dem Votum für die ›sich realisierende Eschatologie‹. Diese Auffassung unterstützt auch die entsprechende Interpretation des Verhältnisses zwischen präsentischen und futurischen Menschensohn-Worten, s. Anm. 72; vgl. dazu auch Beißer, Reich Gottes, 57.58.

gründen freilich, wie schon auf S. 20f ausführlich behandelt und mit Zitaten belegt worden ist, *kein bestimmtes Wissen* und *keine Sicherheit* in bezug auf *die näheren* und *besonders die zeitlichen Umstände der Ankunft der Gottesherrschaft.* Sie erzeugen also insbesondere keine Kenntnis davon, wann genau, wie und in welcher Weise im einzelnen das Reich Gottes kommen wird. Alle menschlichen Vorstellungen davon werden von Jesus relativiert und als mythologisch herausgestellt[144]. Die Menschen sollen vielmehr nach Jesu Meinung praktisch in Richtung auf das Reich Gottes hin handeln und das übrige allein Gott und seiner Bestimmung überlassen. (Auch hier liegt wiederum eine Abweichung gegenüber dem zeitgenössischen Judentum vor, das vielfach fantastische und spekulative Vorstellungen über das Kommen des Reichs Gottes und seine näheren zeitlichen und sonstigen Umstände entwickelt und sich damit abzusichern gesucht hat.)

1.2
Das baldige und das plötzliche und unerwartete Kommen des Reichs insbesondere

Nach der Predigt Jesu dürfen wir nicht nur mit dem zukünftigen Kommen des vollendeten Gottesreichs, sondern durchaus auch mit seinem *nahen Hereinbrechen* rechnen. Ja, Jesus verkündigt sogar das baldige Anbrechen der Gottesherrschaft und läßt sich praktisch darauf ein.

Wir stoßen hier auf eine vielschichtige Problematik. Wir müssen daher verschiedene Ebenen dieser Aussage untersuchen. Zunächst ist hiermit nur ganz allgemein gesagt: Die Vollendung der Gottesherrschaft ist *nahe zu den Menschen gekommen.* Sie *soll uns angehen* und *will uns ergreifen.* Vom Menschen aus gesehen kann man auch formulieren: Die Vollendung des Reichs Gottes *gehört schon in den Bereich unseres Wirkens.* Sie befindet sich in unserer Sicht- und Reichweite[145]. Die Herrlichkeit des Königtums Gottes ist danach nicht mehr in fernen Himmeln. Sie rückt mit ihren Kräften in den irdischen Raum und kann von uns angegangen werden, wir dürfen an der großen Umwälzung dieses Reichs mitarbeiten.

144 S. Anm. 4. Mit diesem Hinweis soll nicht bestritten werden, daß Jesus in gewissem Umfang noch mythologische Vorstellungen von der Vollendung der Gottesherrschaft hatte (vgl. die synoptischen Apokalypsen, Mk 13 Par) und auch ihre Gegenwart als etwas Wunderhaftes ansah. Dennoch ist dies ein am Rande liegender Zug seines Wirkens. In zahlreichen Worten hat Jesus eine Entmythologisierung dieser Frage gefordert, die auch ein Weiterdenken auf diesem Gebiet ermöglicht.

145 Vgl. bes. Conzelmann, Theologie, 129. Er betont zutreffend, daß die Naherwartung »zunächst« und in erster Linie bedeutet, daß das Reich Gottes »räumlich nahe« ist, »dann« erst, daß es »zeitlich nahe« ist. Auch Wenz, Reich Gottes, 51ff, führt aus, daß »die Nähe des Reiches nicht unbedingt nur im zeitlichen Sinne verstanden werden« muß. Es handelt sich freilich nicht um ein zu allen Zeiten gleiches Nahesein, sondern um einen dynamischen Prozeß des Herannahens, Hereinbrechens, der räumliche und zeitliche Dimensionen enthält.

Das ist insbesondere der Sinn der zahlreichen *Worte* Jesu, die vom »Nahen« der Königsherrschaft Gottes handeln und mit Rücksicht darauf zur Umkehr und Wende zu einem neuen Leben aufrufen. »Kehrt um, denn das Himmelreich ist nahe herbeigekommen!« (Mt 4,17 Par Mk 1,15) – so lautet die *programmatische Zusammenfassung der Freudenbotschaft Jesu*, seines gesamten Evangeliums. Jesus hat auch die von ihm ausgesandten 12 Jünger beauftragt, das »Nahen« des Himmelreichs zu verkündigen (Mt 10,7). Zu anderen, vielleicht 70 Jüngern hat er ebenfalls gesagt: »Heilt die Kranken, die darin (in den Städten) sind, und sagt ihnen: Das Reich Gottes ist nahe zu euch gekommen!« (Lk 10,9) und wenn eine Stadt sie nicht aufnahm, sollten sie sprechen: »Ihr sollt wissen, daß das Reich Gottes euch nahe gewesen ist« (Lk 10,11).
Vom Menschen aus, der mit seinem Verhalten der Gottesherrschaft nahe gekommen ist, spricht Jesus, wenn er zu dem Schriftgelehrten sagt, der die Liebe dem Kult-Opfer voranstellte: »Du bist nicht ferne vom Reich Gottes« (Mk 12,34). Allgemeiner ist von Nähe und Ferne zur Herrschaft Gottes in EvThom 82 die Rede: »Wer mir nahe ist, ist dem Feuer nahe, und wer mir fern ist, ist fern vom Reich.«
Jesus hat auch in *symbolischen Wendungen* und *Gleichnissen* vom Nahen des Reichs Gottes gesprochen.

So hat er in dem Bildwort vom sprossenden Feigenbaum (Mk 13,28.29 Par) das Herannahen der Gottesherrschaft mit dem Grünen des Feigenbaums verglichen. Wie man daran merkt, daß der Sommer im Anzug ist, so sollen auch die Jünger an bestimmten Zeichen erkennen, daß er (d.h. der Menschensohn oder in der Lk-Par das Reich Gottes) »nahe vor der Tür« ist.
Auch das Gleichnis vom Gang zum Richter (Lk 12,58.59 Par) geht von der Nähe der Königsherrschaft Gottes aus, die hier als Gericht gesehen wird. Jesus fordert darin die Menschen auf, auch wenn sie schon auf dem Wege zur Verhandlung mit ihrem Prozeßgegner seien, sich schnell noch gütlich zu einigen, damit sie nicht etwa von dem Richter verhaftet und ins Gefängnis gesetzt würden. Das Gleichnis vom ungerechten Haushalter in Lk 16,1–9 ist ebenfalls von dem in Kürze hereinbrechenden Reich Gottes geprägt. Hier empfiehlt Jesus dem Haushalter, damit er vor seinem Herrn bestehe und in die »ewigen Hütten« aufgenommen werde, sich »mit dem ungerechten Mammon Freunde zu machen« und insbesondere noch »schnell« die Schuldner des Herrn ihre Schuldscheine umschreiben zu lassen.

In einer Reihe besonders markanter, im wesentlichen auch authentischer Logien Jesu ist das nahe Hereinbrechen des Reichs Gottes in besonderer Weise zu verstehen. Es ist deutlicher als bisher prononciert und noch stärker zugespitzt. Es ist nicht nur in räumlicher Beziehung betont, sondern auch in *zeitlicher* Hinsicht so *verschärft*, daß es scheint, als solle die Generation Jesu sein Kommen noch erleben (sogenannte *gesteigerte Naherwartung*)[146].

146 Die zeitlich zugespitzte Naherwartung hält die überwiegende Meinung für authentisch, im Anschluß an Schweitzer, Leben Jesu, 413ff. Ausführlich Braun, Jesus, 53ff(59);

So heißt es in Mk 9,1: »Wahrlich, ich sage euch: Unter denen, die hier stehen, sind einige, die den Tod nicht schmecken werden, bis sie gesehen haben, daß das Reich Gottes mit Macht gekommen ist« (vgl. auch die Par in Lk 9,27, die – wahrscheinlich sekundär – abschwächt: »bis sie das Reich Gottes gesehen haben« und in Mt 16,28, die – ebenfalls umgestaltend – auf das »Kommen des Menschensohns mit seiner Königsherrschaft abstellt)[147]. In Mk 13,30 Par betont Jesus nach Schilderung der Ankunft des Menschensohns: »Wahrlich, ich sage euch: Dieses Geschlecht wird nicht vergehen, bis dies alles geschehen sein wird!« In die Reihe dieser Worte gehört auch Mt 10,23: »Wenn sie euch (die Jünger) aber verfolgen in dieser Stadt, so flieht in eine andere. Denn wahrlich, ich sage euch: Ihr werdet mit den Städten Israels nicht zu Ende kommen, bis der Sohn des Menschen kommt.« Weiter ist in diesem Zusammenhang ein Gerichtswort zu nennen, nämlich Lk 11,51 Par, wo es von dem Blut der Propheten, das »seit Erschaffung der Welt vergossen worden« sei, heißt: »Ja, ich sage euch: Es wird von diesem Geschlecht gefordert werden.«
Schließlich scheint in einem Wort Jesu das Kommen der Gottesherrschaft sogar so nahe gerückt zu sein, daß ihre Erwartung bis zum Siedepunkt gesteigert wirkt: In Lk 22,16.18 (ähnlich Mk 14,25 Par) gelobt Jesus enthusiastisch: »Denn ich sage euch (Mk: Wahrlich, ich sage euch): Ich werde es (das Mahl mit den Jüngern) hinfort nicht mehr essen, bis es in seiner Vollendung gefeiert wird im Reich Gottes . . . Ich werde von jetzt an vom Gewächs des Weinstocks nicht mehr trinken, bis das Reich Gottes gekommen ist.«[148]

Bei diesen letzten Worten der drängenden Naherwartung ist zwar nicht völlig unstreitig, ob damit tatsächlich das Kommen des Reichs Gottes in Vollendung und die letzte Ankunft des Menschensohns angesprochen ist oder nicht vielleicht das zeichenhafte Hereinbrechen des Reichs, das bereits mit Kreuz und Erhöhung Jesu gegeben ist (vgl. S. 96)[149]. Nach dem Wortlaut und Sinn der Logien ist freilich sehr wahrscheinlich (und die ganz überwiegende Meinung der Forscher), daß das erstere gemeint ist. Sie betreffen offenbar das bevorstehende Kommen der Gottesherrschaft mit letzter »Macht« und Fülle. Man darf sogar annehmen, daß die *baldige Erwartung des vollendeten Königreichs Gottes* und des Menschensohns in seiner Mitte die eigentliche *historische Aktualität der Predigt Jesu* und ihre besondere Relevanz für seine Zeitgenossen ausmachte.
Um diese gesteigerte Naherwartung nicht mißzuverstehen, ist jedoch folgendes zu bemerken:

Jeremias, Theologie, 132ff(139); Kümmel, Theologie, 30ff; Goppelt, Theologie, 107, u.v.m. *A.M.* Stauffer, Jesus, 117.118, der die Worte über die extreme Naherwartung einer Rejudaisierung der Evangelien zuschreibt, wobei aber nach der formgeschichtlichen Analyse eher das Gegenteil, nämlich eine spätere Abschwächung der Naherwartung vorliegen dürfte.

147 Authentisch, s. Jeremias, Theologie, 137; Kümmel, Theologie, 30 und Goppelt, Theologie, 107; a.M. Braun, Jesus, 60. Für die Echtheit des Logions sprechen jedoch seine gute Bezeugung und die Schwierigkeiten, die die christliche Gemeinde offenbar mit ihm hatte (s. die Par); dabei paßt ein solches Verheißungswort angesichts sich erhebender Zweifel am Kommen des Reiches durchaus in die vorösterliche Situation der Verfolgung und Anfechtung seit dem Auftreten des Täufers.

148 Vgl. zur Echtheit Bultmann, Jesus, 24 und Tradition, 285ff; Jeremias, Theologie, 138. S. auch Anm. 163.

149 Die letztere Ansicht wird praktisch kaum noch vertreten, vgl. Schnackenburg, Gottes Herrschaft, 141. Zur überwiegenden Meinung, s. die Zitate Anm. 146.

Jesus hat die *zeitliche* Bestimmung des Reichs Gottes zugleich insofern *relativiert*, als er betont hat, daß »niemand etwas über jenen Tag oder die Stunde« des Kommens der Gottesherrschaft »wisse«, »auch der Sohn nicht« (Mk 13,32). Damit hat er ausdrücklich klargestellt, daß die letzte Bestimmung über die Zeit der Gottesherrschaft allein Gott selbst obliegt und diese keinesfalls von Menschen berechnet werden kann. Hiermit verbunden ist sein Gedanke, daß auch die Menschen sich dem Reich Gottes zur Verfügung stellen müssen. Ohne diese Voraussetzung ist nicht auf das Kommen des Reichs Gottes in der vorgesehenen Gestalt zu rechnen (vgl. Mt 23,37b Par: ». . . und ihr habt nicht gewollt!«). Damit ist ebenfalls eine Unsicherheit berücksichtigt (s. auch S. 20, 21, 154). Zum Zweiten muß man betonen, daß Jesus mit den Worten über die verschärfte Naherwartung überhaupt *weniger* seine *Erkenntnis* von einer bestimmten Zeit des Nahens ausdrücken wollte – das wäre immer noch spekulativ gewesen. Vielmehr wollte er in begeisternder und anfeuernder, ja beschwörender Weise zur Umkehr und zum Tun des Willens Gottes aufrufen, *damit* das Reich Gottes bald komme. Es liegt somit in diesen Naherwartungssprüchen nicht so sehr eine Wissens-, sondern eine *Hoffens-* und *Begehrens-Aussage* (abgesehen von dem Gerichtswort, das mehr eine dringliche Warnung enthält, s. später). Das Reich Gottes wird damit von Jesus brennend herbeigehofft und -gedrängt, man kann fast sagen: es wird *herbeibeschworen*[150]. Jesus aktualisiert damit zündend die allgemeine Nähe der Gottesherrschaft und zieht sie umwälzend und richtungweisend in den Sturm seiner Verkündigung und Aktion hinein. Dieser Aspekt der genannten Logien entspricht sowohl der allgemeinen Tendenz der Predigt Jesu vom Trachten nach dem Reich Gottes und sogar dessen »Erstürmen« als auch hier besonders dem auffälligen und regelmäßigen Gebrauch der urtümlichen Schwur-Formel: »Wahrlich (= Amen), ich sage euch . . .!« und ähnlich[151].

150 Der erstere Aspekt wird besonders betont von Jeremias, Theologie, 139; nach ihm lehnt Jesus »apokalyptische Spekulationen« und »Terminangaben« auf schärfste ab; ähnlich auch Kümmel, Theologie, 30ff, der ebenfalls ausführt, daß es Jesus nicht auf den »Termin dieses Geschehens an sich« ankomme. Braun, Jesus, 60,61, zielt mehr auf den zweiten Gesichtspunkt ab (»Jesus will nicht über das nahe Ende belehren, er will angesichts des nahen Endes aufrufen«), ebenso andere Bultmannschüler. Braun kann allerdings nicht überzeugen, wenn er daneben die Predigt der Endnähe einfach als »Fehlrechnung« bezeichnet, ja er zerstört bedauerlicherweise letztlich jede Theologie der Hoffnung, da er die »Vorstellung« ganz untersagt, »dies Ende komme eben doch zeitlich irgendwann einmal«. Ausführlich über das Problem des »Irrtums« bei Jesus, s. Wenz, Reich Gottes, 36ff.51ff. 57ff, der sich gleichfalls entschieden gegen die Vorstellung von einem »Irrtum« Jesu wendet. Diese Art von Richtigstellung Jesu unterminiert in der Tat nicht nur die Eschatologie, sondern hat auch für die radikalisierte Ethik, die universal konzipierte Ekklesiologie und die Gotteslehre Jesu schlimme Folgen.

151 Zur Amen-Formel s. Jeremias, Theologie, 43; danach handelt es sich ursprünglich um »eine feierliche Formel, mit der der Israelit sich . . . eine Doxologie, eine Beschwörung, ein Segenswort, einen Fluch oder eine Verwünschung aneignete«. Hier dürfte der Schwerpunkt auf dem beschwörenden Charakter der genannten Logien liegen.

Bei dieser Auslegung hat Jesus die *Möglichkeit einer Verzögerung* der Gottesherrschaft *nicht ausgeschlossen* und damit auch ein Fehlgehen seiner Hoffnung in Betracht gezogen. Er hat jedoch dessen ungeachtet, dem zum Trotz zum Tun des Willens Gottes aufgerufen und mit aller Kraft unter seinem Vorangang auf das nahe und alsbaldige Kommen der Königsherrschaft Gottes hingedrängt und auf ihm bestanden.
Für diese Betrachtungsweise, die auch einen Verzug des Reichs Gottes ins Auge faßt, spricht noch eine Anzahl anderer Worte Jesu. Diese sind zwar zum Teil nicht so gesichert, sie erscheinen aber ohne einen entsprechenden Ansatz Jesu kaum denkbar.

Hier ist etwa auf die Gleichnisse vom guten und bösen Knecht und von den anvertrauten Geldern zu verweisen. Im erstgenannten läßt Jesus den »bösen Knecht« sagen, »sein Herr verziehe zu kommen« und im letzteren heißt es allgemein, daß »der Herr nach langer Zeit komme«; vgl. Mt 24,45–51(48) Par; 25,14–30(19). In der Parabel von den zehn Jungfrauen (s. Mt 25,1–12, bes. 5.6) wird sogar davon gesprochen, daß »der Bräutigam ausbleibe« und erst »mitten in der Nacht« komme. Ferner seien noch die (gut beglaubigten) Wachstumsgleichnisse (s.S. 134) erwähnt, die eine kürzere oder längere zeitliche Entwicklung mit verschiedenen Stufen und Schüben zum Reich Gottes hin vorsehen, sowie die Worte von der dem Reich Gottes vorausgehenden Notzeit, die ebenfalls von unbestimmter Dauer sein kann (s.S. 86); ferner vgl. Lk 17,22; Mt 23,38.39 u.ä.).

Auch der *Sinn* einer so für möglich gehaltenen *Verzögerung* des Reichs und der Erscheinung des Menschensohns wird von Jesus bereits angedeutet: Beim sofortigen Hereinbrechen des Reichs mögen noch nicht alle Menschen dafür reif sein und das Reich deshalb verfehlen. Die Zuwendung Gottes und seine Barmherzigkeit werden das aber nicht zulassen und deshalb vielleicht die Zeit verlängern[152].

Man vergleiche dazu das Gleichnis vom unfruchtbaren Feigenbaum (Lk 13,6–9), an dem der Herr des Weinbergs bereits drei Jahre lang vergeblich Frucht gesucht hatte und dem er trotzdem noch ein Jahr Zeit ließ, damit »um ihn her gegraben und Dünger gelegt« werde, so daß »er in Zukunft Frucht bringen« könne. Auch das Wort Jesu in Lk 18,8 beim Gleichnis vom ungerechten Richter kann als Zweifel daran gewertet werden, ob die Menschen wirklich schon zum Empfang des Reichs geeignet sind. Auch dieses Wort läßt aber dessen ungeachtet die Hoffnung auf das nahe Kommen der Gottesherrschaft nicht fahren, sondern beharrt ebenso nachdrücklich auf ihr wie die oben genannten Nahaussagen. So heißt es hier deshalb: »Er (Gott) wird ihnen (den Erwählten) ihr Recht schaffen in Bälde. Wird aber der Sohn des Menschen, wenn er kommt, auf der Erde den Glauben (richtiger: die Treue) finden?«

Nach alledem ist zu sagen:
Wie die Verkündigung Jesu vom *baldigen* Kommen des Reichs Gottes

152 Ähnlich wiederum Jeremias, Theologie, 140; zur Frage der Zwischenzeit Kümmel, Verheißung, 58ff. Die herrschende Ansicht geht eher davon aus, daß Jesus von einer Verzögerung des Reichs Gottes überhaupt nicht gesprochen habe, s. z.B. Braun, Jesus, 60.

auch im einzelnen zu interpretieren ist, auf jeden Fall steckt in ihr sowohl eine *gesteigerte Zusage* und *Hoffnung* als auch eine *verschärfte* und *zugespitzte Forderung* (im früher beschriebenen Sinn einer besonders drängenden Gabe und Aufgabe, s.S. 59); diese radikalisiert wiederum die wesentlich allgemeiner gehaltene Naherwartung des Alten Testaments: Die Nah-Verkündigung soll uns zunächst antreiben und anfeuern, bereit zu sein und mit dem baldigen Kommen des Reichs zu rechnen. Wir sollen aber nicht nur *wach sein*, sondern – und das ist noch wichtiger – *alles nach menschlicher Fähigkeit Mögliche* und *Zuträgliche tun, damit das Neue Sein des Reichs Gottes alsbald Gestalt gewinne*, und zwar zunächst auf dieser Erde, selbst dann, wenn immer wieder ein Scheitern des Menschen droht.

So sind auch Jesu drängende Aufrufe zu verstehen: »Seht zu und wacht! Denn ihr wißt nicht, wann die Zeit da ist. Es ist wie bei einem Mann, der außer Landes reiste, sein Haus verließ und seinen Knechten Vollmacht gab, einem jeden sein Werk (!), und dem Türhüter befahl, daß er wachen solle – also wacht! . . .« (Mk 13,33–35 Par; ähnlich Mt 24,42–44 Par; 25,13). Jesus vergleicht den Menschen auch mit einem klugen Haushalter, den »sein Herr über sein Gesinde setzt«, damit er »ihnen zur rechten Zeit ihr Maß Speise gibt (!)«. Er schließt dieses Gleichnis mit den Worten: »Wohl jenem Knecht, den sein Herr, wenn er kommt, bei solchem Tun (!) finden wird!« (Lk 12,41–46 Par). In ähnliche Richtung weist das Gleichnis von den anvertrauten Geldern, die ein Herr seinen Knechten gab und von denen er erwartete, daß mit ihnen Handel getrieben würde und sie bei seiner Rückkehr Gewinn (!) erbracht hätten (Mt 25,14–30 Par). Schließlich sei nochmals die Parabel von den zehn Jungfrauen genannt, die auch hier bedeutungsvoll ist: Diese Brautjungfrauen gingen dem Bräutigam entgegen (!), die fünf »klugen« nahmen außer ihren Lampen Öl mit, damit während der Nacht die Lampen nicht erlöschten, die fünf »törichten« unterließen dies und standen schließlich vor verschlossener Tür, da sie erst beim Krämer Öl einkaufen mußten.

Alle diese Worte und Gleichnisse Jesu rufen zum Wachsein und angespannten Tätigsein auf das nahe Reich Gottes hin auf.
Gleichzeitig ist damit aber auch die *Verheißung* und *Hoffnung* darauf *gesteigert*, daß *das Neue Sein der Gottesherrschaft* in seiner Entwicklung *wirklich vorankommt* und jedenfalls *eine wesentliche Etappe*, ein entscheidender Schritt *aus der Entfremdung tatsächlich kurz bevorsteht*.

Jesus sagt uns ausdrücklich zu, daß Gott den Menschen dann »ihr Recht (!) schaffen werde in Bälde« (s. nochmals das Gleichnis vom ungerechten Richter in Lk 18,8). Ebenso wird den treuen Knechten im Gleichnis von den anvertrauten Geldern mehrfach aktuell zugesprochen: »Geh ein zum Freudenfest (!) deines Herrn!« (Mt 25,21 und 23). Jesus ruft deshalb auch seine Jünger nach der Schilderung der Ankunft des Menschensohns in Lk 21,28 dazu auf: »Wenn aber dies zu geschehen anfängt, so richtet euch auf und hebt eure Häupter empor; denn eure Erlösung (Befreiung) naht!«

Mit den soeben bezeichneten Worten Jesu ist oftmals auch das *plötzliche* und *unerwartete Umschlagen zum Reich Gottes* ausgesagt. Die Gottesherrschaft soll nicht nur bald in Erscheinung treten. Sie soll auch unvermutet und schlagartig die Menschen überkommen[153].

Dies wird zusätzlich betont, wenn Jesus davon spricht, daß die Gottesherrschaft bzw. der Menschensohn erscheinen werden »wie der Dieb in der Nacht« »zu einer Stunde, wo ihr es nicht meint« (Mt 24,42–44 Par) oder wie der verreiste »Herr«, der »an einem Tage« und »zu einer Stunde kommt, die er (der Knecht) nicht weiß« (Mt 24,45–51 Par). Es folgt auch aus der Warnung Jesu, achtzugeben, damit »jener Tag« (der Gottesherrschaft) nicht »unversehens wie ein Fallstrick an euch herantritt« (Lk 21,34–36).
Demgemäß wird die Ankunft des Menschensohns in Mt 24,37–41 Par Lk 17,26ff, 34–35 mit den Tagen verglichen, »da Noah in die Arche ging und sie (die anderen Menschen) es nicht merkten, bis die Sintflut kam und alle hinwegraffte« oder auch »Lot aus Sodom ging und es Feuer und Schwefel vom Himmel regnete und alle vertilgte«. »Zwei (Männer) werden (dann) auf dem Felde sein: einer wird angenommen und einer wird zurückgelassen. Zwei (Frauen) werden mit dem Mühlstein mahlen: eine wird angenommen und eine wird zurückgelassen.« Ergänzend heißt es schließlich in einem apokryphen Jesus-Wort: »Wie ihr gefunden werdet, so werdet ihr (dann) hinweggeführt (vor den Menschensohn)« (vgl. Syr. Liber graduum, Serm. III 3).

Diese Worte vom plötzlichen und unerwarteten Hereinbrechen des Reichs Gottes bezwecken im Grunde Ähnliches wie die Verkündigung vom baldigen Kommen des Reichs. Sie enthalten zunächst eine *Zusage des Kommens der Gottesherrschaft auch ohne besondere Ankündigung und Vorbereitung, durch einen unvermittelten Sprung oder Ruck.* Außerdem wollen sie eine eindringliche, ja erschreckende *Warnung* aussprechen. Sie *fordern zur augenblicklichen Umkehr* und *zur sofortigen tätigen Einstellung auf das Reich Gottes auf;* denn unversehens kann es, zumindest auf dieser Erde, auch zu spät sein, wenn der Mensch die ›Gnade‹ und Zuwendung Gottes ständig ablehnt.
Eine gewisse Einschränkung der Predigt vom plötzlichen und unerwarteten Anbrechen der Gottesherrschaft scheint allerdings darin zu bestehen, daß ihrer letzten Vollendung besondere *Zeichen* und speziell sogenannte *Wehen* vorausgehen sollen, an denen ihr Nahen erkennbar sei.

Hier sind zunächst zwei ursprüngliche Bildworte Jesu von Interesse.

In dem Gleichnis Lk 12,54–56 Par zeigt Jesus auf, daß aus den »Zeichen der Zeit« ebenso Schlüsse gezogen werden können und sollen wie aus meteorologischen Erscheinungen wie einer Wolkenbildung oder der Richtung des Windes: »Das Aussehen der Erde und des Himmels wißt ihr zu prüfen. Wie kommt es aber, daß ihr diese Zeit nicht beurteilt?« Weiter sagt Jesus in dem Gleichnis vom sprossenden Feigenbaum (Mk 13,28–29 Par): »Vom Feigenbaum lernt das Gleichnis: Wenn sein Zweig schon saftig wird und die Blätter hervorwachsen, merkt man, daß der Sommer nahe ist. So sollt auch ihr, wenn ihr dies (alles) geschehen seht, merken, daß er (der Menschensohn; dagegen Lk: das Reich Gottes) nahe vor der Tür ist.«

153 S. z.B. Jeremias, Theologie, 125.128.129; Braun, Jesus, 54.55 u.a.

Jesus denkt hier wahrscheinlich zunächst an sein eigenes Wirken, das, wie schon gezeigt, das entscheidende Zeichen des Anbrechens der Gottesherrschaft sein sollte (s.S. 150). Sicher werden aber auch die Verkündigung des Reichs, die Heilungen und Dämonenaustreibungen durch seine Jünger und Nachfolger, die Bildung einer endzeitlichen Menschengemeinschaft und wohl auch bevorstehende heilende Vorgänge in Geschichte und Natur von ihm in Betracht gezogen worden sein[154]. Andererseits dürfte Jesus aber auch, selbst wenn diese Verknüpfung in den Evangelien sekundär ist, bestimmte negative Anzeichen des demnächstigen Einbrechens des Königreichs Gottes und besonders die sogenannten Wehen ins Auge gefaßt haben (vgl. dazu schon S. 86).

So wird in Mk 13,1ff Par Mt 24,1ff und Lk 17,22ff; 21,5ff ausführlich von der Gottesherrschaft vorausgehenden Vorgängen besonderer Entfremdung und Unterdrückung gesprochen. Es handelt sich um weltweite Kriege und Gewalttaten, um Hungersnöte, Seuchen, Natur- und kosmische Katastrophen und schließlich um Übel besonders in Israel, wie etwa die Zerstörung Jerusalems und die Aufrichtung eines »Greuelbilds der Verwüstung« (nach Dan 9,27; 11,31; 12,11), womit wohl die Herrschaft einer politischen Macht gemeint ist, die speziell das jüdische Volk unterjochen wird. Ferner sollen »falsche Propheten« und »falsche Messiasse« auftreten; in Offb 19,20ff, wo Worte des erhöhten Jesus wiedergegeben werden sollen, ist sinngemäß ergänzend vom Erscheinen eines letzten »falschen Propheten« die Rede, in 2Thess 2; 1Joh 2,18ff und Offb w.o. vom Kommen eines besonderen »Anti-Messias« (Anti-Christen). Diesen beiden Verführern soll eine falsche ›Kirche‹ anhängen, die mit dem Bild der »großen Hure« gekennzeichnet wird (Offb 17). Wenn diese ganzen Wehen und zuletzt eine große Drangsal von den Menschen durchgestanden sind, »wie sie von Anfang der Schöpfung an . . . bis jetzt keine gewesen ist und keine sein wird« (Mk 13,19 Par), wird die große Wende, die letzte Umwälzung kommen. Dann wird das Reich Gottes in seiner Herrlichkeit offenbar werden und der Menschensohn in Erscheinung treten.

Dabei ist allerdings ausdrücklich gesagt, daß die Tage der Drangsal der »Geretteten« wegen auch »verkürzt« werden können (Mk 13,20 Par; s. ferner Mt 6,13 Par, wo um Verschonung in der Notzeit gebetet wird). Ja, zur »Befreiung« der »Vielen« aus ihr will Jesus sogar sein Leiden und den Tod als entscheidenden Anteil an der Drangsal auf sich nehmen, s.S. 86 (hier begegnet wieder die für Jesus charakteristische Begrenzung der zeitlichen und modalen Aussagen über die Endzeit, s. dazu S. 20f,154).

Sämtliche Ausführungen über die der Gottesherrschaft vorausgehenden Zeichen und zumal Wehen, die zum erheblichen Teil aus einer oder mehreren jüdischen Apokalypsen übernommen sind, aber auch christliche Erweiterungen und Ausschmückungen enthalten (so z.B. das Missionswort Mk 13,10, das Rachewort Lk 21,22 und das Wort über Jerusalem Lk 21,24)[155], dürfen jedoch nicht mißverstanden werden. Sie alle sollen *nicht* ein *futurologischer Zeitplan* sein, an dem das Kommen des

154 Vgl. Jeremias, Gleichnisse, 80ff; Dibelius, Jesus, 59ff, u.a.

155 S. wiederum Jeremias, Theologie, 124ff.234ff; Dibelius, Jesus, 58ff; danach können ein apokalyptischer ›Welt-Fahrplan‹ und sein Abschluß durch einen ›Weltuntergang‹ nicht auf Jesus zurückgeführt werden.

Reichs Gottes mit Sicherheit oder Wahrscheinlichkeit abgelesen werden könnte. Das ist genausowenig der Fall, wie etwa die Schöpfungsgeschichte eine zeitlich fixierbare historische Begebenheit darstellen will, die die Entstehung von Welt, Erde und Mensch beschreibt. Diese Darstellungen apokalyptischer Herkunft zeigen somit zunächst nur, daß einerseits Zeiten besonderer Aufgipfelung und Zuspitzung der Situation von Mensch und Welt auftreten können, die zur Machtentfaltung des Bösen und seinem Wüten unter den Menschen führen. Sie schließen aber andererseits auch nicht aus, daß diesen wieder ruhigere Zeiten folgen können, die sich zum Besseren und alsbald zur Gottesherrschaft hin entwickeln. Da hier *keine zeitliche oder modale Fixierung* gegeben ist, liegt ein Widerspruch zur Predigt Jesu vom plötzlichen und unerwarteten Kommen des Reichs Gottes *nicht* vor. Es ist immer nur von Zeichen und ihrer Erkenntnis, aber nie von verifizierbaren Beweisen die Rede, s. auch Mk 8,12 Par: »Wahrlich, ich sage euch: Diesem Geschlecht wird kein Zeichen (im Sinne eines Beweises) gegeben werden!« (ferner Lk 17,20.21; Mt 24,26.27 Par u.a.).

Allerdings ist mit den gesamten Schilderungen besonders der Wehen doch angedeutet, daß im Laufe der fortschreitenden *Entwicklung* zum Reich Gottes hin mit zunehmend heftigeren Aufgipfelungen gegen das Reich und zum Bösen hin, also mit *endzeitlicher Drangsal* und zum Schluß vielleicht sogar mit einer *weltweiten Katastrophe* gerechnet werden muß. Aus einer solchen kann dann jedoch durch *plötzliches Umschlagen* dieser Zuspitzungen eine *völlige Neugestaltung* aller Verhältnisse und somit die Königsherrschaft Gottes in ihrer Vollendung hervorgehen. Auf diese Weise ist auch der schon ausgeführte Gedanke der *Entwicklung*, Evolution *des Reichs Gottes* (s. S. 134) mit demjenigen von seinem *plötzlichen und unvermuteten Hereinbrechen* zu *verbinden:* Die Entwicklung zum Reich Gottes hin erfolgt vielfach unauffällig, geheim und mehr unter der Oberfläche. Sie geht langsam vor sich und ist nur zeichenhaft deutlich, während äußerlich noch das Böse triumphiert. Das plötzliche und unerwartete, revolutionäre Umschlagen in die Gottesherrschaft bedeutet demgegenüber die endgültige und schlagartige Offenlegung dieser Entwicklung und ihre schließliche grundlegende Umwälzung unter gleichzeitiger sichtbarer Niederwerfung des Bösen.

Die grundlegende *Bedeutung* der von Jesus verkündeten *Zeichen* und auch *Wehen* liegt schließlich auch wieder darin, den Menschen verschärft und zugespitzt in die *Entscheidung* zu stellen und ihn dadurch zu veranlassen, *Umkehr* zu halten und mit aller Kraft sich *auf das Reich Gottes einzustellen* und *danach zu trachten*[156]; dabei soll seine *Hoffnung* auch durch Aufgipfelungen des (von Jesus bereits entlarvten und bezwungenen!) Bösen und sogar durch eine drohende Katastrophe *nicht entmutigt* werden. Der Mensch soll durch diese weltweite Auseinander-

156 Vgl. Jeremias, Theologie, 151ff; Braun, Jesus, 58ff u.a.

setzung letztlich in die *umfassende Polarisierung* getrieben werden: hier Gott und sein Wille, da die willentliche Ablehnung Gottes. Der ›*alte Mensch*‹ soll damit *zum Neuen Menschen umgeformt* werden. Die *Neue Welt des Reichs Gottes* soll in einem *endgültigen Umgestaltungs- und Erneuerungsprozeß aus der ›alten Welt‹ herausgeprägt* werden.
Es ist klar, daß es in diesem Zusammenhang auch des *Kampfes* bedarf. Das bedeutet Anstrengungen, Mühsal, ja *leidenschaftlichen* und *aufopferungsvollen Einsatz für die Gottesherrschaft*, für den Neuen Menschen und eine erneuerte Welt. Gleichzeitig richtet sich dieser Kampf gegen die Herrschaft des Bösen sowie die Zerstörung und Unterdrükkung von Mensch und Welt. Er soll auch gegen die Anwendung von Gewalt und Zwang gehen. Allerdings wird in bestimmten, bereits erörterten Ausnahmefällen noch der Gebrauch dieser Mittel unumgänglich sein[157].

Den leidenschaftlichen Kampf und Einsatz für die hereinbrechende Gottesherrschaft schildert treffend das alte Logion Mt 11,12.13: »Von den Tagen Johannes des Täufers an bis jetzt wird das Himmelreich mit Kraft erstrebt« (man übersetzt besser: »bricht mit Gewalt herein«) »und gewaltsam Ringende reißen es an sich; denn alle Propheten und das Gesetz haben auf Johannes hin geweissagt.« Ähnlich Lk 16,16: »Das Gesetz und die Propheten galten bis zu Johannes; von da an wird die frohe Botschaft vom Reich Gottes verkündigt, und jeder drängt sich mit Gewalt (oder Kraft) hinein.« Die Übersetzung von Mt 11,12 (bzw. Lk 16,16), das Himmelreich »leide Gewalt«, also mit negativer Bedeutung, ist verfehlt. Sie wird dem Inhalt beider Logien nicht gerecht. Bei Matthäus würde aus der Aussage des Worts in diesem Fall eine überflüssige Doppelung, und die lukanische Par wäre völlig unausgeglichen. Da die Logien eine Periodisierung enthalten: zunächst bis zu Johannes das Gesetz und die Propheten, von da an das hereinbrechende Reich Gottes, paßt die Behauptung, das Reich Gottes »leide Gewalt« (oder »werde vergewaltigt«), auch nicht in den Sinnzusammenhang. Eine solche Übersetzung wäre zudem im Gegensatz zu dem hier vertretenen »Hereinbrechen« und »Erstreben« des Himmelreichs »mit Kraft« in der Verkündigung Jesu völlig singulär[158]. Auf das leidenschaftliche Trachten nach der Gottesherr-

157 S. Bartsch, Jesus, 56ff; er spricht vom »apokalyptischen Endkampf«, »bei dem es allen Vorstellungen entsprechend nicht ohne Schwerter zugeht«. Ähnlich Jeremias, Theologie, 231ff; nach ihm »bildet Jesu Leiden . . . den Auftakt zur Schwertzeit«, in der auch die Jünger das Martyrium erleiden werden. Noch stärker betont Gloege, Tag, 190.205 die »Nachfolge« der Jünger im »Leiden«. Dagegen äußert sich betont Bloch, Christentum, 120ff.134ff, der die Erforderlichkeit des »Kampfs« »für die Herbeiführung des Reichs« hervorhebt und sich scharf gegen Passivität und Glorifizierung des bloßen Leidens wendet. In diesen Zusammenhang gehört auch der Marxsche Gedanke des Klassenkampfes, wenn er sich als Kampf gegen Klassenherrschaft und Ausbeutung darstellt; freilich geht das Wirken um das Kommen des Reichs Gottes darüber weit hinaus, auch soll der Kampf gegen Klassenherrschaft weniger ein Streit gegen die Ausbeuter als vielmehr gegen die Ausbeutungsordnung und für eine Struktur der Freiheit und Gleichheit ohne neuerliche Unterdrückung sein (s. auch Gollwitzer, Reich Gottes und Sozialismus bei Karl Barth, 13ff).
158 Die Authentizität dieses Q-Logions wird ganz überwiegend anerkannt, vgl. Jeremias, Theologie, 53ff.113ff; Perrin, Jesus, 77ff; Käsemann, Versuche I, 210. Jedoch ist seine Auslegung sehr bestritten. Ähnlich wie hier schon Schweitzer, Leben Jesu, 414ff.442, der »die Schar der Büßenden« und schließlich Jesus selbst zu den um das Reich Ringenden, seinen »Vergewaltigern« zählt, und Otto, Reich Gottes, 79ff. S. ferner

schaft weist in ähnlich starker Form auch das Wort Lk 13,24 hin: »Ringt darum, daß ihr durch die enge Pforte (zum Reich Gottes!) eingeht!«, und das verwandte Logion Mk 3,27 Par billigt eindeutig das »Ausrauben des Hauses des Starken (Satans)« und damit den tatkräftigen Streit gegen das Böse.

Auch Jesu Worte vom »Feuer« deuten die Hitze des Kampfes und die Leidenschaftlichkeit des Einsatzes in der eschatologischen Drangsal an.

So sagt er in Lk 12,49 (ähnlich Logion 10 des Thomas-Evangeliums): »Ich bin gekommen, ein Feuer auf Erden anzuzünden, und ich wollte, es brennte schon!« In EvThom 82 spricht Jesus aus: »Wer mir nahe ist, ist dem Feuer nahe, und wer mir fern ist, ist fern vom Reich.« Weiter ist hier noch das gleichgestimmte Wort in Mk 9,49 zu nennen: »Denn jeder wird mit Feuer gesalzen werden.«

Bei diesem endzeitlichen Kampf um die Verwirklichung der Gottesherrschaft kann es auch zu erheblichen *Opfern* und *Leiden* und zur *vorläufigen Trennung* und *zeitweiligen Anwendung von Gewalt und Repression* kommen zwischen denjenigen, die um das Reich kämpfen, und denjenigen, die ihm entgegenarbeiten, und zwar sogar bei den engsten Verwandten.

Das besagt besonders Jesu provozierendes Wort: »Meint ihr, daß ich gekommen sei, Frieden zu bringen auf Erden? Nein, ich sage euch, sondern Entzweiung (in der Par Mt 10,34 heißt es sogar: »das Schwert« und in EvThom 16 kommt beides vor!). Denn von jetzt an werden fünf in einem Hause entzweit sein, drei mit zweien und zwei mit dreien. Es werden entzweit sein der Vater mit dem Sohn und der Sohn mit dem Vater, die Mutter mit der Tochter und die Tochter mit der Mutter, die Schwiegermutter mit ihrer Schwiegertochter und die Schwiegertochter mit der Schwiegermutter« (Lk 12,51–53 Par).
Zwiespalt und Konflikte werden nicht nur im persönlichen Bereich entstehen, sondern besonders auch in der politischen und sozialen Sphäre. Da die Jünger Jesu wie er selbst unnötige Gewalt, Herrschaft und Ausbeutung angreifen sollen (s. Mk 10,42ff; Mt 23,2ff und Lk 20,46.47 Par), werden sie, wie es in dem – vielleicht nachträglich überarbeiteten – Spruch Mk 13,9–13 Par heißt, »vor Könige und Herrschende gestellt« werden, man wird sie »an die Gerichte überliefern« und »in den Synagogen (bzw. Gefängnissen) werden sie geschlagen (gefoltert) werden«. »Jedermann wird sie hassen« »um des Namens Jesu willen« (d.h. weil sie in seinem Sinne handeln). Doch wenn sie »bis ans Ende ausharren«, »werden sie das Leben (im Sinne des Reichs Gottes) gewinnen.« (Mk 13,13 Par; zu diesem Komplex ähnlich auch Mk 8,34 Par; Lk 9,23 Par und Joh 16,1ff).

Schnackenburg, Gottes Herrschaft, 88ff (»Die Gottesherrschaft bricht mit stürmischer Gewalt ein, und gewaltsame Stürmer reißen sie an sich, d.h. wollen ihrer teilhaft werden . . . Gottes eschatologische Tat hat einen Sturm der nach dem Heil Hungernden und Dürstenden entfacht«); Jeremias, Theologie, 113.114 (nach ihm liegt eine Bezeichnung der Anhänger Jesu durch seine Gegner vor); Goppelt, Theologie, 114 (»Man gewinnt sie [die Gottesherrschaft] wie der Räuber die Beute«); Flusser, Jesus, 38ff.87 (mit Hinweis auf Mich 2,13: »Durchbrecher«). A.M. dagegen Weiß, Reich Gottes, 192ff (»Jesus beschreibt – und in der Form der Beschreibung liegt die Ablehnung – eine stürmische, zelotische messianische Bewegung, die seit den Tagen des Täufers im Gange ist«); ähnlich Bornkamm, Jesus, 60; Braun, Jesus, 55.

2 Das Reich Gottes auf Erden und darüber hinaus

Nach diesen Ausführungen über die Gegenwart und Zukunft des Reichs Gottes und den sich zuspitzenden und aufgipfelnden Prozeß dahin ist nun zu der Frage vorzustoßen, an welchem *Ort* das Reich Gottes statthaben, *wo* es seinen Platz finden soll.

2.1
Das ›Himmelreich‹ auf der Erde

Nach der gesamten bisherigen Darstellung kann es nicht anders sein, als daß die Gottesherrschaft *zuvörderst* und *in erster Linie auf dieser Erde* ihre Stätte finden soll[159]. Sie soll gegenwärtig und auch in der Zukunft *primär die Welt* betreffen und in ihr Raum haben. Dabei müssen Details der örtlichen Frage sowie mythologische Spekulationen darüber und insbesondere die Lösung des Problems, in welchem Grad das Reich Gottes in der Geschichte verwirklicht werden kann, dahingestellt bleiben (s.S. 20f,154).

Das ist auch von Jesus als *selbstverständlich* angesehen worden. Im Grunde ergibt sich diese Weltbezogenheit aus seiner ganzen Reich-Gottes-Verkündigung. Es sei aber nochmal besonders auf sein Wort hingewiesen, daß das Reich schon zu uns »gekommen« sei, wenn er »durch den Finger Gottes die Dämonen austreibe«. Es ist daran zu erinnern, daß

159 Vgl. Bloch, Christentum, 122ff, der ausführt, daß Jesus »sein Amt nie als abgeschwächtes, nämlich unweltliches aufgefaßt« habe, sich im Gegenteil »gegen nichterscheinende Innerlichkeit und bloße Transzendenz« gewandt habe. S. auch schon Schweitzer, Reich Gottes, 103, wonach das »Himmelreich« nach der Vorstellung Jesu nicht »im Himmel« ist, sondern »vom Himmel auf die Erde herniederkommt, wodurch diese überirdische Vollendung erlangt«, und Weiß, Reich Gottes, 105ff; Jeremias, Theologie, 101.105 (»Hauptkennzeichen [der Königsherrschaft Gottes] ist, daß Gott das ständig ersehnte, auf Erden nie erfüllte Königsideal der Gerechtigkeit verwirklicht«; sie bedeutet »die anbrechende Weltvollendung«); Flusser, Jesus, 86 (»Es [das Reich Gottes] verwirklicht sich unter Menschen auf Erden«); ferner Gollwitzer, Veränderung, 72; Bartsch, Jesus, 107; Knörzer, Reich Gottes, 58ff; Machoveč, Jesus, 96ff, und auch Braun, Jesus, 57 (»Freilich geschehen diese neuen Dinge [der Königsherrschaft Gottes] auf dieser Erde«), wenn auch mit einschränkender Interpretation, s. Anm. 150, sowie die ausführliche Untersuchung von Flender, Herrschaft Gottes, bes. 51, nach der »Jesus die Gottesherrschaft als die Vollendung der Wege Gottes mit seiner Schöpfung« erwartete, während die nachösterliche Gemeinde bereits auf »die in Jesu Auferstehung von Gott errichtete neue Schöpfung« abstellte. Charakteristisch Ragaz, Reich Gottes, 20ff, der das Reich Gottes »die durch Gott veränderte Welt – eine neue Welt, eine Welt, worin Gott herrscht« nennt. *Demgegenüber* betonen Althaus, RGG² (Reich Gottes), 1822ff sowie Bultmann, Jesus, 29.30, und einige seiner Schüler viel zu einseitig das »Überirdische« und »Himmlische« der Gottesherrschaft; s. auch Schmithals, Reich Gottes, 313ff(315): »Das Gottesreich Jesu war eine schlechterdings jenseitige Größe.« Der biblische Gedanke der »neuen Erde« und »neuen Welt« wandelt sich hier bedenklich zum »Unirdischen« und »Unweltlichen« des Reichs Gottes.

das Reich somit »mitten unter uns« ist und »das Gnadenjahr des Herrn« bereits angebrochen (Zitate s.S. 150, 151).
Weiter sagt Jesus, daß auch die *Vollendung* der Königsherrschaft Gottes sich *auf der Erde* begeben solle. Das verheißene Kommen des Menschensohns wird in die Welt hinein erfolgen (Mk 13,26.27 Par). Die damit zusammenhängenden Dinge sollen »über den Erdkreis kommen« (Lk 21,26) und »über alle hereinbrechen, die auf dem ganzen Erdboden wohnen« (Lk 21,35). Das Reich Gottes wird zu den in der Welt Lebenden kommen (Mk 9,1 Par; 13,30 Par). Der Menschensohn soll auf die treffen, die »leben«, damit sie ihm entgegengeführt werden (1Thess 4,16.17a). Sie können der Bedrohung, die durch die ›große Drangsal‹ auftreten wird, entgehen (Mt 6,13 Par; Mk 14,38 Par). Die Menschengemeinschaft Jesu insbesondere wird durch die »Pforten des Totenreichs« nicht überwältigt werden (Mt 16,18; str.). In der Königsherrschaft Gottes werden dann die Sanftmütigen (Gewaltlosen) »das Erdreich besitzen« (Mt 5,5; im Anschluß an Ps 37,11; äthHen 51,5). Die Hungernden werden »gesättigt« werden, die Trauernden werden »getröstet« werden, usw. (Mt 5,3ff; Lk 6,20ff). Die Blinden werden sehen, die Lahmen werden gehen, die Aussätzigen werden rein und die Tauben werden hören, usf. (Mt 11,2ff Par in Verbindung mit 12,28) – alles das sind *irdische Verheißungen!*

Wenn Jesus im übrigen bei Matthäus statt vom Reich Gottes vom »Himmelreich« (Reich der Himmel) oder »Himmel« redet, so widerstreitet das dem Gesagten nicht (s. schon S. 17). Auch nicht, wenn dort das »Ende der Welt« ins Auge gefaßt ist, da Matthäus »diese« und »die zukünftige (jene) Welt« unterscheidet (s. Mt 13,39.40 und 49; 24,3 sowie 12,32), womit er die ›alte Welt‹ der völlig erneuerten des Reichs Gottes gegenüberstellen will. Es entsteht auch kein Widerspruch dadurch, daß bei Johannes und anderen von »Leben« bzw. »ewigem Leben« die Rede ist (s. später), im Gegenteil. Gerade bei Johannes wird die »Wiedergeburt« des Menschen im Reich Gottes noch als »irdisches Ding« bezeichnet (s. Joh 3,12). Auch nach ihm ist das Reich Jesu zwar nicht »von dieser (alten) Welt«, aber von der völlig veränderten Neuen Welt (Joh 18,36). Im Thomas-Evangelium, das bereits deutlich gnostisch-weltflüchtige Züge aufweist, ist schließlich sogar noch folgendes Logion als Jesus-Wort überliefert: »Wenn sie zu euch sagen, die euch verführen: Seht, das Reich ist im Himmel! so werden die Vögel des Himmels euch zuvorkommen. Wenn sie zu euch sagen: Es ist im Meer! so werden die Fische euch zuvorkommen. Vielmehr ist das Reich in euch und um euch!« (EvThom 3a).

Auch die *Gleichnisse* Jesu, die ja besonders typisch für ihn und seine Verkündigung vom Königreich Gottes sind, erweisen die Richtigkeit dieser Auffassung. Sie sind durchaus *weltzugewandt* und sprechen überwiegend die geschichtliche Wirklichkeit an.

Dies wird deutlich etwa in der Parabel von den bösen Weingärtnern (Mk 12,1–9 Par, auch in EvThom 65), die den irdischen »Weinberg« nicht zur Fruchtziehung für den Hausherrn nutzten und deshalb »umgebracht« werden und den Weinberg entzogen bekommen sollen, während er »anderen gegeben« werden soll. Das Gleichnis von den ungleichen Söhnen (Mt 21,28–31) zeigt zwei Söhne, von denen der eine im »Weinberg« arbeitete, trotz vorheriger Weigerung, der andere dagegen nicht, obwohl er es vorher zugesagt hatte. So sollen nach Jesu Worten »die Zöllner und Dirnen« auch vor den Hohenpriestern und Ältesten des Volks »ins Reich Gottes kommen« (V.31b). Von dem »Weinberg« der Erde spricht weiter auch die Parabel von den Arbeitern im Weinberg nach Mt 20,1ff. Ähnlich beziehen sich die Gleichnisse vom Sämann (Mk 4,3ff und 13ff Par EvThom 9), vom Unkraut unter dem Weizen (Mt 13,24ff und 36ff Par EvThom 57) und von der selbstwachsenden Saat (Mk 4,26ff) auf den »Acker der Welt«, der Frucht und schließlich eine reiche Ernte in der Gottesherrschaft bringen wird. Das Gleichnis vom Senfkorn schließlich (Mk 4,30ff Par EvThom 20) spricht die »Erde« an als den Ort, auf dem das Reich »aufgeht und größer als alle anderen Gewächse des Gartens wird«.

Jesus sieht somit primär die Erde als Ort des kommenden Reichs Gottes an. Für ihn war die Gottesherrschaft *in erster Linie* Verheißung einer *erneuerten Welt.* Er hält das Reich Gottes in seiner irdischen Verwirklichungsstufe nicht für eine Utopie, für ein Wolkenkuckucksheim, das nur Träumern zugänglich ist. Vielmehr war es für ihn Gegenstand alles tragender Hoffnung, eine lebendige, ja die maßgebliche Realität. Diese vorauslaufende Wirklichkeit hatte für Jesus nichts mit Ideologie zu tun. Er warf den Ideologen von Religion und Gesetz vielmehr vor, daß sie »das Himmelreich vor den Menschen zuschließen«. Sie gleichen nach EvThom 102 »dem Hunde, der auf der Krippe der Rinder liegt. Weder frißt er selbst noch läßt er die Rinder fressen.«
Auch die übrige biblische Tradition betont in vielschichtiger Weise die *irdische Seite der Verwirklichung des ›Himmelreichs‹.* Sie sieht im Ankommen dieses Reichs die Vollendung der Schöpfung und Fürsorge Gottes, hoffend auf die Einlösung der Befreiung und Heilung des Menschen, der ganzen Welt.

So hat im Alten Testament der Prophet Jesaja schon sehr früh eine Vision des irdischen Reichs Gottes: »Und es wird geschehen in den letzten Tagen, da wird der Berg mit dem Hause des Herrn festgegründet stehen an der Spitze der Berge und die Hügel überragen. Und alle Völker werden zu ihm hinströmen, und viele Nationen werden sich aufmachen und sprechen: Kommt, laßt uns hinaufziehen zum Berge des Herrn, zu dem Hause des Gottes Jakobs, daß er uns seine Wege lehre und wir wandeln auf seinen Pfaden; denn von Zion wird die Weisung ausgehen, und das Wort des Herrn von Jerusalem. Und er wird Recht sprechen zwischen den Völkern und Weisung geben vielen Nationen. Und sie werden ihre Schwerter zu Pflugscharen schmieden und ihre Spieße zu Rebmessern. Kein Volk wird wider das andere das Schwert erheben, und sie werden den Krieg nicht mehr lernen« (Jes 2,2ff). Die Schilderung schließt mit den Worten, daß »der Herr allein hoch sein werde an jenem Tage« (Jes 2,11 und 17; vgl. ferner Jes 11,1ff; 24,21ff; Mich 4,1ff u.a.). Der zweite Jesaja betont später die radikale Erneuerung der Erde, aber auch der jenseitigen Welt: »Denn seht, ich schaffe einen neuen Himmel *und* eine neue Erde; man wird der früheren Dinge nicht mehr gedenken, und niemand wird sich ihrer mehr erinnern« (Jes 65,17; ähnlich Trito-Jesaja in Jes 66,22). Die klassische Darstellung des Königreichs Gottes auf der Erde bietet der Verfasser des Daniel-Buchs, der Jesus tief beeinflußt hat. Nach ihm verlieh Gott dem Menschensohn »Macht und Ehre und Reich, daß die Völker aller Nationen und

Zungen ihm dienten« (Dan 7,14), »die Heiligen des Höchsten werden das Reich empfangen, und sie werden das Reich behalten auf immer und ewig« (7,18) und schließlich: »Und das Reich und die Herrschaft und die Macht über alle Reiche *unter* dem ganzen Himmel wird dem Volk der Heiligen des Höchsten gegeben werden. Ihr Reich ist ein ewiges Reich, und alle Mächte müssen ihnen dienen und untertan sein« (7,27) (vgl. ferner Dan 2,44 und äthHen 45,1ff).

Im Neuen Testament verkündet der Apostel Paulus unter dem Eindruck von Kreuz und Auferstehung Jesu die Herrschaft des Christus über den Himmel und die Erde, nämlich daß der (gekreuzigte) Christus »lebendig geworden ist, damit er über Tote *und* Lebendige Herr sei« (Röm 14,9) sowie daß ihn Gott »erhöht« habe und in seinem Namen »sich beuge jedes Knie derer, die im Himmel und auf der Erde und unter der Erde sind« (Phil 2,9ff). Nach seinem Kommen wird Christus endlich »alle Herrschaft und alle Obrigkeit und Gewalt vernichten«; zuvor »muß er herrschen, bis er alle Feinde« und zuletzt »den Tod« »unter seine Füße gelegt hat«. Alsdann wird er »das Reich Gott, dem Vater, übergeben« (1Kor 15,22ff). Der Verfasser des 2. Petrus-Briefs betont, in Weiterführung der Tradition Deutero-Jesajas: »Wir erwarten aber nach seiner Verheißung einen neuen Himmel *und* eine neue Erde, in denen Gerechtigkeit wohnt« (2Petr 3,13). Der Apokalyptiker Johannes entwirft schließlich eine gewaltige Schau der abschließenden Herrschaft Christi und Gottes im Himmel und auf Erden: Er sieht am Ende der Zeiten den Christus Jesus auf »einem weißen Pferd« kommen und »das Tier«, den Anti-Christen, den »falschen Propheten« und schließlich den »Drachen«, die »alte Schlange« (also Satan) besiegen. Er führt ein »tausendjähriges Reich« bis an die »vier Enden der Erde« herauf; in diesem herrschen Christus und seine »Heiligen« tausend Jahre lang. Nach Ablauf dieses chiliastischen Reichs und einem letztmaligen Auftreten Satans wird das Böse endgültig überwunden; selbst »der Tod und sein Reich« werden »in den feurigen Pfuhl geworfen«. Nun entstehen »ein neuer Himmel *und* eine neue Erde« und »der erste Himmel und die erste Erde« können »vergehen« (Offb 19,11–21)[160].

Zum Abschluß mögen zwei Kern-Logien Jesu diese Darstellung abrunden, die in erster Linie eine neue irdische und geschichtliche Wirklichkeit verheißt, aber über deren Grenze hinaus auch eine neue ›himmlische‹, die Geschichte überschreitende in Aussicht stellt:

Da ist einerseits Mt 6,10 (aus dem Vaterunser): »Dein (Gottes) Reich komme. Dein Wille geschehe wie im Himmel so auch auf Erden.« Hier wird mit dem Kommen des Reichs Got-

160 Das chiliastische Zwischenreich kann entgegen der abweichenden Auffassung vieler Theologen durchaus noch als sinnvolle Fortentwicklung der jesuanischen Verkündigung angesehen werden. Dafür spricht seine Differenzierung eines irdischen und eines überweltlichen Reichs Gottes, der Gedanke des anbruchhaften oder stufenweisen und des vollen Kommens der Gottesherrschaft sowie die Visionen vom Kommen des Menschensohns auf die Erde und von der Herrschaft der Erhöhten. Die Vorstellung des tausendjährigen Reichs und eines neuen Jerusalems weist nun sicher fantastisch anmutende Bestandteile auf, die Geschichte zeigt aber, daß sie einer entmythologisierenden Betrachtung sehr wohl zugänglich sind: So ist die davon inspirierte Lehre von den Drei Reichen Joachims (Reich des Vaters, des Sohns und des Geists) in ihrer Termingebundenheit zwar immer noch realitätsfern, auch die Vorstellungen von Müntzer und den Wiedertäufern beschwören eher bedrohliche Gerichtsvisionen. Jedoch enthält der philosophische Chiliasmus Kants eine rationale und unmythologische Deutung der Geschichte, eine solche kann auch noch in der Auffassung Marxens von der klassenlosen Gesellschaft wiedergefunden werden.

tes erbeten, daß sein Wille auf der Erde zur endgültigen Herrschaft komme wie dies im Himmel bereits der Fall sei. Andererseits ist noch die Stelle Mt 11,25 Par zu nennen. Dort wird von Gott ausgesagt, daß er (für alle Zeit) »Herr des Himmels und der Erde« sei. Mt 11,27 Par setzt fort, daß Jesus »alles« (und so auch diese Herrschaft) bereits jetzt von seinem Vater »übergeben worden« sei (das Wort ist in seiner Echtheit allerdings bestritten und möglicherweise christlich formuliert).

2.2
Das ›überirdische‹ Reich. Die Auferstehung der Toten

Mit den letzten Ausführungen entsteht nun das Problem, ob nach Jesu Predigt über das hier auf dieser Erde, im ›Diesseits‹ Platz greifende Reich Gottes noch ein weiteres, darüber hinausgehendes im ›Himmel‹ anzunehmen ist und was dies gegebenenfalls für den Menschen, besonders auch von heute, bedeutet. Es erhebt sich damit die Frage nach einem *Leben ›jenseits‹ der Grenzen des irdischen Lebens,* nach einem *Leben nach dem Tode.*

Jesus hat sich gelegentlich auch über ein solches *›jenseitiges‹ Leben* geäußert, das selbst den Tod hinter sich läßt; dabei hat er sich allerdings in noch größerem Umfang als sonst genauer Angaben oder näherer Beschreibungen enthalten. Er hat in diesem Zusammenhang besonders über die *Auferstehung der Toten* gesprochen und an sie allgemein geglaubt sowie auch an seine persönliche Auferstehung nach dem Tode[161].

Kennzeichnend ist insoweit das sogenannte Sadduzäergespräch in Mk 12,18–27 Par: Hier antwortet Jesus Sadduzäern, die unter Berufung auf frühe alttestamentarische Schriften die Auferstehung der Toten bezweifelten und dies mit dem ungeklärten Schicksal einer mehrfach verheirateten Frau und ihrer Ehemänner in der Auferstehungswelt begründen wollten: »Wenn sie (die Menschen) von den Toten auferstehen, so werden sie nicht heiraten und sich nicht heiraten lassen, sondern sie sind wie die Engel im Himmel. Was aber die Auferstehung der Toten (allgemein) betrifft, habt ihr dazu nicht im Buch Moses bei der Geschichte vom Dornbusch gelesen, wie Gott zu ihm sagte (Ex 3,6): Ich bin der Gott Abrahams und der Gott Isaaks und der Gott Jakobs? Gott ist nicht ein Gott von Toten, sondern von Lebendigen. Ihr irrt (daher) sehr!«

Im übrigen gibt es nur noch erstaunlich wenige Worte Jesu, die von der Auferstehung der Toten handeln, und die vorhandenen sind zudem kaum gesichert. Es sei beispielsweise noch auf Lk 14,14 hingewiesen, wo dem, der »Arme, Krüppel, Lahme und Blinde« einlädt, »Glückseligkeit« auf Erden und »Vergeltung« »bei der Auferstehung der Gerechten« verheißen wird. Was Jesu eigene Auferstehung betrifft, so handeln darüber z.B. Mk 8,31 (ähnlich 9,31 und 10,33.34, sämtliche Par), wonach »der Sohn des Menschen von den Ältesten, Hohenpriestern und Schriftgelehrten verworfen und getötet werden und nach drei

161 Zum Glauben Jesu an die Auferstehung der Toten, s. z.B. Braun, Jesus, 58; Jeremias, Theologie, 179.180 und dortige Anm. 28. In den Zusammenhang der Erörterung eines ›überweltlichen‹ Reichs gehört, daß Jesus möglicherweise auch ein präexistentes Reich Gottes »von Grundlegung der Welt an« angedeutet hat (s. Mt 25,34, allerdings str.) und damit auch in dieser Richtung die Transzendenz der Gottesherrschaft ausgesprochen haben kann.

Tagen auferstehen müsse«; ferner Mk 9,9 Par; nach diesem Wort sollen die Jünger Jesu (im Anschluß an dessen ›Verklärung‹) niemandem etwas von dieser messianischen Vision erzählen, »bis der Sohn des Menschen von den Toten auferstanden wäre« (schließlich s. noch Mk 14,28 Par).

Stellen, die von der irdischen Vollendung des Reichs Gottes handeln, gehören *nicht* hierher[162]. Das gilt wahrscheinlich auch für Mk 14,25 bzw. Lk 22,18 Par (S. 156):

Hier spricht Jesus wohl noch – wenn auch der Zusammenhang dagegen zu stehen scheint – vom Hereinbrechen des Reichs Gottes unter Lebenden, in dem er dann »neu trinken werde« »vom Gewächs des Weinstocks«, jedoch nicht über seine Auferstehung nach dem Tode[163].

Überhaupt muß die irdische Welt in ihrer Vollendung klar von der Auferstehungswelt unterschieden werden.

Zwar besteht ein übergreifender *Zusammenhang* insoweit, als die Auferstehungswelt ebenso wie das irdische Reich der Herrschaft Gottes untersteht (s. Mk 12,27 Par). Sie stellt eine Fortsetzung und Krönung auch der irdischen Welt in ihrer Vollendung dar (vgl. etwa die Bezeichnung »Leben« für das vollendete irdische Reich und »ewiges Leben«, wenn die überzeitliche Welt mitgedacht ist; freilich unsicher; s. ferner die Art der Verwandlung in der Gottesherrschaft, mythisch formuliert in Mt 13,43, und der ›Verherrlichung‹ in der Auferstehungswelt, Mt 22,30 Par; zw.). Auch darf man sich eine Verbindung der Teilnehmer des »ewigen Lebens« mit den Menschen im vollendeten irdischen Reich vorstellen, an dem diese ja alle mitgewirkt haben und dem sie ›zugehören‹ (vgl. die merkwürdigen Worte über die Anwesenheit der Patriarchen Abraham, Isaak und Jakob im Reich Gottes, das Auftreten der Königin von Saba und der Männer von Ninive im letzten Gericht und das Zusammentreffen der Lebenden und Verstorbenen bei der Einholung des Menschensohns, s. Lk 13,28 Par; Mt 12,41.42 und 1Thess 4,16ff).
Trotz des Zusammenhangs beider Welten ist aber doch eine deutliche *Abgrenzung* erforderlich. Das folgt bereits aus der terminologischen Gegenüberstellung des irdischen Reichs und der himmlischen Auferstehung der Toten in einer Reihe schon erwähnter Jesus-Worte. Es ergibt sich aber auch im übrigen sinngemäß aus seiner Verkündigung: So soll in der irdischen Vollendung der Gottesherrschaft die ursprüngliche Schöpfungsordnung der Ehe wiederhergestellt werden, s. Mk 10,1ff (6 und 9) Par: »Vom Anfang der Schöpfung an hat er (Gott) sie als Mann und Frau geschaffen . . . Was nun Gott zusammengefügt hat, soll der Mensch nicht scheiden.« Dagegen werden die Menschen in der »überirdischen« Auferstehungswelt »nicht heiraten und sich nicht heiraten lassen«. Auch wenn die irdische Got-

162 Beides wird oft überhaupt nicht unterschieden, s. z.B. Bultmann, Jesus, 31, wo der Inhalt der Gottesherrschaft mit Mk 12,25 beschrieben wird. Dies führt jedoch zu erheblicher Verwirrung, s. z.B. Schäfer, Jesus, 61; dort wird der Glaube Jesu an die Auferstehung mit Mk 14,25 begründet, obwohl an dieser Stelle ausdrücklich vom Reich Gottes die Rede ist. Auch bei Jeremias, Theologie, 217, entstehen aus ähnlichen Gründen Schwierigkeiten, und zwar wegen des Verhältnisses von Mk 10,1ff und 12,25, die nur schwer aufzulösen sind.

163 So Flender, Herrschaft Gottes, 43; nach ihm ist das Logion »auf eine diesseitige Erwartung der Gottesherrschaft bezogen«; ebenso wohl auch Braun, Jesus, 57, gegen die überwiegende Auffassung.

tesherrschaft als »großes Mahl« bezeichnet wird, so läßt dies erkennen, daß es in ihr auch Essen und Trinken gibt (s. z.B. Mk 14,25 Par u.ä., S. 186). Dies ist aber für die Auferstehung nach der Schilderung beim Sadduzäergespräch kaum anzunehmen, weil danach die Menschen »wie die Engel im Himmel« sein sollen.

Welchen *Inhalt* hat nun nach der Verkündigung Jesu das Leben ›jenseits‹ der Todesgrenze, das ›ewige Leben‹ in der Auferstehungswelt? Jesus hat den Gehalt dieses ›jenseitigen‹ Lebens *nicht* näher dargestellt oder gar ausgemalt. Er hat es damit menschlicher Einwirkung entzogen und allein in Gottes Hand gestellt[164].

Das entspricht seiner Grundanschauung in eschatologischen Fragen, wie sie auf S. 20f dargestellt wurde und bei der Auferstehung besonders naheliegt. Es ergibt sich deutlich aus der Zurückweisung der spekulativen Erwägungen der Sadduzäer im Sadduzäergespräch (Mk 12,18ff Par). Vielleicht folgt es auch noch aus der Tatsache, daß Jesus sich in seinen Worten und Gleichnissen ohne besondere Auswahl der z.T. widersprüchlichen zeitgenössischen Bildvorstellungen über das ›ewige Leben‹ bedient. So spricht er beim Gleichnis vom reichen Mann und armen Lazarus von dem Armen, der nach seinem Tod von den Engeln direkt »in Abrahams Schoß getragen« worden sei (Lk 16,22; zw.), und er sagt dem Verbrecher am Kreuz zu, daß er »heute noch mit ihm im Paradies sein« werde (Lk 23,43; freilich auch str.). Andererseits geht er wohl sonst regelmäßig davon aus, daß die Auferstehung der Toten erst nach dem Kommen des Menschensohns geschehen werde (so kann man aus Mt 25,31–46 u.a. entnehmen). Ferner redet Jesus in Lk 14,14 von der Auferstehung der »Gerechten«; er legt damit eine Unterscheidung nahe, die einerseits die Auferstehung zum Leben und – als späteres Ereignis nach der Ankunft des Menschensohns – die Auferstehung zum Gericht kennt (vgl. auch Joh 5,29). In anderen Worten (s.o. Mt 25,31ff usw.) scheinen dagegen beide Seiten der Auferstehung zusammenzufallen.

Aus diesem allem geht jedenfalls hervor, daß es Jesus offenbar auf eine genaue Beschreibung des ›ewigen Lebens‹ (nach Ort, zeitlichem Ablauf und näheren Umständen) oder gar auf eine Ausschmückung nicht ankommt. Jede nähere Gestaltung wird damit Gott überlassen. Der Mensch muß sich hier ganz zurückhalten, zumal ja die irdischen Kategorien von Zeit und Raum, von der Leiblichkeit, in diesem Bereich völlig verändert sind. Für Jesus ist allein von Belang – und das sollte auch für den heutigen Menschen gelten –, daß *durch den Tod die Zuwendung Gottes zu ihm, sein Wille ihm gegenüber nicht abbricht*, sondern *fortwirkt* und *sich erneuert* und *der Mensch sich ganz in seiner Hand geborgen wissen darf*. Der Mensch darf somit daraufhin leben, daß Gott ihn nach seinem Tode nicht fallen läßt, sondern einer umwälzend neuen Stufe des Lebens zuführt. In dieser wird er mit Gott verbunden und mit ihm und den Mitauferstandenen eins sein. Für den irdischen Bereich bedeutet dies, daß dem Menschen auch hier noch ein Weiterleben (in einem besonderen Sinne) geschenkt ist, und zwar nicht nur körperlich in

164 Hier ebenso wie sonst bei der eschatologischen Predigt Jesu, s. Bultmann, Jesus, 31ff; Schäfer, Jesus, 142 u.a.

seinen Nachfahren und in seinen schöpferischen Wirkungen, sondern auch in seiner Mitherrschaft und Teilhabe mit den in der Welt Lebenden am irdischen Reich (entsprechend wie dies auch bei Jesus und seiner Auferstehung angedeutet wurde). Weitergehende Ausführungen über das ›ewige Leben‹ und seine näheren Umstände stehen uns nicht zu. Sie führen nicht weiter und verführen lediglich dazu, die zentrale Bedeutung des Lebens auf dieser Erde und der Verwirklichung des Reichs Gottes hier zu verkennen.
Ein weiteres Problem ist – die Frage nach dem persönlichen Leben ›jenseits‹ der Todeslinie noch überschreitend –, ob nicht *auch im Kollektiv, in der gesamten Menschengemeinschaft und Welt* ein *Endpunkt* oder eine *Grenze* gegeben sein wird, an dem das irdische Reich in ein ›*ewiges*‹, *übergeschichtliches Sein* überführt wird, das dem persönlichen ›ewigen Leben‹ analog ist.
Diese letzte Frage ist noch spekulativer als die erstere nach dem persönlichen Leben nach dem Tode und kann noch weniger sicher beantwortet werden. Wir wissen nicht, wie weit die Möglichkeiten und Potenzen der Erde reichen. Wir dürfen freilich hoffen, daß sie in stetig fortschreitender Verwandlung und schließlich im grundlegenden Umbruch zum Reich Gottes auf der Erde hingeführt werden. Wird danach ein Abschluß- oder Grenzpunkt, ein Ende aller irdischen Wirklichkeit und ihrer Möglichkeiten eintreten, so soll die *Zuwendung Gottes*, welche alle diese Wirklichkeit überschreitet, *auch hier nicht aufgehoben* sein. Sie wird sich im Gegenteil *auch an dieser Stelle auf eine weitere Stufe hin steigern*, und wir *dürfen dieser letzten Umwälzung und Neuschöpfung entgegenhoffen*.

Jesus hat sich zu dieser Frage nicht näher geäußert. Er mag zwar gesagt haben, daß auch »Himmel und Erde« einmal »vergehen werden«; damit soll auch Gottes Herrschaft nicht aufhören und Jesu »Worte werden (dann) nicht vergehen« (Mk 13,31 Par). Mit diesem Logion (dessen Echtheit zweifelhaft ist) ist jedoch *nicht* die Aufhebung der irdischen Wirklichkeit als solcher gemeint, sondern vielmehr der gesamte Prozeß der Veränderung und Erneuerung der Erde (sogar der Natur) zum Reich Gottes hin, der für Jesus das Entscheidende war. Das gleiche gilt für die Worte Jesu, in denen vom »Ende der Welt« die Rede ist (z.B. Mt 13,39.40.49; 24,3 ohne Par; ebenfalls vermutlich sekundär). Auch hier ist der Vorgang der Vollendung der irdisch – natürlichen Welt angesprochen und nicht deren faktischer Endpunkt[165].
Treffender beantworten die Frage nach einer übergeschichtlichen ›Ewigkeit‹ daher die Worte Jesu vom »ewigen Leben« (z.B. Mk 10,17; Mt 25,46) und von der dauernden »Erlösung« (vgl. etwa Lk 21,28), die auch noch für das Sein nach allem irdischen Leben verheißen sind. Auch diese Aussprüche befassen sich allerdings keineswegs mit irgendwelchen Einzelheiten zu dieser Frage. Aus ihnen läßt sich lediglich entnehmen, daß auch nach ei-

165 Vgl. Jeremias, Theologie, 234ff, der von der »großen Wende« und der »Welterneuerung« spricht; im einzelnen auch Sartory, Utopie Freiheit, 30 gegen die traditionelle Auffassung vom ›Weltuntergang‹ oder ›-zusammenbruch‹, der dem Reich Gottes vorauszugehen habe. Die dem zugrundeliegende apokalyptische Zwei-Äonen-Vorstellung ist insgesamt sekundär, s. z.B. Goppelt, Theologie, 122.

nem Vergehen dieser Erde die Zuwendung Gottes zu Mensch und Welt nicht aufhören, sondern sich als ewige in letzter Veränderung sowie Erneuerung entfalten soll und wird.

Nach alledem ist zu sagen, daß Jesus *die Zuwendung Gottes* und *somit seine Herrschaft auch hinsichtlich der aufgezeigten Grenzzonen des irdischen Lebens* verkündet, und zwar sowohl im *persönlichen* als auch im *überpersönlichen* Bereich. Er betont sie indessen nicht besonders und stellt sie gegenüber dem Reich Gottes auf der Erde stark zurück. Daran soll sich auch durch den Tod Jesu und seine Auferstehung nichts Entscheidendes ändern; denn diese sind zur Befreiung der »Vielen« auf der Erde geschehen und haben sie ein für allemal ausgerufen und zum Durchbruch gebracht. Die spätere Verzögerung der kommenden irdischen Gottesherrschaft führt zwar zu einer stärkeren Hervorhebung des Entwicklungsgedankens und der Aufteilung der Geschichte in Perioden und Stadien bis hin zu ihrer Vollendung in der ›Ewigkeit‹. Dies läßt sich jedoch durchaus noch mit der Verkündigung Jesu vereinbaren und beeinträchtigt die besondere Dominanz der Gottesherrschaft auf Erden nicht. Somit ist festzuhalten, daß das *Zentrum der Botschaft Jesu* und auch der *Ankerpunkt unserer Hoffnung die irdische Welt in ihrer Fülle bleibt und daß sich* in dieser Mitte die Neugestaltung zum Reich Gottes hin vollziehen soll und wird.

3 Das Reich Gottes in Innerlichkeit und exklusiver Gemeinschaftlichkeit?

Die im vorigen Kapitel vertretene Auffassung ist nun zu bewähren, indem sie gegenüber zwei weiteren Ansichten abgeklärt wird, die ähnlich wie die Vorstellung vom ›überirdischen‹ Reich Gottes bestimmte Teil- und Seitengebiete des Irdischen betreffen und diese zur Mitte des Reichs Gottes machen wollen.
Zum ersten gilt es, der Behauptung entgegenzutreten, daß sich Gottes Herrschaft nur in der *Innerlichkeit* der menschlichen Seele, in einer begrenzten *Spiritualität* und *Individualität* entfalte. Zweitens ist die Ansicht abzulehnen, daß das Reich Gottes bloß in der *Exklusivität* einer bestimmten umgrenzten menschlichen *Gemeinschaft*, z.B. der Kirchen oder auch Sekten, bestimmter Staaten oder sonstiger Gemeinschaften, stattfinde[166].

166 Das betont auch Bloch, Christentum, 54ff,122ff (»Es [das Evangelium Jesu] hätte sich nicht mit bloßer Innerlichkeit oder Jenseitigkeit verbunden«); ferner Marsch, Zukunft, 87ff; Bartsch, Jesus, 104ff; Gollwitzer, Reich Gottes, 49ff,52ff; Knörzer, Reich Gottes, 57ff *gegen* die existentialtheologische Engführung der Bultmannschule, aber auch gegen traditionelle theologische Auffassungen, die allzu einseitig Innerlichkeit und ›Herz‹ hervorheben. Zusammenfassend Moltmann, Kirche, 118.119.

Beide Anschauungen entsprechen grundsätzlich *nicht* der Verkündigung Jesu, wie wir sie kennengelernt haben. Sie nötigen sich auch nicht durch die Entwicklung nach seinem Tode auf. Die Verleihung des heiligen Geistes bedeutet die Ausrüstung der Menschengemeinschaft Jesu mit der Kraft des kommenden Reichs, nicht dagegen speziell mit einer besonderen seelischen oder spirituellen Gabe. Das Ausbleiben des Reichs Gottes und der Parusie in der erhofften Fülle dürfen ebenfalls nicht zu Resignation und Rückzug in Innerlichkeit und Kirchlichkeit führen.

Einschränkend ist allerdings zu sagen, daß die vorgenannten Auffassungen vom ›Schauplatz‹ der Königsherrschaft Gottes auch ihre *bedingte Bedeutung* haben, wie dies ja auch bei der ›Jenseitigkeit‹ des Reichs gezeigt worden ist. Die Innerlichkeit des Menschen, seine individuelle Beziehung zu Gott im Glaubens- und Gebetsleben ist Quelle des Neuen Lebens der Gottesherrschaft und sie ist seine ständige Begleitung.

Vgl. dazu etwa Lk 6,45 Par: »Der gute Mensch bringt aus dem guten Schatze seines Herzens das Gute hervor, und der böse bringt aus dem bösen Schatze das Böse hervor« (s. ferner andere Worte vom »Herzen« wie Mt 5,8; 12,34b Par; Mk 12,29 Par). Auch sei auf die Logien verwiesen, die die Innerlichkeit des Menschen der kultischen Reinheit vorziehen, z.B. Mk 7,15 Par; Lk 11,41 u.ä.

Freilich ist diese Spiritualität, das ›Herz‹ und Gewissen nicht die ganze und eigentliche Wirklichkeit des Reichs Gottes. Dieses geht vielmehr weit darüber hinaus[166].

Das ergibt auch alles, was bereits über das Tun des Willens Gottes gesagt worden ist und die Gestaltung sozialer Beziehungen und Strukturen, die dem Reich Gottes entsprechen. Zur Abrundung sei nur noch hinzugefügt, daß auch die Worte Jesu in Lk 17,21 und Joh 18,36, die oft zu gegenteiliger Argumentation verwendet werden, dem durchaus nicht widerstreiten:

In dem alten Logion Lk 17,21 Par EvThom 3 und 113 heißt es, wie schon zitiert: »Denn seht, das Reich Gottes ist mitten unter euch.« Die ursprüngliche Luther-Übersetzung: »Das Reich Gottes ist inwendig in euch« trifft nicht den Sinn, da das Wort offenbar an die Pharisäer gerichtet ist und einen Hinweis auf Jesu und wohl auch seiner Jünger Wirken enthält. Auch der Übertragungsvorschlag: »Die Gottesherrschaft ist (mit einem Schlage) mitten unter euch« ist unbefriedigend, weil er eine apokalyptische Plötzlichkeit einträgt, von der im Text nicht die Rede ist. Dagegen wird richtig oft auch wie folgt übersetzt: »Denn seht, das Reich Gottes ist in eurer Mitte«[167].

167 Die Exegeten sind sich überwiegend einig, daß dieses ursprüngliche Logion die Formulierung »mitten unter euch« gebraucht, a.M. Schäfer, Jesus, 59.60. Was die Differenzierung danach betrifft, ob das Reich gegenwärtig oder zukünftig (plötzlich) »in eurer Mitte« ist, so wird die erstere Meinung überzeugend vertreten von Otto, Reich Gottes, 98ff; Bornkamm, Jesus, 61.62; Schweizer, Jesus, 28; Schnackenburg, Gottes Herrschaft, 93; Flusser, Jesus, 87; ähnlich Braun, Jesus, 61 (»in eurem Wirkungsbereich«), und Dibelius, Jesus, 62 (»zu spüren in eurer Mitte«). Die Gegenmeinung bejahen Bultmann, Jesus, 31; Jeremias, Theologie, 104, und Bloch, Christentum, 125ff.

Das (kaum authentische) Wort Joh 18,36, daß Jesu Reich »nicht von dieser Welt« sei, ist bereits auf S. 118 in seinem andersartigen Gehalt gewürdigt worden. Es zielt keineswegs auf die Innerlichkeit der Herrschaft Gottes oder des erhöhten Jesus ab. Auch allgemein kann das Johannes-Evangelium nicht schlechthin als weltfeindlich bezeichnet werden, sondern weist mit seiner durchgehenden Ablehnung der (alten!) »Welt« nur auf die Neue Welt im Reich Gottes hin (s. z.B. Joh 16,33 u.a.).

Was die weitere Auffassung betrifft, das Reich Gottes erwachse in einer besonders umgrenzten Gemeinschaftlichkeit, so hat diese zweifellos ebenfalls ihre *beschränkte Bedeutung*. Dazu sei nur an die nicht seltenen Worte Jesu zur Rolle Israels und des neuen Gottesvolkes erinnert (s.S. 102f). Dies gilt deshalb, weil damit ein wesentliches Entwicklungsstadium der Gesellschaft zum Reich Gottes hin aufgezeigt wird. Diese Entwicklungsform darf aber nur als Übergangsstufe angesehen werden. Sie muß offen bleiben (das Reich Gottes ist keine geschlossene Gesellschaft!) und ihre Ausweitung und endliche Überwindung muß erstrebt werden. Eine Abkapselung in exklusiver Kirchlichkeit, nationaler Auserwähltheit oder sonstiger bornierter staatlicher oder religiöser Gemeinschaftlichkeit hat mit dem Trachten nach dem Reich Gottes nichts zu tun[168].

Einer Begründung dieser Ansicht im einzelnen bedarf es wegen der früheren Ausführungen zur Menschengemeinschaft des Reichs Gottes und ihrer Einrichtungen nicht mehr (s.S. 101ff). Von dieser Gemeinschaft sind weder die ›Sünder‹ und Straffälligen ausgeschlossen noch die sonst von der Gesellschaft Ausgestoßenen, die Abgeschriebenen und Verdammten (S. 104). Auch die Fremden und ›Heiden‹ sollen schließlich zum »großen Mahl« im Königtum Gottes hinzuströmen (s. dazu bes. Mt 8,11 Par und vielleicht Mk 10,45 und 14,24 Par, wonach die Befreiung der »Vielen« und damit aller Welt verheißen ist, S. 87). Die ganze Welt soll von der Gottesherrschaft ergriffen werden, wie das Mehl, das vom Sauerteig »ganz durchsäuert« wurde (Mt 13,33 Par). Zusammengefaßt heißt es in Mt 25,32; Mk 13,27 Par (i.e. str.): »Alle Völker« sollen »vor ihm (dem Sohn des Menschen) versammelt werden«; sie sollen »von den vier Winden her, vom Ende der Erde bis zum Ende des Himmels« eingebracht werden.

Es widerstrebt diesem Universalismus auch nicht die Rede Jesu von der »kleinen Herde«, der das Reich zu geben Gott gefallen hat (Lk 12,32). Desgleichen nicht die Logien von den »Wenigen«, die »auserwählt« sind (Mt 20,16; 22,14; ähnlich Mt 7,14 Par), oder von der »engen Pforte«, durch die »in das Leben einzugehen« ist (Mt 7,13.14 Par). Die »kleine Herde« soll ja nicht so klein bleiben, wie sie vorläufig erscheint, vielmehr soll dem letzten »verlorenen Schaf« nachgegangen werden, bis es gefunden ist (Lk 15,4ff Par), und auch die »Wenigen« können durch die ›Gnade‹ Gottes zu Vielen werden. Die »enge Pforte« schließlich soll nur die Mühe und Anstrengungen aufweisen, die der Eintritt in das Königreich Gottes fordert.

Sowohl die *Jenseitigkeit* als auch die *in Innerlichkeit befangene Individualität* und *beschränkte Gemeinschaftlichkeit* können also nach der

168 S. wiederum Bloch, Christentum, 122ff, vgl. Anm. 166; ferner Marsch, Zukunft, 92ff; Schnackenburg, Gottes Herrschaft, 149ff; Metz, Welt, 85ff; nach ihm »lebt [auch] die Kirche [nach einem Zitat von Rahner] immer von der Proklamation ihrer eigenen Vorläufigkeit und ihrer geschichtlich fortschreitenden Aufhebung in dem kommenden Reich Gottes, dem sie entgegenpilgert, um es zu erreichen« gegen andere katholische Autoren.

Predigt Jesu die *Fülle der Gottesherrschaft nicht umfassen.* Es handelt sich jeweils um Engführungen, die in der christlichen Tradition bald nach Jesu Tod auftraten und z.T. auch schon bei den biblischen Schriftstellern Eingang gefunden haben. Selbst bei Paulus und Johannes treffen wir auf gewisse Anzeichen für solche Vereinseitigungen.

Paulus hebt zwar, unter Aufnahme der Verkündigung Jesu von der Gegenwart des Reichs Gottes, hervor, daß die Gottesherrschaft »nicht Essen und Trinken« sei, sondern »Gerechtigkeit und Frieden und Freude im heiligen Geist« (Röm 14,17; s. ähnlich 1Kor 4,20). Er folgt auch Jesus in seiner zukünftigen Erwartung des Reichs Gottes, das diejenigen, die »die Werke des Fleisches« tun, »nicht ererben werden« (Gal 5,19ff; 1Kor 6,9ff und 1Thess 2,12). Jedoch sieht er diese Zukunft schon betont in einer himmlisch-transzendenten Gestalt; nach ihm »können Fleisch und Blut das Reich Gottes nicht ererben, auch wird das Verwesliche nicht die Unverweslichkeit ererben« (vgl. 1Kor 15,50; kennzeichnend auch die mannigfachen Worte, die die Auferstehung von den Toten in den Vordergrund stellen, z.B. 1Kor 15,12ff; Phil 3,10ff u.a.). Für die Gegenwart konzentriert sich bei Paulus das Reich Gottes deutlich zum Leben und zur Gemeinschaft »in Christus« (s. z.B. Gal 2,20: »Ich lebe nicht mehr, sondern Christus lebt in mir«; ferner Phil 3,8ff; Gal 3,28 u.a.). Dadurch kommt ein Zug von kultischer Verinnerlichung und sogar Mystik in die Predigt des Apostels. Gleichzeitig werden juridisch-forensische und gelegentlich moralistische Vorstellungen von Gewicht. Das zeigt sich besonders darin, daß die Rechtfertigung (Gerechtsprechung) des Menschen von Paulus in den Mittelpunkt gerückt wird, die »Gerechtigkeit Gottes, die durch den Glauben an Jesus Christus kommt für alle, die glauben« (Röm 3,22ff; s. auch Gal 2,16ff; Phil 3,9ff u.a.).

Johannes geht auch deutlich von der Verkündigung Jesu aus. Er spricht von der »Wiedergeburt« zum Reich Gottes (Joh 3,3 u. 5) und bezeichnet vielfach die Gottesherrschaft als »Leben« oder »ewiges Leben« (Joh 3,36a.b; 5,24.26.29; 6,53.54; 8,12; 11,25; 14,6, 17,3 usw.). Johannes steigert die Lehre von der Gegenwart der Gottesherrschaft zur beinahe vollen Erfüllung des Heils. Dagegen tritt die Zukunftserwartung des Reichs Gottes stark zurück, ohne jedoch fallengelassen zu werden. Besonders augenfällig ist für die Gegenwart der Beginn eines tief empfundenen Christuskultes (vgl. Joh 20,31 und die »Ich-bin«-Worte, z.B. 11,25; 14,6 u.a.). Dieser ist verbunden mit einer starken Spiritualisierung und Mystifizierung des Reichs Gottes. Kennzeichnend dafür ist Joh 3,3: »Wahrlich, wahrlich, ich sage dir: Wenn nicht jemand von neuem geboren wird, kann er das Reich Gottes nicht sehen (!)« (im Vergleich zu Par Mt 18,3) sowie Joh 17,3: »Das aber ist das ewige Leben, daß sie dich, den allein wahren Gott und, den du gesandt hast, Jesus Christus, erkennen (!).«

Sowohl bei Paulus als auch Johannes finden sich damit schon Ansätze, die dann über spätere Entwicklungen bis weit in die Moderne hineinreichen, wo immer noch traditionell orientierte Anschauungen die Überweltlichkeit und individuelle Frömmigkeit, die existentiale Interpretation, die Ich-Du-Beziehung oder die exklusive Gemeinschaftlichkeit des Reichs Gottes stark akzentuieren. Diese Richtungen treffen jedoch die Mitte der Botschaft Jesu, seines Evangeliums von der Gottesherrschaft als Neuer Welt nicht mehr. Sie führen auch oftmals zur Flucht in Rand- und Grenzzonen des irdischen Lebens. Sie zeitigen manchmal Scheinbefriedigung und Unfruchtbarkeit und können damit zu dem »Opium des Volkes« werden, das *Marx* vor Augen hatte.

4 Das Reich Gottes als volle Menschwerdung

Zentral und hauptsächlich hat das Reich Gottes in seiner (irdischen) Vollendung *real-materiellen, leiblich-weltlichen* und besonders *sozial-universalen Charakter.* Es enthält, auf eine kurze Formel gebracht, die *volle Menschwerdung des Menschen* in Freiheit und in Brüderlichkeit, als Individuum und schließlich als Menschengemeinschaft, die eigentliche Identität des Menschen[169].

4.1
Der Begriff ›Gottesherrschaft‹

Das ergibt sich zunächst aus dem Begriff der Gottesherrschaft oder des Reichs Gottes als solchem, wie wir ihn schon früher betrachtet haben. Die Gottesherrschaft kann sich danach nur dort entfalten, *wo Gott in einem neuen Sein wirklich herrscht,* und das heißt, *wo der Wille Gottes in einem neuen Leben und einer erneuerten Welt tatsächlich geschieht*[170] (man könnte insoweit von einer *formellen Gottesreichs-Definition* sprechen!).

Der Wille Gottes hat nach Jesu Verkündigung, wie gezeigt, die Brüderlichkeit, die Solidarität mit dem Mitmenschen und die Liebe zu ihm zum Inhalt (s. S. 34, 55). Diese Zuwendung zum Mitmenschen soll in Freiheit geschehen, und das bedeutet, sowohl frei von den Mächten der Entfremdung und ›Sünde‹ mit ihren Zwängen als auch in Freiheit von Gesetz und Herrschaft, vom Kultus oder einer (vermeintlichen) Forderung Gottes (vgl. S. 37, 47). Der Mensch soll sich selbst von der Zuwendung Gottes, seiner Liebe und Gerechtigkeit nicht genötigt fühlen, so daß diese zunächst nur zeichenhaft erfolgt (s.S. 52). Die Herrschaft Gottes richtet sich nach alledem auf die Vermenschlichung des Menschen durch Brüderlichkeit in Freiheit und findet in ihr ihren wesentlichen Inhalt.

Daß dieses Ergebnis richtig ist, zeigt auch die bekannte *Doppelung* im *Vaterunser* (Mt 6,10): »Dein Reich komme. Dein Wille geschehe wie im Himmel so auch auf Erden.« Auch damit ist nach der zur damaligen Zeit

169 Zu dieser Zusammenfassung wiederum Bloch, Christentum, 122ff.135ff, der freilich einen darüber hinausgehenden Gehalt des Reich-Gottes-Gedankens nicht anerkennt; s. auch Bartsch, Jesus, 104ff.124; Gollwitzer, Reich Gottes, 49ff.52ff; Marsch, Zukunft, 97ff; Metz, Welt, 85ff, u.a., die sich gegen die verschiedenen Verkürzungen der Reich-Gottes-Vorstellung wenden. Dabei ist freilich nicht außerachtzulassen, daß das Reich Gottes auch im Menschlichen *nicht* aufgeht, sondern sogar Erneuerung von Natur und Kosmos bedeutet und letztlich jedes irdische Dasein überschreitet.

170 Diesen Gedanken betont schon Weiß, Reich Gottes, 116: »Wo Gottes Wille unumschränkt herrscht, da ist die basileia tou theou verwirklicht.« Vgl. ferner Bultmann, Jesus, 124; Niederwimmer, Jesus, 38, und sinngemäß Jeremias, Theologie, 192. Zum jüdischen Hintergrund s. Flusser, Jesus, 82.83.

im Judentum üblichen Aussageweise des synonymen Parallelismus (der zumindest der Intention Jesu entspricht) die Gleichsinnigkeit beider Bitten bezeichnet und die Gottesherrschaft da aufgewiesen, wo *Gottes Wille geschieht* und *getan wird*. Dieser Wille Gottes aber wird in der vollen Menschlichkeit des Menschen durch Brüderlichkeit in Freiheit verwirklicht.

4.2
Der Begriff ›Leben‹

Zu ähnlichen Folgerungen gelangt man, wenn man von der Bezeichnung ›Leben‹ ausgeht. Jesus benennt die Gottesherrschaft auch vielfach mit dem Ausdruck »Leben« (s. Mk 9,43,45,47 Par; 10,17 Par; Mt 7,14; Lk 21,19 u.a.; ferner in zahlreichen Stellen des Johannes-Evangeliums, z.B. Joh 14,6 und bei Thomas, z.B. Log 4: »Ort des Lebens«). Dies bedeutet nicht einfach dasselbe wie »ewiges Leben«, bei letzterem hat man doch mehr an die Verlängerung und Krönung des hier gemeinten »Lebens« zu denken (s.S.170). Vielmehr bezeichnet »Leben« das eigentliche, das neue Leben desjenigen, der in der Nachfolge Jesu wirkt. Dieses Leben kann nur als ein besonders *gelungenes und erfülltes Leben* verstanden werden. Es ist ein solches, das *aus den diversen Entfremdungen befreit und gelöst* ist. Es ist durch Freiheit gekennzeichnet, es realisiert sich in Brüderlichkeit und Gemeinschaft. Dieses Leben enthält das eigentliche Menschsein, seine endgültige Selbstverwirklichung[171].
Etwas ähnliches sagt Jesus auch damit, daß er als Voraussetzung des »Lebens« eine »*Wiedergeburt*« des Menschen, ja der ganzen Welt, erwartet (so in dem bekannten Nikodemus-Gespräch Joh 3, s.S. 176, universal in Mt 19,28; bestr.), was der Umkehr im Sinne einer radikalen Annahme der Zuwendung und Liebe Gottes entspricht. Durch diese »Wiedergeburt« sollen die Menschen erst ihr *volles* und *wirkliches Leben* gewinnen und die *Erfüllung* ihrer *grundlegenden Bedürfnisse*. In diesem Leben sollen sie ihre eigentliche Identität als Menschen verwirklichen, in freier Zuwendung und Gemeinschaft mit den Mitmenschen.

4.3
Das Bild des ›Menschensohns‹

Über diese direkten Aussagen vom Wesen des Reichs Gottes, des Lebens hinaus enthält die Predigt Jesu auch eine Reihe von höchst eindrucksvollen Bildern bzw. Mythen, die in Zusammenhang mit der Vorstellungswelt des Alten und Neuen Testaments das Wesen der Gottesherrschaft in eben demselben Sinne kennzeichnen. Besonders aufschlußreich ist hier

171 S. dazu z.B. Kümmel, Theologie, 31ff; Blank, Jesus, 49.

das Bild vom *Kommen des ›Menschensohns‹ inmitten des sich vollendenden Reichs Gottes*[172].

Es ist schon gezeigt worden, daß uns dieser Mythos besonders in Dan 7,13ff, ferner bei Ez und Ps 8 sowie in den apokryphen Büchern Henoch und 4Esr begegnet und daß er schon im Daniel-Buch und später bei Henoch und 4Esr endzeitlichen Charakter hat (s.S. 78). In Jesu Predigt wird die Vorstellung vom Menschensohn dann reich ausgestaltet und mit *Jesus persönlich* in Verbindung gebracht. Von ihm wird nun als dem Menschensohn gesprochen, der in der Welt auf das Reich Gottes hin wirkt und deshalb leiden muß. Schließlich wird er, worauf es in diesem Zusammenhang mit besonderer Zuspitzung ankommen soll, als der *in der Endzeit sieghaft und mit Herrlichkeit erscheinende Menschensohn* dargestellt, mit dem das Reich Gottes unter übernatürlichen Umständen vom Himmel her einbricht[173].

Dabei ist freilich, wie bei der ganzen eschatologischen Verkündigung Jesu, wiederum die wichtige *Einschränkung* zu machen: Da Jesus sich nie ausdrücklich, sondern stets nur andeutungsweise und verhüllt als endzeitlich siegenden Menschensohn bezeichnet und auch sonst die Modalitäten seines Kommens dem menschlichen Wissen entzieht, überläßt er die Erhöhung und herrscherliche Inthronisation des Menschensohns sowie deren nähere Gestaltung letztlich allein dem Willen Gottes; er will keineswegs diese Würde oder gar Verehrung von sich aus in Anspruch nehmen. Damit ist auch die mythologische Darstellung dieses gesamten Geschehens bereits von Jesus selbst eingeschränkt und deutlich relativiert worden (s. auch S. 20f,154).

Im einzelnen ist auf folgende Worte Jesu über den in der Endzeit siegenden Menschensohn hinzuweisen:

Eines der ältesten dieser Logien, das die Universalität der Erscheinung des Menschensohns betont, ist Lk 17,24 Par Mt 24,27: »Wie der Blitz aufflammt und von einer Gegend unter dem Himmel zur anderen unter dem Himmel leuchtet, so wird es mit dem Sohn des Menschen an seinem Tage sein« (dagegen spricht die Mt-Par von der »Ankunft« des Menschen-

172 Die Verbindung der Begriffe ›Reich Gottes‹ und ›Menschensohn‹ wird von Vielhauer, Gottesreich, 55ff und Conzelmann, Theologie, 154ff in Zweifel gezogen. Sie ergibt sich aber schon aus der Tradition beider Vorstellungen (s. Dan 7, wo beide ausdrücklich miteinander in Beziehung gesetzt werden). In der Verkündigung Jesu gehört zwar das Stichwort ›Menschensohn‹ der esoterischen Lehre zu, während ›Reich Gottes‹ das Kennwort der exoterischen Predigt ist (so Jeremias, Theologie, 254ff, und Beißer, Reich Gottes, 56ff). Das hindert jedoch, auch nach der Auffassung beider, nicht ihren entscheidenden inneren Zusammenhang. Dieser zeigt sich in den Parusiegleichnissen wie z.B. Mt 25,1ff (Himmelreich – Hochzeit – Bräutigam) und 25,31ff (Menschensohn – Gericht – Reich Gottes); ferner ergibt er sich aus der Parallelität der Worte über Gegenwart und Zukunft sowohl von Gottesherrschaft als auch Menschensohn (s.S. 150, 153) wie über die Naherwartung betr. Reich Gottes und Menschensohn (vgl. S. 156).

173 Vgl. zur Echtheit der Logien über den endzeitlich siegenden Menschensohn Anm. 71.72, woraus hervorgeht, daß diese Worte in großem Umfange, auch von Bultmann und vielen seiner Schüler, für authentisch angesehen werden.

sohns, die (ungenau) oft als »Wiederkunft« übersetzt wird)[174]. Ein Wort der Verheißung stellt auch das urtümliche Logion Mt 10,23 dar: »Wenn sie euch aber (bei der Drangsal) verfolgen in dieser Stadt, so flieht in eine andere! Denn wahrlich, ich sage euch: Ihr werdet mit den Städten Israels nicht zu Ende kommen, bis der Sohn des Menschen kommt.«[175]
Eine jüngere Bildung mit mehr apokalyptischem Charakter ist die kosmisch-weltumspannende Schilderung in Mk 13,24–27 Par Mt 24,29–31 und Lk 21,25–28: »Aber in jenen Tagen, nach jener Drangsal wird die Sonne sich verfinstern, und der Mond wird seinen Schein nicht geben, und die Sterne werden vom Himmel fallen, und die Kräfte im Himmel werden erschüttert werden. Und dann wird man den Sohn des Menschen auf den Wolken kommen sehen mit großer Macht und Herrlichkeit. Und dann wird er die Engel aussenden und die Auserwählten versammeln von den vier Winden her, vom Ende der Erde bis zum Ende des Himmels.« Dieses Wort zeigt gegenüber den ersten Sprüchen schon erhebliche Ausgestaltungen, besonders auch in der Richtung des Kommens des Menschensohns. Während zunächst nur die Ankunft des Menschensohns bei Gott und seine Herrschaftseinsetzung angesprochen sein dürfte (Richtung ›von unten nach oben‹ entsprechend der danielisch-henochischen Tradition, s. auch Mt 25,31; Lk 22,69), wird nunmehr auch das Kommen des Menschensohns auf die Erde (›von oben nach unten‹) dargestellt. Diese Zweigliedrigkeit ist allerdings, auch wenn sie vom Erlebnis der Auferstehung Jesu mitgeprägt sein sollte, auf jeden Fall eine sinngemäße Ergänzung der ersten Vorstellung, die die Einsetzung des Menschensohns in die Herrschaft auf der Erde bei Mensch und Welt sichtbar und wirksam werden läßt.
Eine ähnlich bildhaft-apokalyptische Darstellung dieser Ankunft des Menschensohns auf Erden gibt auch ein von Paulus überliefertes Jesus-Wort, das freilich in noch größerem Umfang als das vorherige sekundäre Züge enthalten dürfte (s. 1Thess 4,16–17a)[176]: »Der Menschensohn (bei Paulus: der Herr) wird mit lautem Befehl, Erzengelgetön und Gottesposaune vom Himmel herabkommen. Und zuerst werden die (in Christus) Verstorbenen auferstehen. Dann werden die (wir) Lebenden, die (wir) übrigblieben, mit ihnen zusammen auf Wolken emporgerissen werden in die Luft – zur Einholung des Menschensohns . . .« (das hier eingefügte Ehrengeleit für den königlichen Menschensohn darf übrigens nicht mit einer Entrückung der Menschen in die ›überirdische‹ Welt verwechselt werden, die bei späteren biblischen Schriftstellern nahegelegt wird, s. z.B. Joh 14,2.3).

In allen diesen Worten vom endzeitlich triumphierenden Menschensohn wird in machtvollen Visionen ausgesprochen, daß der Menschensohn im Rahmen des zur Verwirklichung kommenden Reichs Gottes zu Gott *erhöht* und *in die offenbare und abschließende Herrschaft über Mensch und Welt eingesetzt* werden soll. Er wird zu den Menschen kommen und auf der Erde seine Macht durchgängig geltend machen – das soll auch in bezug auf die Verstorbenen und ihre Auferstehung gel-

174 Nach Bultmann, Jesus, 31.32; Braun, Jesus, 55; Jeremias, Theologie, 251.259 auf Jesus zurückzuführen.
175 Für Echtheit Jeremias, Theologie, 136ff.251ff; Goppelt, Theologie, 107; Kümmel, Verheißung, 55ff; a.M. Bultmann, Tradition, 129. Die Ursprünglichkeit des Logions wird dadurch nahegelegt, daß darin eine unerfüllt gebliebene Hoffnung ausgesprochen wird, ferner daß Israel hier als Grundstock der endzeitlichen Menschengemeinschaft gesehen wird. Inhaltlich besagt das Wort, da S. 23a und b schwerlich isoliert vorgestellt werden können: ehe die Jünger mit ihrer Flucht in die Städte Israels zu Ende gekommen sind, soll der Menschensohn erscheinen, so bald!
176 Vgl. Jeremias, Jesusworte, 77ff, gegen Dibelius.

ten –, um *Menschen und Welt* dem *endgültigen Heil*, ihrer *Befreiung* und ›*Erlösung*‹ zuzuführen.
Eine ergänzende Beschreibung des endzeitlich herrschenden Menschensohns bietet eine Reihe anderer Logien, die neben der ›Erlösung‹ der ›Erwählten‹ auch die *Verwerfung* der anderen durch den Menschensohn kennen:

Ein besonders gut bezeugtes Wort Jesu ist hier Lk 12,8.9 Par: »Wer immer sich zu mir bekennt vor den Menschen, zu dem wird sich auch der Sohn des Menschen bekennen vor den Engeln Gottes. Wer mich aber verleugnet vor den Menschen, der wird verleugnet werden vor den Engeln Gottes«[177] (ähnlich Mk 8,38 Par; danach »wird sich auch der Menschensohn, wenn er kommen wird in der Herrlichkeit seines Vaters mit den heiligen Engeln, dessen schämen, der sich meiner und meiner Worte geschämt hat unter diesem abtrünnigen und sündhaften Geschlecht«). »In den Tagen des Menschensohns« wird es daher »zugehen, wie es in den Tagen Noahs war«: »Sie aßen, sie tranken, sie heirateten, sie wurden verheiratet, bis zu dem Tage, da Noah in die Arche ging und die Sintflut kam und alle vertilgte« (Lk 17,26.27 Par Mt 24,37–39; bei Lk wird zusätzlich noch an »die Tage Lots« gemahnt). Auch dieses Bildwort ist ein altertümliches Logion zum Kommen des Menschensohns als Richter über die ›Nichterwählten‹.
Eine spätere Bildung dazu, jedoch mit authentischem Kern, ist das Gleichnis vom Scheiden der Schafe von den Böcken (Mt 25,31–46), wonach der Menschensohn »auf dem Thron seiner Herrlichkeit« alle Völker voneinander sondern wird »wie der Hirt die Schafe von den Böcken«, jeden Menschen danach, was er »einem dieser meiner geringsten Brüder getan« hat. Mit diesen identifiziert sich der Menschensohn: was ihnen getan worden ist, »das habt ihr mir getan«. Weitere (oft sekundär überarbeitete) Worte vom Gericht des Menschensohns finden sich in Mt 16,27; Lk 18,8; 21,36 u.a.

In diesen Worten fällt auf, daß auch ein erhebliches Gewicht darauf gelegt wird, daß die ›Nichterwählten‹ nach dem Kommen des Menschensohns der ›Verdammung‹ anheimfallen werden. Dies kann allerdings als Möglichkeit, auch angesichts der radikalen ›Gnade‹ Gottes, nicht ausgeschlossen werden; denn der Mensch kann nach Erlangung der vollen Freiheit die Zuwendung Gottes immer noch ausschlagen und sich somit selbst von Gott loslösen und dem Nichts anheimgeben (s. im einzelnen später!).
Eine zusammenfassende Schilderung der Parusie des Menschensohns enthält schließlich die Aussage Jesu vor dem Hohen Rat in Jerusalem (vgl. Mk 14,62 Par; str.), wo er auf die Frage des Hohenpriesters Kai-

177 Für Echtheit Bultmann, Jesus, 25.147; Braun, Jesus, 65; Bornkamm, Jesus, 138.161.208; auch Goppelt, Theologie, 233. Die Verwendung der Menschensohn-Bezeichnung ist hier gut bezeugt (s. die Par in Mk 8,38 und den Stichwortzusammenhang mit Lk 12,10); insbesondere kann nach Ostern die Unterscheidung zwischen Jesus und dem endzeitlichen Menschensohn nicht mehr formuliert worden sein (das zeigt die Par in Mt 10,32ff: weil Mt die Differenz zwischen beiden sinnlos vorkam, hat er, ähnlich wie in 16,21, die Menschensohn-Bezeichnung ausgeschieden; gegen Jeremias). Die Behauptung Vielhauers, das Wort passe nicht in die historische Situation Jesu und sei deshalb unecht, ist angesichts des Konflikts, in die Jesus seine Gesetzes- und Herrschaftskritik brachte, keineswegs überzeugend.

phas: »Bist du der Messias (Christus), der Sohn des Hochgelobten?« antwortet: »Ich bin's« (bei der Mt- bzw. Lk-Par: »Du« und »Ihr sagt es«). »Und ihr werdet den Sohn des Menschen sitzen sehen zur Rechten der Macht und kommen mit den Wolken des Himmels!« (hier wiederum abweichend Lk, der nur die Ankündigung der Erhöhung des Menschensohns zur Rechten Gottes bringt). In diesem Logion ist für den vorliegenden Zusammenhang wichtig, daß Jesus *sich* nunmehr auch mit dem in der Endzeit siegenden Menschensohn *identifiziert*, während er bisher damit sehr zurückhaltend war. Auch jetzt geschieht die Gleichsetzung *nur indirekt* und *verschlüsselt*. Dadurch wird deutlich, daß die Erhöhung des Menschensohns und ihre Ausgestaltung im einzelnen letztlich Gott überlassen bleiben soll (s. auch Lk 11,30).

Die gesamte Predigt Jesu vom endzeitlich siegenden Menschensohn weist, wenn man sie aus ihrer mythologischen Einkleidung herauslöst, nicht nur auf einen Einzelmenschen, den Messias hin, sondern auf das *eigentliche, in der Endzeit verwirklichte Bild des Menschen* schlechthin. Sie läßt die letzte Gestalt des Menschen erkennen, die sich im Reich Gottes offenbaren und in ihm *zu universaler Herrschaft und Geltung kommen* wird. An dieser End-Gestalt des Menschen sollen alle Menschen als eine Gemeinschaft teilhaben, die die Zuwendung Gottes mit Jesus, in seiner Nachfolge annehmen und seinen Willen tun. Dies soll sogar für die Verstorbenen gelten, die im übertragenen Sinne als an dieser Menschengemeinschaft partizipierend vorgestellt werden[178].

Diese weitreichende Deutung ergibt sich zunächst aus dem *sprachlichen Gehalt* des Wortes ›*Menschensohn*‹. ›Menschensohn‹ heißt nämlich im aramäischen Sprachgebrauch ursprünglich nichts anderes als ›der Mensch‹ (in generischer Verwendung) oder manchmal auch (indefinit) ›ein Mensch‹ (gelegentlich mit Zusatz: ›wie ich‹); erst später kommt die

178 Hierzu mag zunächst auf die Ausführungen Blochs, Christentum, 135ff(145) verwiesen werden. Er versteht Menschensohn als »Menschen-Hypostase«, als entsprechende »Sozietät« der neuen Erde; das »Gestaltbild« sei hier »Zielbild«, der Makanthropos das »Haupt am Ende der Welt«, die »Gestalt des künftigen Reichs«. Bedenklich bei dieser eindrucksvollen Interpretation scheint nur der Gegensatz zum Gottesgedanken, wenn Bloch meint, daß der Menschensohn aus der Gottheit »heraustrete«, d.h. an seine Stelle trete. Moltmann, Kirche, 120, stellt zurückhaltender der Weltherrschaft der »Usurpatoren in tierischer Gestalt« mit ihren »bestialischen Verhältnissen« die Herrschaft des »Menschensohns« gegenüber, womit sowohl »der Mensch« wie »die Menschheit« gemeint seien. »Die Schöpfungsverheißung der Gottesebenbildlichkeit und der Weltherrschaft ›der Menschen‹ kommt im menschlichen ›Reich des Menschensohns‹ zur Erfüllung.« Jesus ist »als Repräsentant der kommenden, erlösenden Gottesherrschaft« »zugleich der Repräsentant des kommenden wahren Menschseins«. Auch in der angelsächsischen Theologie wird Jesu Predigt vom Menschensohn im Ergebnis ähnlich gedeutet. Manson, Jesus, 211ff, bezeichnet den Menschensohn als eine »corporate entity« bzw. eine »corporate personality«; diese Menschenverbindung (aus Jesus und seinen Jüngern) soll nach ihm auch das Gericht ausüben. Vgl. schließlich Cullmann, Christologie, 156ff(161): »Der Menschensohn schließt eben zugleich *die* Menschen ein. Eine Alternative zwischen individueller und kollektiver Bedeutung des Menschensohns gibt es von hier aus nicht.«

messianisch – titulare Bedeutung dazu[179]. In der Endzeit soll danach der Mensch als solcher, der Mensch im eigentlichen Sinne des Wortes ›ankommen‹, der wirkliche, echte Mensch soll ›erscheinen‹. In der orientalischen Vorstellungswelt weisen zudem die Worte ›*Sohn*‹ und ›*Bild*‹ verwandte, ineinander fließende Inhalte auf. »Der Sohn des Menschen wird kommen« bedeutet danach, daß das wirkliche Bild vom Menschen Gestalt gewinnen, sich durchsetzen und Befreiung schaffen wird. Es wird andere Vorstellungen und Bilder vom Menschen zurechtrücken und möglicherweise sogar ›richten‹. Das alles betrifft nicht nur den einzelnen Menschen, sondern ist korporativ zu verstehen. Der ›Menschensohn‹ umfaßt die menschliche Gesellschaft, ja sogar die ganze Menschheit. Die Menschen allgemein, als Kollektiv sollen wirkliche Menschen werden.

Diese letzte Gestalt des Menschen und seiner Gemeinschaft ist schon in Dan 7,13ff(27) anvisiert. Hier wird der ›Menschensohn‹ (im Gegensatz zu den Tiergestalten) sogar ausdrücklich mit dem Volk der »Heiligen des Höchsten«, d.h. der endzeitlichen Menschengemeinschaft, gleichgesetzt. Auch im äthiopischen Henoch-Buch ist von diesen »Heiligen, Gerechten und Auserwählten« vielfach die Rede (vgl. äthHen 48,1ff; 62,8ff usw.), ohne daß allerdings eine eindeutige Identifizierung mit dem ›Menschensohn‹ ausgesprochen wird.
In eigenartiger Umformung der danielischen Tradition hat Jesus den Menschensohn in Mt 25,31ff mit den Menschen, die zu ihm gehören, verkoppelt. Danach ist dem »Menschensohn« getan, was »einem dieser meiner geringsten Brüder«, also den Hungrigen und Dürstenden, den Fremden, Armen und Gefangenen, ja den »Vielen« schlechthin, getan worden ist. Was ihnen nicht getan worden ist, das ist nach diesem Wort auch dem »Menschensohn« nicht getan. Jesus verbindet sich und seine Zukunft auch sonst mit den Menschen, die seine Nachfolger sind, mit seiner ganzen Menschengemeinschaft, s. Lk 10,16: »Wer euch hört, der hört mich, und wer euch verwirft, der verwirft mich«; ähnlich Mt 10,40. Diese Logien legen ebenfalls die Zugehörigkeit der Jesus nachfolgenden Menschen und ihrer Gemeinschaft zum ›Menschensohn‹ nahe.

Wir haben nun gehört, daß Jesus sich *selbst*, wenn auch indirekt und chiffrehaft, als denjenigen sieht, der in naher Zukunft zum endzeitlich siegenden Menschensohn erhöht wird. Er ist auch als der zu erkennen, der jetzt als Menschensohn in Niedrigkeit und Verhüllung wirkt und deshalb leiden und sterben muß. Das paßt jedoch durchaus zu dem vom Neuen Menschen und seiner Gemeinschaft Angeführten. Der historische Jesus von Nazareth repräsentiert in der Gegenwart beispielhaft den

179 Zur philologischen Frage, s. in diesem Sinne Jeremias, Theologie, 248ff; Goppelt, Theologie, 227. Daß Jesus auch die generisch-anthropologische Bedeutung des Worts im Auge hat, ergeben z.B. die Wortspiele in Lk 12,8; Mk 9,31 Par, wo den sündigen »Menschen« des alten Äons der neue »Mensch« gegenübergestellt wird, ferner in Mt 11,19 Par, das den wahren »Menschen« mit dem »Menschen« konfrontiert, wie er (als »einer, der frißt und säuft«) in der Vorstellung der Gegner erscheint. In diese Richtung weist schließlich auch die Verbindung der »Menschensohn«-Bezeichnung mit Aussagen über die »Menschen« in Mk 2,27.28; Mt 9,6.8 und Mt 12,31.32 (freilich str.).

eigentlichen, wirklichen Menschen der anbrechenden Gottesherrschaft. Soweit er sich auch für die Zukunft mit dem Menschensohn identifiziert, bedeutet das, daß dieser *Mensch der Zukunft* ebenfalls *durch seine, Jesu Person wirklich* und *konkretisiert* werden sowie *ihn* und die *von ihm dargestellten Werte* zum *Inhalt* haben soll. Der Neue Mensch des Reichs Gottes wird somit durch ein brüderliches und gerechtes Wirken in freiheitlicher Sohnschaft geprägt, wie es der *Mensch Jesus vorgelebt* hat. Er soll sich mit anderen erneuerten Menschen zu einer Neuen Gesellschaft, zu einer erneuerten Menschheit zusammenschließen, die *unter der Herrschaft* und dem *Recht* des *erhöhten Jesus* lebt und damit neue gemeinschaftliche Herrschafts- sowie Bildungs- und Eigentumsformen entwickelt[180].

Nach diesen Ausführungen zeigt sich auch in dem Mythos vom Menschensohn, daß die *Vermenschlichung des Menschen*, seiner Gemeinschaft und der ganzen Welt das eigentliche *Ziel der Gottesherrschaft* und ihr *wesentlicher Inhalt* ist. Im Reich Gottes soll der humane, der Neue Mensch herrschen. Aus Menschen sollen unter der Königsherrschaft Gottes wirkliche Menschen werden.

Daß diese Auslegung richtig ist, läßt sich auch noch an der Verkündigung des Paulus erweisen (wenn auch hier wiederum gewisse Abweichungen gegenüber der Predigt Jesu vorliegen, die nicht weiter erörtert werden sollen). Der Apostel spricht von Jesus als dem »Endmenschen«, der dem »ersten Menschen« Adam gegenübersteht und von dem ebenso wie von Adam eine Menschheit ihren Ausgang nimmt (s. besonders 1Kor 15,22ff und 45ff; Röm 5,12ff). Die letztere Neue Menschheit wird von Paulus auch als der »Leib Christi« oder sogar als der »Christus« bezeichnet (s. z.B. 1Kor 1,13; 10,16ff; 12,12ff; Röm 7,4; 12,4ff). Zu diesem »Leib Christi« oder »Christus« gehören alle Menschen, die Jesus nachfolgen und sich in seiner endzeitlichen Menschengemeinschaft zusammenschließen. Auch hier wird also der im Kommen begriffene »Christus«, d.h. Messias, mit der endzeitlichen

180 Wir müssen, wie hier nochmals klarzustellen ist, den generisch-anthropologischen und den messianisch-titularen Gebrauch der Bezeichnung »Menschensohn« (»Mensch«) unterscheiden sowie die Identifikation mit dem Ich Jesu. Die im vorliegenden näher beleuchtete anthropologische und bes. generische Verwendung des Worts (= der Mensch u.ä.) bezieht sich auf alle drei Wortgruppen, die immer auch den Menschen schlechthin betreffen. Das schließt die Worte vom zukünftigen Menschensohn ein; auch hier sind mit dem Menschensohn diejenigen seiner »geringsten Brüder« mitangesprochen, die leiden müssen und erhöht werden sollen, also seine ganze Menschengemeinschaft, s. auch Dan 7,18ff; hierzu Cullmann und Manson, Anm. 178. Auch der früher (s.S. 76ff) besprochene messianische Gebrauch des Worts betrifft alle drei Typen seiner Verwendung, eingeschlossen die vom gegenwärtigen Menschensohn; denn sie zeigen ebenso wie die anderen die eschatologische Bevollmächtigung des Menschensohns, aber auch seine Verstoßung durch die Menschen, nach Dan 7,14,18 und 25; s. hierzu Goppelt, Theologie, 226ff, und Klappert, Auferweckung, 115ff. In *beiderlei* Verwendung des Worts sieht nun Jesus verhüllt sein eigenes Ich. Dies ist bes. mit Rücksicht auf Lk 12,8.9 bestritten worden. Jedoch folgt die darin ausgesprochene Differenzierung zwischen Ich und Menschensohn aus der umfassenderen Füllung des Worts Menschensohn und aus der eschatologischen Unverfügbarkeit der Menschensohnschaft allgemein, gegen die Bultmannschule, vgl. aber Kümmel, Theologie, 71; Goppelt, Theologie, 231ff.

Menschenverbindung verschmolzen und damit auch korporativ gesehen. Diese Menschengemeinschaft soll durch die Eigenart Jesu von Nazareth und seinen offenen und brüderlich-solidarischen Dienst geprägt sein (das wird auch deutlich, wenn Paulus oder seine Schüler an anderer Stelle, z.B. Kol 1,18, Jesus als »Haupt« des »Leibes« bezeichnen und damit seine Herrschaft über diesen ausdrücken).

Es ergibt sich nach alledem, daß es entscheidend auf das *Kommen*, das *Erscheinen* des *endzeitlichen Neuen Menschen* und *seiner Gemeinschaft* ankommt. Das ist der maßgebliche Inhalt des Mythos vom ›Menschensohn‹ und seinem ›Tag‹ samt den damit zusammenhängenden Vorstellungen. Nicht dagegen soll ausgesagt werden, daß Jesus von Nazareth in ›übernatürlicher‹ oder auch ›natürlicher‹ Weise ›wiederkommen‹ werde. Vor solchen Vorstellungen will wahrscheinlich schon Mk 13,21.22 Par warnen. Diese Stelle mahnt: »Und wenn dann jemand zu euch sagt: Seht, hier ist der Messias, seht, da ist er, so glaubt es nicht!« und weist in der Folge darauf hin, daß »falsche Messiasse« und »Propheten« auftreten werden. Die gesamte Verkündigung vom messianischen ›Menschensohn‹ bekräftigt damit, daß nicht auf eine ›Wiederkunft‹ des Menschen Jesus von Nazareth, sondern auf die *eschatologische Herrschaft Gottes und des erhöhten Jesus, des Messias,* abgezielt wird. Diese soll sich *im Neuen und das heißt wirklichen Menschen und seiner Heilsgemeinschaft offenbaren und realisieren* – bis sie aufgeht in der Welt der Auferstehung, in der alle Menschen mit Gott und dem verherrlichten Jesus eins sein sollen.

4.4
Das Bild vom ›großen Mahl‹

Neben dem Mythos vom ›Menschensohn‹ gibt es ein weiteres eindrucksvolles mythisches Bild, das in besonderem Zusammenhang mit dem Reich Gottes steht. Das ist das *Motiv vom großen Mahl,* sei es als bloßes Sättigungsmahl oder gesteigert als Fest- und Hochzeitsmahl.

Dieses Bild treffen wir ebenfalls bereits im Alten Testament an.

Eine lebendige Schilderung von diesem endzeitlichen Mahl findet sich z.B. in Jes 25,6ff: »Und der Herr der Heerscharen wird auf diesem Berge allen Völkern ein fettes Mahl machen, ein Mahl von altem Wein, von Fett, von Mark, von Wein, in dem keine Hefe ist. Und er wird auf diesem Berge die Hülle wegnehmen, mit der alle Nationen verhüllt sind, und die Decke, mit der alle Völker (Heiden) zugedeckt sind. Er wird den Tod verschlingen auf ewig. Und Gott der Herr wird die Tränen von jedem Antlitz abwischen und wird die Schmach seines Volkes von der ganzen Erde hinwegnehmen . . .« Ähnliche Gedanken über ein großes Mahl enthalten Jes 65,13ff; 2Sam 9,7ff und andere Stellen. Schließlich wird auch im äthiopischen Henoch-Buch das große Mahl der Endzeit beschrieben; dabei ergibt sich eine Verbindung zur Menschensohn-Vorstellung (äthHen 62,14): »Der Herr der Geister wird über ihnen (den Gerechten und Auserwählten) wohnen und sie werden mit jenem Menschensohn essen, sich niederlegen und erheben bis in alle Ewigkeit.«

In Jesu Verkündigung nimmt das Bild vom großen Mahl einen zentralen Platz ein[181]. In mehreren *Gleichnissen* vergleicht Jesus das Reich Gottes mit einem großen Mahl.

Hier sei z.B. an Mt 22,2–10 erinnert: »Das Himmelreich ist gleich einem König, der seinem Sohn das Hochzeitsmahl rüstete. Und er sandte seine Knechte aus, um die Geladenen zur Hochzeit zu rufen . . .« sowie an die Par in Lk 14,15–24: »Selig ist, wer am Mahl im Reiche Gottes teilnehmen wird . . . Ein Mann veranstaltete ein großes Gastmahl und lud viele ein. Und zur Stunde des Gastmahls sandte er seinen Knecht, den Eingeladenen zu sagen: Kommt, denn es ist alles bereit!«; s. ferner die Par in EvThom 64. Den Gedanken vom großen Mahl enthalten aber auch die Gleichnisse von den obersten Plätzen (s. Lk 14,7–10, S. 42) und vom Gast ohne Hochzeitskleid, das ursprünglich ebenfalls ein selbständiges Gleichnis war (Mt 22,11–13).

Entsprechend beschäftigen sich eine Reihe von *Sinnsprüchen* Jesu, zumal an seine Jünger, mit dem eschatologischen Mahl.

Hingewiesen sei z.B. auf Lk 22,15.16 und 18: »Mich hat sehnlich verlangt, dieses (Passa?) Mahl mit euch zu essen, bevor ich leide. Denn ich sage euch: Ich werde es hinfort nicht mehr essen, bis es in seiner Vollendung gefeiert wird im Reich Gottes . . . Ich werde von jetzt an vom Gewächs des Weinstocks nicht mehr trinken, bis das Reich Gottes gekommen ist« (ähnlich Mk 14,25 Par). In Lk 22,29.30 heißt es, ebenfalls im Kontext des letzten Mahls: »Und ich stifte euch das Reich, wie es mir mein Vater gestiftet hat, daß ihr an meinem Tische essen und trinken sollt in meinem Reich und auf Thronen sitzen, um die zwölf Stämme Israels zu regieren.« (zw.) Auf die Gegenwart bezogen sind die Sprüche Jesu in Mk 2,19 Par und in Lk 14,12–14. Der erstere redet von Jesus und seinen Jüngern als einer Mahlgemeinschaft und fragt: »Können etwa die Hochzeitsleute fasten (Mt: trauern), während der Bräutigam bei ihnen ist?« Das letztere Wort ermahnt, zum Gastmahl »Arme, Krüppel, Lahme und Blinde« einzuladen, »und du wirst glückselig sein, weil sie es dir nicht vergelten können!«
Ganz universal verkündet Jesus schließlich in dem altertümlichen Spruch Lk 13,29 Par Mt 8,11 das große Mahl im Reiche Gottes, zu dem alle Menschen ungeachtet ihrer Unterschiede von Religion und Rasse, von Nation und Klasse zusammenströmen werden: »Und sie (Mt sagt richtiger: Viele = alle) werden von Morgen und Abend und von Mitternacht und Mittag kommen und sich im Reich Gottes zu Tische setzen«[182]; dabei werden sogar die verstorbenen und nunmehr auferstandenen Patriarchen Abraham, Isaak und Jakob sowie alle Propheten als anwesend vorgestellt.

Jesus *feierte* auch *zeichenhaft* und *im Vorgriff auf das Königreich Gottes* eine *Reihe von Mahlen.*

Hier sind besonders die Mahle mit den jüdischen Volksmassen (4000 und 5000) nach Mk 6,30–44 und 8,1–10, beide Par, das Zöllnermahl mit den Ausgestoßenen der zeitgenössischen Gesellschaft (Mk 2,15–17 Par) und das Abendmahl mit seinen näheren Anhängern

181 S. z.B. Jeremias, Theologie, 108.117.166.275; Goppelt, Theologie, 123; Bartsch, Jesus, 99, u.a.
182 Vgl. Jeremias, Theologie, 236; Bultmann, Jesus, 34; ein wichtiges authentisches Jesus-Logion.

(Mk 14,22–25 Par) zu nennen. Schließlich berichten die Evangelien sogar von mysterienhaften ›Mahlen‹ in Gegenwart des Auferstandenen (so mit den 11 Jüngern, Lk 24,36–49 Par, den Emmausjüngern, Lk 24,13ff und den sieben Jüngern am See Tiberias, Joh 21) und die Apostelgeschichte vom großen »Brotbrechen« zu Pfingsten (Apg 2,42).

In allen diesen Logien vom großen Mahl und den entsprechenden Mahlfeiern Jesu und seiner Jünger wird vollends deutlich, daß das Reich Gottes sich nicht nur auf den einzelnen Menschen, als Neuen Menschen bezieht, sondern ebenso auf die *ganze Menschengemeinschaft* als *Neue Gesellschaft*, d.h. auf eine solche, die *in der Nachfolge Jesu lebt* und *ihre Angelegenheiten in diesem Sinne selbst regelt und bestimmt*. Im zeitgenössischen Judentum bedeutete das gemeinsame Mahl die Herstellung einer engen und vorbehaltlosen Gemeinschaft unter allen Teilnehmern; diese war auch nach einer bestimmten Ordnung gestaltet. Wenn Jesus das Reich Gottes mit dem Bild einer solchen Mahlzeit kennzeichnet, unterstreicht er damit nochmals, daß dieses nicht bloß den Menschen in seiner Individualität betrifft – obschon dies unverzichtbar ist –, sondern auch die Gemeinschaft aller Menschen, die den Willen Gottes befolgt und sich danach in ihren Strukturen einrichtet und verfaßt[183].
Diese umfassende Menschengemeinschaft des Reichs Gottes zeichnet sich durch eine Reihe von *Werten* aus, die im einzelnen in dem Bild vom großen Mahl stecken. Da ist zunächst die *Freiheit* und *Mündigkeit* ihrer Mitglieder zu nennen (von diesem *liberalen Moment* ist bereits hinreichend gesprochen worden, so daß sich hier weitere Erörterungen erübrigen, s.S. 37, 47, 177).
In diesem Menschenbund wird *vergebende Brüderlichkeit* und *Solidarität* verwirklicht, die auch die Niedrigen und Schwachen und sogar die Fernsten mit in die Gemeinschaft aufnimmt *(soziales Element)*.

Dazu sei besonders auf das Gleichnis Jesu vom großen Abendmahl hingewiesen, in dem der Gastgeber zuletzt seinen Knecht auffordert, die »Armen, Krüppel, Blinden und Lahmen« zum Gastmahl hereinzuholen (vgl. dazu Lk 14,21; s. auch Lk 14,13). Dieses Moment wird aber auch deutlich in dem Zöllnermahl, das in Mk 2,15ff Par beschrieben ist. Hier setzte sich Jesus demonstrativ im Hause des Zöllners Levi zu Tisch und »viele Zöllner und Sünder saßen mit Jesus und seinen Jüngern« zusammen. Jesus erläutert dieses Verhalten mit den Worten: »Nicht die Starken bedürfen des Arztes, sondern die Kranken« (Mk 2,17 Par). Dieses soziale Element wird noch dadurch betont, daß gerade die Hungrigen und Dürstenden, also wiederum sozial Schwache, in das Mahl der Gottesherrschaft einbezogen sind. Es bedeutet damit nicht zuletzt die Stillung der materiellen Bedürfnisse der Menschen, denen Mittel zum Leben gegeben werden sollen, und zwar zuerst den Notleidenden und Bedürfti-

183 Auch die (mythische) Vorstellung vom ›großen Mahl‹ wird vielfach nur repetiert, aber nicht ihrer bildhaften Hülle entkleidet. Immerhin betont Jeremias, Theologie, 117, daß »Tischgemeinschaft« »Lebensgemeinschaft« ist, »die Gewährung von Frieden, Vertrauen, Bruderschaft und Vergebung«, und Goppelt, Theologie, 123, hebt »die Gemeinschaft mit Jesus« und »mit Gott« hervor. Konkreter äußert sich Bartsch, Jesus, 97ff, der besonders den Gedanken der »Resozialisierung« und die »Wiederaufnahme der Ausgestoßenen« im Akt des Sündermahls findet.

gen; vgl. das Vaterunser Mt 6,11 Par: »Unser Brot für morgen (das Brot des Reichs Gottes) gib uns heute«; s. auch Lk 6,21 Par; Mt 10,42 Par; das wesentliche ist auch hierzu schon andernorts gesagt worden.

Schließlich ist in dem Bild von der Mahlgemeinschaft auch die *Gleichheit der Brüder (und Schwestern!)* enthalten, die beim Mahl versammelt sind *(egalitäre Tendenz)*.

Das ergibt sich andeutungsweise ebenfalls schon aus dem Gleichnis vom großen Hochzeitsmahl. Hiernach sind zum Mahl des Reiches Gottes letztlich »alle« eingeladen, »damit mein Haus voll werde« (Lk 14,23 Par). Alle sollen zum Mahl zugelassen werden und in gleicher Weise an den gesellschaftlichen Gütern im Reich Gottes teilnehmen.
Die Mahle mit den jüdischen Volksmassen (s. Mk 6,30–44 und 8,1–10 Par, auch in Joh 6) sind eine zeichenhafte Darstellung der kommenden Gemeinschaft des Reichs Gottes, in der die Gleichheit der Menschen verwirklicht werden und allen in ausreichender Weise Nahrung (Brot) und gesellschaftliche Erträge gegeben werden sollen[184]. Diese sogenannten Speisungen der 5000 (bzw. 4000) sind nur sekundär als Wunder mißverstanden und ausgeformt worden. Ursprünglich geht es bei ihnen um eine Gleichnishandlung, die Jesus mit den Massen der Armen und Hungrigen des Volkes gestalten wollte. Ihnen sollte deutlich werden, daß in der Heilszeit der Gottesherrschaft *alle* Menschen zu gleichem Recht und Anteilen kommen sollten und besonders alle gespeist und ihr Hunger gestillt werden sollte. Deshalb befahl Jesus den Massen, sich in gleichmäßigen Gruppen zu lagern (nach der Art von Tischgemeinschaften oder ähnlichen Formationen, Mk 6,39.40). Er ließ unter Lobpreisungen alle mit Teilen von Brot und Fisch speisen (Mk 6,42). Dabei wurde, wie es scheint, allen visionär deutlich, daß sie in der Vollendung der Gottesherrschaft, beim eschatologischen Festmahl, von Elend und Hunger befreit werden und die Fülle der Güter haben sollten.

Das egalitäre Moment kann in der Verkündigung Jesu noch weiter entfaltet werden. Es bedeutet nicht nur die Gleichberechtigung der Menschen, also von Mann und Frau, der gesellschaftlichen Klassen und Gruppen, der Nationen und Rassen. Es ist damit ebenso auch die (tendenziell) gleiche Verteilung der sozialen Güter und Arbeiten gefordert wie die entsprechende Bestimmung über die gesellschaftlichen Ziele, Mittel und Wege. Ganz allgemein wird die Gleichheit verwirklicht in

184 Jeremias, Theologie, 166, zählt auch die Speisungen unter die Fälle der »Mahlgemeinschaft«, »die eine Vorweggabe des Heilsmahles der Vollendungszeit« sind. Nach Bartsch, Jesus, 68.69, handelt es sich ebenfalls um eine Geschichte, die »die messianische Heilszeit ankündigt«; es geht nach ihm »nicht zuerst um das Wunder, sondern darum, daß alle satt werden unter der Lobpreisung, die Jesus . . . über dem Brechen des Brotes spricht«. Er nennt die Handlung deshalb eine »Demonstration gegen das . . . pervertierte Eigentumsrecht«. Auch Stauffer, Jesus, 67.68, bezeichnet die Brotvermehrung als ein »apokalyptisches Festmahl«, mit dem Jesus die Passazeit, die »messianische Adventszeit« feiert; nach Stauffer »versammelt sich Israel [in der Endzeit] wieder in der uralten Lagerordnung der Wüstenzeit, und der Gesalbte Gottes spendet Segen und Speise in Fülle«. Die Auffassung, daß die wunderbaren Speisungen »Vorfeiern des messianischen Mahles« sind, hat schon Schweitzer, Reich Gottes, 138ff, vertreten.

dem Ausschluß jeder Privilegierung und Bevorrechtigung Einzelner und besonderer Gruppen[185].

Besonders eindringlich zeigt das alte Gleichnis von den Arbeitern im Weinberg (Mt 20,1–15), daß die Menschen in gleicher Weise auch zu den gesellschaftlichen Gütern und Erträgen im Reich Gottes zugelassen werden sollen. In diesem Gleichnis waren die Arbeiter ganz unterschiedlich lange im Weinberg tätig, nämlich von einem Tag bis zu einer Stunde. Dennoch »machte« der Herr des Weinbergs alle einander »gleich« und zahlte bei der Abrechnung an jeden den gleichen, seine Bedürfnisse großzügig befriedigenden Lohn, und zwar einen Denar, aus. Damit hat Jesus für das Reich Gottes letzten Endes allen Menschen eine gleiche Teilnahme auch an den sozialen Einkünften (nicht nur Chancen) verheißen, ohne Rücksicht darauf, ob ihre Leistung dafür ausreichend ist oder nicht[186].
Das Gleichnis von den anvertrauten Geldern (Mt 25,14–30 und Lk 19,12–27) scheint diesem Gedanken zwar zu widersprechen. Bei diesem Gleichnis, das übrigens in beiden Fassungen und besonders stark in der Lukas-Version überarbeitet ist, geht es jedoch nicht um eine Aussage über die Verteilung der Güter in der Gottesherrschaft, sondern um eine Gegenüberstellung der Menschen, die ihre Fähigkeiten nach dem Willen Gottes nutzen, und derer, die sie brach liegen lassen. Den ersteren ist zugesagt, sie »über vieles zu setzen«, da sie »über weniges treu gewesen« seien, wobei eine unterschiedliche Behandlung ursprünglich nicht vorgesehen ist. Den letzteren wird vorgehalten, daß sie in Gefahr seien, auch das wenige, was sie hatten, an die anderen zu verlieren. Es handelt sich bei diesem Gleichnis also um einen dringenden Aufruf, alle Fähigkeiten auch tatsächlich dem Willen Gottes entsprechend einzubringen und sie nicht verkommen zu lassen[187].
Auch das Wort Mt 19,28 (ähnlich Lk 22,28–30; S. 93) ergibt eine (prinzipiell) gleiche Behandlung und besonders die gleiche Mitwirkung und Bestimmung aller Menschen in der Gottesherrschaft: Die zwölf Jünger, die über die zwölf Stämme Israels regieren sollen, stehen dabei repräsentativ für alle Nachfolger Jesu, für die ganze ihm folgende Menschengemeinschaft. Diese wird als in der Endzeit zusammen mit Gott und dem erhöhten Menschensohn herrschend vorgestellt, ohne daß einer aus der Gemeinschaft privilegiert wäre (s. entsprechend auch Offb 3,21; S. 93). Den Jüngern schärft Jesus deshalb ausdrücklich ein: »Der Größte unter euch soll werden wie der Kleinste und der Hochstehende wie der Dienende!« (Lk 22,26 Par). Sonderrechte und Vorzugsstellungen soll es in der Gemeinschaft der Nachfolger Jesu nicht geben (s. ferner noch Mk 10,35ff Par).
Diese Gleichheit aller Jünger Jesu und seiner Menschengemeinschaft, die zuletzt erhöht

185 Die Frage der Gleichheit wird von christlichen und jüdischen Theologen nur selten behandelt und gern den Sozialisten verschiedener Herkunft überlassen. Dabei ist sie außer von der stoischen Philosophie »im Bund mit der Brüderlichkeit, vom Christentum in die Welt gebracht worden« (s. Bloch, Menschlichkeit, 61). Bloch verweist dafür zusätzlich auf »Christi Gleichnis von den Reben am Weinstock« (Joh 15) und das Wort des Paulus von der Gotteskindschaft aller Glaubenden, Gal 3,26ff. S. auch Gollwitzer, Revolution, 52ff, und Sartory, Utopie Freiheit, 40.205ff (in Anlehnung an Buber).
186 Zur Deutung dieses Gleichnisses s. bes. Jeremias, Gleichnisse, 22ff (»Belehrung über die Gleichheit des Lohnes in der Königsherrschaft Gottes« und gleichzeitig »Rechtfertigung« von Jesu Tun, das Gottes Verhalten entspricht). Freilich muß diese »Gleichheit des Lohnes« auch real und materiell aufgefaßt werden, sie darf nicht nur vage als »Souveränität Gottes« und »seine Güte« umschrieben werden, wie etwa bei Bornkamm, Jesus, 131ff, und sie muß schließlich auch reflexhaft das Verhalten der Menschen untereinander bestimmen.
187 Vgl. ebenfalls Jeremias, Gleichnisse, 39ff; Bultmann, Jesus, 67ff.

und zur Herrschaft geführt werden soll, wird auch nicht durch Sprüche wie Mt 18,4: »Wer sich selbst erniedrigt wie dieses Kind, der ist der Größte im Himmelreich«; oder Mt 11,11b Par (ähnlich Mt 5,19) aufgehoben: »Der Kleinste im Himmelreich ist größer als er (Johannes der Täufer).« Diese Worte sind in ihrer Echtheit sehr zweifelhaft, da sie einen singulären Sprachgebrauch aufweisen; Mt 11,11 zeugt darüber hinaus von antitäuferischer Gemeindepolemik, die Jesus fremd war (s. auch die abweichende Formulierung in EvThom 46b)[188]. Selbst wenn man die Logien für echt hielte, mögen sie allenfalls bedeuten, daß es im Reich Gottes auch Menschen geben kann, die sich zuletzt aus freien Stücken mit einem »niedrigen Platz« begnügen, wie andere es ja auch ganz verschmähen mögen. Gott hat dagegen allen, die sein Angebot, seine Zuwendung annehmen, einen »hohen Platz« mit gleicher oder zumindest vergleichbarer Position zugedacht; dabei soll jede Ungleichbehandlung und Privilegierung entfallen.

Die *Gleichheit*, die allen Menschen zugedacht ist, weil Gott selbst sich ihnen gleich gemacht hat, ergibt sich sinngemäß auch aus dem *Grundinhalt der Reich-Gottes-Predigt* Jesu im übrigen.

Es sei zum einen erinnert an die Reihe von Logien mit universal-eschatologischer Richtung, über die Zuwendung Gottes an die Armen, Elenden und Unterdrückten, eben an die ›Letzten‹, die keine Unterschiede wahrhaben will, dann an Worte über den daraus folgenden Auftrag zur Liebe nicht nur des Nächsten, sondern auch der ›Fernsten‹ und der Feinde und die Anwartschaft auch der ›Heiden‹ und Fremdstämmigen auf das Reich. Hier werden keine Abstufungen gemacht, keine Abgrenzungen zugelassen und keine Vor- und Nachteile geduldet. Des weiteren müssen nochmals die Worte Jesu gegen private und monopolisierte Herrschaft und für das Dienen und die Selbsterniedrigung, gegen Leistungsprinzip, Geltungsstreben und Sich-Hervortun, gegen Selbstgerechtigkeit und Festhalten an Vorrechten bedacht werden. Auch sie wollen radikal Ungleichheiten einebnen und Asymmetrien ausgleichen. In diesem Kernbestand von Logien Jesu wird deutlich ein Zug seiner Botschaft gegen jede Ungleichbehandlung und zugunsten einer egalitären und endlich *gerechten* Regelung sowohl des persönlichen als auch des gesellschaftlichen Bereichs.

Schließlich führt die in einer Reihe anderer Worte zum Ausdruck kommende ›*Umwertung aller Werte*‹ *(Nietzsche)* zu keinem abweichenden Ergebnis, sondern bestärkt das gefundene[189].

Als solche Logien kommen (neben der schon erörterten lukanischen Bergpredigt) in Betracht Mt 20,16 Par, auch in EvThom 4b: »So werden die Letzten die Ersten und die Ersten die Letzten sein!« und Mt 23,12 Par: »Wer sich selbst erhöht, wird erniedrigt werden, und wer sich selbst erniedrigt, wird erhöht werden«; sowie das apokryphe Jesus-Wort in Acta Philippi 140 AaII2; ähnlich EvThom 22b und Acta Petri c.38 AaI94: »Wenn ihr nicht das Rechte wie das Linke macht und das Linke wie das Rechte und das Obere wie das Untere und das Hintere wie das Vordere, werdet ihr nicht in das Himmelreich eingehen.«

188 Daß die Worte vom »Größten« und »Kleinsten« im Himmelreich sekundär sind, ist eine verbreitete Auffassung, s. bes. zu Mt 11,11 Par Bultmann, Tradition, 177; Kümmel, Verheißung, 117, und insgesamt Schnackenburg, Gottes Herrschaft, 153.

189 S. dgl. Flusser, Jesus, 88; Nigg, Reich, 42, u.a.

Diese totale Umstülpung der bestehenden Ordnung soll dem Gleichheitsgrundsatz keineswegs Abbruch tun. Sie bekräftigt im Gegenteil, daß auch die Niedrigen und Elenden und selbst die Geringsten, ja gerade sie zur Erhöhung und Herrschaft berufen sind. Demgegenüber befinden sich die Mächtigen, die Angesehenen und Gerechten in der Gefahr, zeitweilig oder auch, wenn sie sich nicht anders entscheiden, endgültig von ihrem Thron gestoßen und verworfen zu werden. Das Angebot, das Gott für alle gleichermaßen bereit hält, ist damit nicht durchbrochen. Es richtet sich an die »*Vielen*«, das heißt: an alle Menschen, ohne Unterschiede, Grenzen und Schranken (s. das Wort vom Völkermahl, Mt 8,11 Par). Die »Vielen« sollen aus ihrer Entfremdung befreit werden. Sie sind zur Solidarität und Gemeinschaft des Neuen Bundes berufen. Sie sollen zu *gemeinschaftlicher Erhöhung* und *Herrschaft* geführt werden, so daß sie *ihre Angelegenheiten in die eigenen Hände nehmen* und *die Entwicklung und Gestaltung aller Dinge selbst regeln* können. Das gilt gleicherweise für das persönliche wie das politische Leben, für den ökonomischen Bereich und die Sphäre von Kultur und Bildung (*demokratisches Moment*, s. dazu auch S. 94, 116, 123)[190].

Nach alledem ergibt sich als Resultat, daß auch das Bild vom ›großen Mahl‹ auf die Vermenschlichung des Menschen, aber darüber hinaus auf die *Humanisierung der ganzen Menschengemeinschaft* in einer *Neuen Gesellschaft*, in einer *erneuerten Welt* gerichtet ist. In dieser globalen Menschengemeinschaft sollen *Freiheit*, *Sozialismus* und *volle Demokratie* zum Einklang kommen. Diese Neue Gesellschaft in einer neuen Menschheit bedeutet nicht nur das Endziel der österlichen Erhöhung des Menschensohns, der alle Menschen zur gemeinsamen Erhöhung nach sich ziehen will. Sie ist auch als die irdische Vollendung des Pfingstgeschehens zu verstehen, das durch gemeinsames ›Brotbrechen‹ und Gemeinschaft an den sozialen und kulturellen Gütern im ›heiligen Geist‹ gekennzeichnet ist – solange, bis dieses einmal abgeschlossen wird in der himmlischen Vollkommenheit.

4.5 Zusammenfassung

Es ist nach allem Vorgesagten *zusammenzufassen*, daß Jesus in den aufgeführten Begriffen und Bildern, besonders vom Menschensohn und

190 Diesem demokratischen Verständnis widerspricht die Rede vom »König« und seinem »Königreich« nicht. Der »König« ist, wie gezeigt, nicht als Herrscher im üblichen Sinne und schon gar nicht als Alleinherrscher vorgestellt. Seine Nachfolger sollen vielmehr mitherrschen, die »Vielen« sollen befreit werden (s.S. 87, 93, 186). Zu dieser Herrschaft des neuen Gottesvolkes s. auch Jeremias, Theologie, 261; ferner Bultmann, Jesus, 32ff. Allerdings wiederholt Jeremias weitgehend nur die traditionellen Prophezeiungen, ohne sie näher zu interpretieren. Bultmann räumt immerhin ein, daß nach jüdischer Vorstellung »Gottes Herrschaft« »zugleich des Volkes Herrschaft ist«. Eine Theologie der Demokratie fehlt freilich noch weitgehend; sie müßte u.a. darauf insistieren, daß die Minderheiten, die Weggedrängten und Fernen in die Mitwirkung einbezogen werden.

seiner Mahlgemeinschaft, das Zentrum der Königsherrschaft Gottes angesprochen hat, sowohl bezüglich des individuellen Menschen, des Neuen Menschen in seinen körperlichen und seelischen Bezügen als auch hinsichtlich der ganzen Menschengemeinschaft in einer Neuen Gesellschaft, einer Neuen Welt. In diesem erneuerten Menschen und seinen Verhältnissen soll die volle *Menschlichkeit des Menschen* wirklichen Ausdruck finden. In ihr wird gleichzeitig die *Einheit des Menschen mit Gott* verwirklicht. Diese volle Menschwerdung im Einklang mit Gott soll sich einerseits in der Mündigkeit und Selbstbestimmung des Menschen erweisen, die zugleich Bestimmung durch Gott ist, der im Kern des menschlichen Wesens offenbar wird. Andererseits muß sich diese Menschwerdung in der Zuwendung des Menschen zum Mitmenschen und zur Menschengemeinschaft sowie zur gesamten übrigen Schöpfung, die ihm anvertraut ist, zeigen und realisieren, darin kommt ebenfalls letztlich das Handeln Gottes, sein Wille zum Tragen.

Das Reich Gottes verwirklicht sich nach alledem in *diesem Neuen Sein der Menschen und ihrer Verhältnisse, in dem Freiheit zum Ausdruck kommt, Liebe und Gerechtigkeit herrschen sowie Gemeinschaft besteht, eingefügt in eine befriedete Umwelt* (hier könnte man von einer *materiellen Reich-Gottes-Definition* reden). Auch hierbei ist wiederum vorausgesetzt, daß diese *gesamte Wirklichkeit der Vermenschlichung Ausdruck und Folge der sich darin vollendenden freien Zuwendung und Gemeinschaft Gottes, seiner Menschlichkeit* (so *Barth*) ist.

Wenn man diesen Inhalt der Gottesherrschaft noch näher *konkretisieren* und präzisieren will, so kann man sagen:

In dem so verstandenen Reich Gottes in Jesu Sinne sind nicht das Gesetz, die Forderung und das Richten maßgebend. Es überwiegt nicht die Herrschaft über Menschen und die Bestimmung ›von oben‹; die Macht des Eigentums wird begrenzt. Die Unterdrückung und Ausbeutung von Menschen hört auf und die Ungleichbehandlung fällt weg.

Vielmehr ist für das Reich Gottes kennzeichnend die Freiheit und die Vergebung der Menschen untereinander. Die bestmögliche Zuwendung der Menschen sowie ihre gegenseitige Liebe und Gerechtigkeit sind beherrschend. Gemeinschaftliche Lebensformen wie die Teilnahme an Eigentum und Besitz und an den Gütern des Wissens verbinden die Menschen; sie wirken zusammen in gegenseitigem Dienst und in gemeinsamer Mitherrschaft über die allgemeinen Angelegenheiten.

Zuletzt werden sogar ein besonderer Kultus und religiöse Verrichtungen sowie ›Kirchen‹ als spezialisierte Religionsgemeinschaften überflüssig (Offb 21,22).

In einer solchen Menschengemeinschaft, die unter der Herrschaft Gottes steht, sind alle Trennungen, Gräben und Zäune zwischen den Menschen gefallen; die Menschen sind in Gott verbunden, bis er »alles in allem« ist (1Kor 15,28).

Man kann die *Werte* der Gottesherrschaft auch in einer anderen Formulierung wie folgt charakterisieren:

Das Reich Gottes soll nach Jesus nicht in erster Linie das Reich des Gesetzes, sondern die Struktur der Freiheit und Solidarität sein.

Die Gottesherrschaft ist nicht primär die Herrschaft einzelner, sondern Dienst und gemeinschaftliche Herrschaft Gleicher.

Das Reich Gottes wird nicht zuerst das Reich des privaten Eigentums, sondern des Gebens und der Eigentumsgemeinschaft sein.

Die Gottesherrschaft ist schließlich nicht vorrangig die Herrschaft der Religion, sondern der Liebe und Gerechtigkeit und schlechthin der Menschlichkeit.

In der Menschengemeinschaft des Gottesreichs sind alle Schranken und Scheidewände zwischen den Menschen weggeräumt; sie gehören in Gott zusammen und werden alle »einer« in dem Messias-Menschensohn Jesus sein (Gal 3,28).

Auf dieses *Reich Gottes,* das somit gleichzeitig der *Tag des Menschen und seines Rechts* ist, hoffen wir. Wir sollen darauf warten und danach ausschauen. Wir suchen und streben danach, nehmen es in unsere Fantasie und Gestaltungskraft auf und entwerfen Projekte und Modelle daraufhin. Wir müssen dafür kämpfen und leiden, daß es kommt. Wir verweigern uns den ihm zuwiderlaufenden Mächten und Institutionen und streiten mit den Gewalten, die es eh und je behindern und verhindern wollen.

Diese große Hoffnung der Königsherrschaft Gottes ist auch heute nicht nur auf ein fernes Ziel am Ende aller Zeiten gerichtet. Vielmehr muß sie immer wieder als *Naherwartung* begriffen werden. Freilich darf diese nicht in dem Sinne verstanden werden, als ob der Endzustand des Reichs Gottes schon sicher vor der Tür stände. Das entspräche nicht Jesu Intention und wäre noch mythologisch gedacht. Sie muß vielmehr zunächst gesehen werden als drängende Aufforderung und Anstachelung, alles nach menschlichen Fähigkeiten Mögliche und Zuträgliche zu tun, *damit* die Herrschaft Gottes und die Vermenschlichung des Menschen Wirklichkeit werde. Außerdem liegt in der Naherwartung auch heute – und das sollte ebenso wie bei Jesus die besondere Aktualität der Reich-Gottes-Botschaft ausmachen – die erregende und begeisternde Hoffnung und Verheißung, *daß* wiederum ein entscheidender Schritt, eine neue Stufe aus der Entfremdung des Menschen zur vollendeten Gottesherrschaft hin, in eine neue Qualität des menschlichen Lebens, nahe ist und tatsächlich bevorsteht.

Dieses uns offenstehende *Nahziel* auf dem Wege zum Reich Gottes kann heute in einer Gesellschaft gesehen werden,

die im politischen Bereich Herrschaft der »Vielen«, somit Demokratie, verwirklicht,

die im Wirtschaftssektor anstelle des Kapitalismus sozialistisches im Sinne von gemeinschaftsbezogenem Eigentum aufbaut,

die im kulturellen und religiösen Bereich Aufklärung und Emanzipation fördert,
die anstelle des repressiven und vergeltenden Gesetzes Ordnungen gegenseitiger Hilfe entwickelt,
und die in ökologischer Hinsicht eine lebensfähige Umwelt wieder herstellt.
Die drängende Hoffnung auf eine solche wesentliche Etappe in Richtung Reich Gottes schließt allerdings die eindringliche Warnung mit ein, daß ebenso auch eine plötzliche Entmenschlichung und Brutalisierung, ein schneller Verfall bis zum absoluten Nichts durchaus in greifbarer Nähe liegt, wenn wir nicht bald umkehren und der Solidarität und Gemeinschaft Gottes entsprechend handeln, ehe es zu spät ist. Wir denken an die Zerstörung des menschlichen Lebens durch Atomtod, Krieg und Terror, Hunger oder Umweltkatastrophen, die uns unmittelbar bedrohen, falls es uns nicht gelingt, unverzüglich Ordnungen der Demokratie, sozialen Gerechtigkeit und gegenseitigen Hilfe sowie des ökologischen Ausgleichs gemäß der Verheißung Gottes zu schaffen.
Die Naherwartung zur Gottesherrschaft hin muß nach alledem als integrierendes Moment unserer eschatologischen Hoffnung festgehalten werden. Mit ihr wird immer wieder eine tatsächliche Bewegung, ein wirkliches Fortschreiten aus der Entfremdung des Menschen zu seiner vollen Befreiung hin als unmittelbar bevorstehend erhofft und insbesondere erstrebt, bis Gott einmal mit dem Zusammenfügen aller dieser Tendenzen, Strömungen und Linien das letzte Ziel alles Strebens nach seiner Herrschaft = Zuwendung, die letzte Menschwerdung des Menschen erstehen läßt[191].
In dieser *vollen Menschlichkeit des Menschen und seiner Gemeinschaft, in die Gott selbst eingeht,* gipfelt nach der Verkündigung Jesu der Kern der Königsherrschaft Gottes.
Alle entscheidenden Linien der Predigt Jesu, die wir bei der hinter uns liegenden Darstellung verfolgt haben, treffen in diesem durchaus humanistisch geprägten Ziel zusammen:
Hier greifen zunächst die gnadenbetonte und die ethisch-moralische Seite der Botschaft Jesu ineinander. Die erstere sagt die umfassende ›Gnade‹ Gottes zu den Menschen und zur Welt an. Die andere ›fordert‹ die Menschen dementsprechend zur Zuwendung in Freiheit. Sie ruft zur individuellen Nachfolge Jesu und zur Bildung einer demokratischen Menschensozietät auf (1. und 2. Hauptteil).
Weiter laufen hier die Verkündigung Jesu vom nahen Kommen des

191 Hier ist noch auf den sog. eschatologischen Vorbehalt hinzuweisen. Dieser besagt, daß das Reich Gottes immer entscheidend Gottes Tat bleibt, dem sich der Mensch lediglich zur Verfügung stellt, s. auch Gollwitzer, Reich Gottes, 53.54; ähnlich Befreiung, 153.195. Er bedeutet auch, daß über den Grad der irdischen Vollendung der Gottesherrschaft (ebenso wie ihre Schranken) letztlich nicht der Mensch verfügt und auch keine näheren Aussagen machen kann; sie stehen vielmehr in der Hand Gottes.

Reichs Gottes und seine Aufforderung, in erster Linie nach diesem Reich zu trachten, zusammen. Dabei werden die kommende Ordnung Gottes und der nach vorn treibende Prozeß dahin mit den entsprechenden Ordnungen und Strukturen verbunden, die von und für die Menschen zu erstreben sind (3. Hauptteil).
Schließlich finden in dieser Deutung auch die überweltliche und die irdisch-weltliche Schau des Wesens des vollendeten Gottesreichs zum Einklang (man kann auch geschichtsbezogen sagen: ihre danielisch-apokalyptische und ihre prophetische Vision) und ebenso die der damit verbundenen Menschensohnschaft sowie Messianität.
Diese vereinigen sich in der Predigt Jesu insofern, als die irdische Herrschaft Gottes, sein Reich als ein Einbrechen der Transzendenz in die Erdensphäre, ein *Eingehen Gottes in die Welt* betrachtet wird. In gleicher Weise werden das weltliche Messiastum und die überweltliche Menschensohnschaft (und wohl auch Gottessohnschaft) miteinander verknüpft. Hier zeigt sich der bleibende Wahrheitsgehalt der alten Lehre von der *Fleischwerdung* oder *Inkarnation Gottes* (Joh 1,14), die, wenn auch in hellenistisch-christlicher Ausformung, der Lehre Jesu vom Reich Gottes und seinem Repräsentanten, dem Menschensohn-Messias, zutiefst entspricht.

5 Der Sieg der Gottesherrschaft

Wir haben gesehen, daß nach der Predigt Jesu die Vollendung des Reichs Gottes durch den erneuerten Menschen und seine Menschengemeinschaft konstituiert wird, die in Freiheit, gegenseitiger Zuwendung und Gerechtigkeit leben, hervorgehend aus der Innerlichkeit des individuellen Menschen und einmündend in eine neue Stufe des menschlichen Seins, die ewige Auferstehungswelt. Zum Abschluß dieser Ausführungen sei nochmals das Entscheidende hervorgehoben, daß sich nämlich in dieser Herrschaft Gottes, in diesem Reich der Freiheit, Liebe und Gemeinschaft das *Heil des Menschen und der Welt* schlechthin erfüllen soll.
Die Befreiung und Heilung, ja die ›Erlösung‹ der Menschen werden endlich da sein (Lk 4,18; 21,28). Freude und hochzeitliche Lust, Glück, Leben und volles Genügen der Menschen sollen Wirklichkeit werden (Mt 25,21.23; 22,2; 5,3ff Par; Mk 2,19 Par; Lk 18,18 Par; Joh 10,10). Der Frieden der Menschen, ja ihre ›Seligkeit‹ werden sich schließlich ereignen (Lk 10,5 Par; 19,42; Joh 14,27; Mt 5,3ff Par; 10,22 usw.). Man kann auch formulieren: Die Befreiung der Menschen von der ›Sünde‹ und der Entfremdung gegenüber sich selbst und ihrer eigentlichen Be-

stimmung und damit auch gegenüber ihren Nächsten, ihrer Umwelt und dem gesamten Kosmos soll nunmehr verwirklicht werden. Die Menschen sollen aus diesem Zwiespalt ›erlöst‹ werden und sie sollen zur eigentlichen vollen Erfüllung ihres Seins geführt werden, die Gott ihnen verheißen hat und wahrmachen wird, die aber auch Frucht ihres Tuns sein soll[192].
Jesus hat dies in einer Reihe von Worten, die zum größten Teil auch schon in anderem Zusammenhang zitiert worden sind, wiederum spezifiziert und, soweit dies überhaupt möglich war, konkret dargestellt.

Danach sollen unter der Königsherrschaft Gottes die Kranken gesund sein, »die Blinden« werden »sehen« und »die Lahmen« »gehen«, »die Aussätzigen« sollen »rein« sein und »die Tauben« »hören« (Mt 11,5). »Die Weinenden« werden »lachen«, »die Hungernden« »satt« und »die Armen« reich sein (Lk 6,20.21). Das Leid soll ein Ende haben, die Trauer wird aufhören; der Tod und seine Macht sollen nicht mehr herrschen (Mt 5,4; Mk 2,19; Mt 11,5; vgl. auch Lk 20,36). Die »Sünde« wird »vergeben« sein, das Böse soll weggetan werden und der »Satan« wird »aus dem Himmel gestoßen« sein; damit wird seine Gewalt beendet sein (Mt 6,13.14; Lk 10,18). »Die Gefangenen« können »befreit« werden und »die Zerschlagenen« werden »entlassen« sein (Lk 4,18). »Die Niedrigen« werden »erhöht« sein und »die Gewaltlosen« »das Erdreich besitzen« (Lk 14,11; Mt 5,5). Die Menschen sollen »ein hochzeitliches Kleid« geschenkt bekommen, sie werden einen neuen Namen haben und »Söhne Gottes« heißen (Mt 22,11; 5,9). Sie sollen den kommenden Menschensohn »sehen« und dürfen Gott »schauen« (Mt 23,39; 5,8). Damit wird ihre »Erlösung« vollendet sein und sie werden »selig« sein.

Zur Abrundung dieser Sicht Jesu sei die wunderbare Vision der Johannes-Offenbarung zitiert, die die Perspektive der Befreiung in überwältigenden Bildern ausmalt (s. Offb 21,1–5a):

»Und ich sah einen neuen Himmel und eine neue Erde; denn der erste Himmel und die erste Erde sind vergangen, und das Meer ist nicht mehr. Und ich sah die heilige Stadt, das neue Jerusalem, von Gott aus dem Himmel herabfahren, bereitet wie eine geschmückte Braut ihrem Mann. Und ich hörte eine große Stimme vom Throne her sagen: Seht da, die Hütte Gottes bei den Menschen! Und er wird bei ihnen wohnen, und sie werden sein Volk sein und er selbst, Gott, wird mit ihnen sein. Und Gott wird abwischen alle Tränen von ihren Augen, und der Tod wird nicht mehr sein noch Leid noch Geschrei noch Schmerz wird mehr sein; denn das erste ist vergangen. Und der auf dem Throne saß, sprach: Seht, ich mache alles neu!«

In allen diesen visionären Darstellungen ist in kühner und enthusiastischer Weise das eigentliche *Endziel der Gottesherrschaft*, die *volle Be-*

192 Zum Heil in der Gottesherrschaft s. Jeremias, Theologie, 105, wonach »die Basileia« »die Heilszeit, die Weltvollendung, die Wiederherstellung der zerstörten Gemeinschaft zwischen Gott und Mensch« bezeichnet, und Schäfer, Jesus, 123.130, der von der Einigung des Menschen »mit dem Ursprung seines Lebens« spricht. Es geht ebenso um die Befreiung aus der Entfremdung und die Wiederherstellung der vollen Menschlichkeit, dagegen nicht um die Befriedigung aller denkbaren Bedürfnisse im Sinne eines Lebens im Schlaraffenland.

freiung des Menschen von aller ihn bedrückenden Entfremdung und *seine wirkliche Heilung und ›Erlösung‹* ausgesprochen. Auf dieses letzte Ziel des Königtums Gottes richtet sich die tiefe Sehnsucht aller Menschen über die zur Zeit noch bestehenden Widerstände und Hemmnisse hinweg. Auf diesen *Triumph des Reichs Gottes* hoffen und warten wir und alles Bemühen bezieht sich darauf und alles Streben, das die Zuwendung und Weisung Gottes immer wieder annimmt und weiterträgt, bis er schließlich den letzten befreienden Akt einleiten wird.
In diesem Punkt schließt sich nun der Kreis, der sich vom Anfang meiner Ausführungen bis hierhin gespannt hat:
Ich hatte von dem *Ungenügen des Menschen* an sich selbst und seiner Unzulänglichkeit, von seiner Entfremdung gegenüber seiner Bestimmung und seinen Mitmenschen, gegenüber der menschlichen Gesellschaft und sogar der Natur – von allem, was biblisch und heute befremdlich ›Sünde‹ genannt wird – gesprochen. Wir haben gesehen, daß diese Entfremdung unter der Zuwendung einer den Menschen überschreitenden, transzendierenden Macht, die die Bibel ›Gott‹ heißt, durchbrochen und aufgehoben werden soll. Durch das Wirken dieser Macht können die Menschen in eine *erfüllte Menschwerdung*, die Verbindung mit ihren Mitmenschen und zu einer befreiten Menschengemeinschaft geführt werden und damit schließlich zum Einssein mit dieser Macht der Zuwendung und Ganzheit selbst eingehen.

6 Exkurs: Das Reich des Bösen. Das Gericht

Nachdem ich in der bisherigen Darstellung fast ausschließlich die Frage nach dem Reich Gottes und seinem Kommen behandelt habe, soll nun in einem Exkurs noch die Frage nach dessen Gegenstück und Widersacher, also nach dem ›*Reich des Teufels*‹, der ›*Hölle*‹ und damit zusammenhängenden Vorstellungen erörtert werden[193]. Was hat es mit diesem ›Reich des Teufels‹ oder ›Satans‹ (übers.: des Verhinderers) auf sich (z.B. in Mk 3,23.24 Par; Lk 10,19) und was mit der ›Hölle‹ (s. z.B. Mk 9,47 Par; Mt 10,28 Par)?

193 Durch die Kontrastierung des Reichs des Bösen mit dem Reich Gottes soll kein Dualismus vertreten werden. Auch das Reich des Bösen und die Hölle unterstehen der Macht Gottes (s. bes. Mt 10,28 Par), desgleichen ist das Gericht dasjenige Gottes und des Menschensohns (vgl. Mt 7,1ff; Mk 8,38 Par). Doch handelt es sich um eine noch vorläufige Gestalt der Herrschaft Gottes und keinesfalls um deren letzte und wesenhafte Ausprägung.

6.1
Die irdische Herrschaft des Bösen

Die Antwort auf die Frage nach dem ›Reich des Teufels‹ ergibt sich nahezu zwangsläufig aus dem in den früheren Ausführungen zum Reich Gottes Gesagten. Wenn nämlich das Reich Gottes, das Himmelreich auf der Welt, aber nicht ausschließlich dort, zum Durchbruch kommt und letztlich siegen soll, kann die *Herrschaft des ›Satans‹* oder richtiger (weil unpersonal) das *Reich des Bösen* auch nur als eine *Gewalt* gekennzeichnet werden, die *dem Zentrum ihres Wirkens nach irdisch* ist. Diese Macht ist zwar in der Lage, den Menschen und die Welt zur Zerstörung zu treiben; sie ist als diese *Verderbensmacht* ernst zu nehmen. Sie soll aber letztlich schon auf der Erde von dem Reich Gottes überwunden werden und muß ihm schließlich weichen.

Die Macht des ›Teufels‹ oder des Bösen offenbart sich im einzelnen besonders in der ›Sünde‹, in dem bisherigen Zustand des ›alten Menschen‹ und seiner Welt, der durch Entfremdung, Krankheit sowie Abhängigkeit und Bindung an die Vorläufigkeit bestimmt ist. Anders gesagt: Das Leben des Menschen in Unfreiheit, Schuld, in Mühsal und Beladenheit, kurz in allem, worin er entfremdet ist, und der entsprechende Zustand der ›alten Welt‹ und ihrer Strukturen, ist das Reich des Bösen und (im weiteren Sinne) auch die ›Hölle‹. Diese irdische Macht des ›Satans‹ ist zwar von zerstörerischer Gewalt und bedroht die Menschen und die Welt. Sie ist jedoch lediglich vorläufiger Natur und vermag Mensch und Welt letzten Endes nicht zu vernichten. Sie soll einmal untergehen, weil das aufziehende Reich Gottes sie überholen und schließlich ganz hinter sich lassen wird[194].

Dies ergibt sich, neben den gesamten bisherigen Ausführungen, besonders aus den häufigen Bemerkungen Jesu über die »Sünde«, in denen er den »Sünder« als von Satan »ausgebeten« und »im Sieb geschüttelt wie Weizen« ansieht (Lk 22,31). »Sünde«, und zwar jede Entfremdung ist für ihn »Gebundenheit« an Satan (Lk 13,16). Ihm können alle Menschen wie auch Jesus und seine Jünger ausgeliefert sein (Mk 1,13; 8,33; Lk 22,3; sämtliche Par). Jesus nimmt die Macht des Teufels also ernst: Er verfügt nach ihm nicht nur über ein »Reich«, sondern ist Inhaber von »Macht« (Lk 10,19), er ist »Herr des Hauses« (Mt 10,25) und »Fürst dieser Welt« (Joh 12,31 u.ö.; in der Formulierung freilich sekundär).

Dennoch ist die Herrschaft des Bösen mit Jesu Kommen, seinem Kreuz und seiner Auferstehung im Ansatz, aber unwiderruflich gebrochen; es soll zuletzt ganz untergehen. S. dazu besonders Jesu Worte in Lk 10,18: »Ich sah den Satan vom Himmel fahren wie einen Blitz« (man beachte die Analogie zum Kommen des Menschensohns »wie der Blitz«!) und in Mk 3,27 Par, auch in EvThom 35: »Niemand kann in das Haus des Starken (also Satans) einbrechen und ihn seiner Habe berauben, wenn er nicht zuvor den Starken bindet, dann wird er sein Haus ausrauben.« Dieses letzte Wort im Rahmen des Gleichnisses vom Zweikampf, mit dem Jesus seine zahlreichen Dämonenaustreibungen deutet, zeigt ebenso den

194 Zur Macht des Bösen, aber auch ihrer Überwindung, s. z.B. Jeremias, Theologie, 96ff; Niederwimmer, Jesus, 38, u.a.

siegreichen Streit mit der Herrschaft des Bösen wie dies in dem apokryphen Gleichnis vom Attentäter zum Ausdruck kommt (EvThom 98, S. 60), wo dieser schließlich den »Mächtigen« (Satan) »tötet«.

Der entfremdete und ›unerlöste‹ Zustand des Menschen, in dem die ›Satansherrschaft‹, das Reich des Bösen begründet ist, kann freilich *nicht* im Sinne einer *Bestrafung* des Menschen *durch Gott* verstanden werden (wie bereits gezeigt worden ist, s.S. 37; zur Kritik des Vergeltungsgedankens auch S. 137 beim ›Opfertod‹ Jesu). Diese Situation dient vielmehr der *Führung der Menschen aus ihrer Vorläufigkeit und Gebundenheit:* Gott will die Menschen, auch indem er sie dem Bösen ausliefert, immer wieder in die Entscheidung stellen und sie damit der eigentlichen Menschwerdung in Freiheit und Brüderlichkeit näher bringen.
Diesen Sinn hat besonders auch die Vorstellung vom *›Gericht‹ Gottes*[195] (s. z.B. Lk 11,31.32 Par; Mt 7,1.2 Par; 10,15; 12,36; Mk 12,40 Par). Sie erscheint in mehreren Varianten, die allerdings im einzelnen nicht immer gesichert sind. So wird manchmal vom individuellen Gericht in der Gegenwart gesprochen, z.B. Joh 3,19; dies geht bis zur Deutung des Todes als Gericht, vgl. Lk 13,1–5. Häufiger ist die Vorstellung vom allgemeinen und zukünftigen Gericht, so als Gericht in der demnächstigen ›großen Drangsal‹, s. Lk 21,23, dann als Gericht nach dem Erscheinen des Menschensohns, s. Mk 8,38 Par; Mt 24,37–41 Par usw. und damit im Zusammenhang als ›letztes‹ oder ›jüngstes Gericht‹, vgl. dazu die Ausführungen in Mt 5,25.26 und 18,23–35(34), die eine abschließende Entscheidung darüber voraussetzen, ob »vom Schuldner alles bezahlt ist«; ferner sei noch auf Offb 20,7ff und 11ff verwiesen.
Auch das ›Gericht‹ ist grundsätzlich nicht als Vergeltung zu verstehen, die Gott den Menschen wegen ihres verfehlten Tuns zuspricht. Vielmehr handelt es sich um eine *‹Zurecht-Richtung‹* des Menschen und die *›Ausrichtung‹* seines Wirkens auf das Ziel des Reichs Gottes (abgesehen vom ›letzten Gericht‹, von dem noch gesondert zu sprechen sein wird).
Diese *›gerichtliche‹ Führung Gottes* ist in jeder Entfremdung des Menschen, in Schuld, Leid und Sinnleere sowie in strukturellen Widersprüchen und Umbrüchen spürbar. Sie wird auch noch im Gestelltsein der Menschen vor den Tod deutlich; denn auch dadurch kann und soll dem Menschen und auch den Völkern noch zu einem erfüllteren Dasein innerhalb der ihnen gesteckten Grenzen verholfen werden.
Was schließlich das Geschehen des *Todes* als solchen betrifft, so ist auch er als ›Gericht‹ (in einem besonderen Sinne) anzusehen. Selbst in dieser schwersten ›Entfremdung‹ ist noch eine Verheißung Gottes enthalten: Auch mit dem Tod soll die Zuwendung Gottes nicht abbrechen, sondern sogar ihrer Kulmination in der vorläufig ein Geheimnis bleibenden Überwindung des Todes entgegengehen. Das wird besonders augen-

195 Die Verkündigung vom Gericht Gottes ist ebenfalls im Kern authentisch, s. Jeremias, Theologie, 130ff; Goppelt, Theologie, 104ff.

scheinlich in der Auferstehung des gekreuzigten Jesus, die auch als Vorschein und Modell der Auferstehung der ihm nachfolgenden (und bis zur vollendeten Gottesherrschaft sterbenden) Menschen anzusprechen ist. Sie bedeutet, wie gezeigt (S. 91f), einen freilich nur andeutungsweise verstehbaren, latenten Sieg auch über den Tod und die gleichzeitige Erhöhung der Menschen, also ihre Einsetzung in eine Machtfülle und Wirkkraft, die nur noch derjenigen Gottes vergleichbar ist. Ist das Reich Gottes schließlich zur endgültigen und vollen Wirklichkeit gekommen, soll auch der Tod als »letzter Feind« (1Kor 15,26) seine Gewaltposition verlieren, und die Menschen werden zu ewiger Herrschaft und Lebenskraft erhöht.

6.2
Die Macht des Bösen im ›Jenseits‹?

Einer besonderen Erörterung bedarf die Vorstellung einer *›jenseitigen‹ Hölle,* die in der christlichen Tradition eine große Rolle spielt, und ferner, in unmittelbarer Verbindung damit, der Gedanke eines *›letzten‹* oder *›jüngsten Gerichts‹*.

Da die Herrschaft ›Satans‹ gegenüber dem hereinbrechenden Reich Gottes nur ein zeitweiliges und letztlich verschwindendes Dasein haben soll, kann der *herkömmlichen Vorstellung* von einer ›jenseitigen‹ Hölle, in der sich grundsätzlich alle in ›Sünde‹ Gestorbenen und deshalb von Gott im ›letzten Gericht‹ Verurteilten befinden und ewige Strafe durch Feuer o.ä. erleiden, *nicht* gefolgt werden.

Diese Auffassung widerspricht eklatant der von Jesus verkündeten Hoffnung und Zuversicht, daß sich Gottes Herrschaft über Mensch und Welt gegen das Böse durchsetzen wird, und zwar auch in den das ›Diesseits‹ überschreitenden Bereichen. Sie ist auch mit der Liebe und Barmherzigkeit Gottes zu den Menschen schlechthin unvereinbar. Eine vermeintliche Gerechtigkeit Gottes, die Sühne oder Vergeltung fordere, nötigt demgegenüber nicht zur Höllenvorstellung. Die Gerechtigkeit Gottes besteht vielmehr in seiner sich mit den Menschen solidarisch erklärenden Zuwendung zu diesen. Schließlich setzt das Höllendogma auch eine bestimmte Anschauung von ›Sünde‹ (im engeren Sinn) bzw. Schuld voraus, die dem Menschen zuviel Freiheit unterstellt. Dies entspricht nicht der Auffassung Jesu und auch nicht der allgemeinmenschlichen Erfahrung und wissenschaftlichen Forschung (s.S. 50; vgl. ferner die Worte Jesu über die Vorherbestimmung des Menschen durch Gott, S. 204, seine »Sichtung« durch Satan und Einzellogien wie Mt 5,36b; Lk 12,25 Par).

Nach dieser Polemik gegen die traditionelle Höllenvorstellung ist allerdings einschränkend das folgende zu bemerken:

1. Es kann auch nach dem Vorgenannten nicht ausgeschlossen werden, daß der Mensch nach seinem hiesigen Ableben möglicherweise noch

durch eine wie auch immer geartete ›Entfremdung‹ (im übertragenen Sinne) hindurchgeführt wird, um ihn zu prüfen und umzuformen. Das kann besonders dann der Fall sein, wenn seine Bewährung auf der Erde nicht zu einem guten Abschluß gefunden hat.

Dieser Gedanke klingt besonders in der mythologischen Vorstellung vom ›*Totenreich*‹ (Scheol) an, das auch bei Jesus eine Rolle spielt (s. z.B. Lk 10,15 Par; Mt 16,18, str.). Dieses ›Totenreich‹ wird als Ort der Läuterung der Verstorbenen angesehen, bevor diese der Auferstehung zugeführt werden. Hierin kann die Vorstellung einer Führung des Menschen durch eine irgendwie geartete Prüfung auch nach dem Tode gefunden werden (s. auch S. 53)[196].

In diesem Fall handelt es sich freilich um eine *zeitweilige* und *nicht* um eine *endgültige Zurückweisung.* Sie dient auch nicht der Vergeltung bzw. Bestrafung, sondern nur der abschließenden Bewährung und ›Erlösung‹ der Menschen.

2. Wir dürfen und können auch weiter nicht ausschließen, daß ein Mensch von der ›Erlösung‹, zumal im ›Jenseits‹, auch *endgültig* dann *ausgeschlossen* werden kann und dem Nichts verfällt, wenn er *nach seiner Hinführung zur vollen Freiheit* und Selbstbestimmung *zuletzt die ›Gnade‹ Gottes ausschlägt, seine Herrschaft nicht annehmen will.* Hierbei kann es sich allerdings nur um einen Menschen handeln, der sich auf einem Entwicklungsstand befindet, welcher in dieser Welt zur Zeit noch kaum gegeben sein dürfte, ja der für uns nur schwer vorstellbar ist; denn immer noch besteht nach unserer Erfahrung im großen Umfang und scheinbar unaufhebbar die Abhängigkeit des Menschen und seine Bindung an die Mächte der ›alten Welt‹. Die Freiheit des Menschen ist dagegen nur im Ansatz und bedingt verwirklicht. Daß ein Mensch die Zuwendung Gottes, sein Reich in voller Freiheit ausschlägt, ist daher in dieser Sicht am ehesten für den Endpunkt der menschlichen Entwicklung vorstellbar und auch dann nur als Paradox, denn damit wird die Freiheit des Menschen nicht als Erfülltheit mit Gottes Willen als seiner eigenen tiefsten Bestimmung verstanden, sondern als seine Bestimmtheit durch eine letztlich nichtige und nur vorläufig wirkende Macht gedacht. Trotzdem darf diese letzte Möglichkeit eines gewissermaßen schwindelnden Absturzes aus der Erhöhung ins Nichts als solche nicht ausgeschlossen werden, wenn man überhaupt den Menschen als zur wirklichen Freiheit bestimmt ansieht, wie es Jesu Verkündigung entspricht.

Diese Erwägungen gelten auch für ein ›*letztes*‹ oder ›*jüngstes Gericht*‹, das *den Menschen endgültig in eine ›jenseitige‹ Hölle ausliefern* soll. Dieses Gericht würde entsprechend dem Vorstehenden die am Endpunkt

196 Die diesem Gedanken ähnelnde Vorstellung vom ›Fegefeuer‹ ist bedenklich, da sie hellenistisch geprägt ist (Trennung von Leib und Seele sowie Reinigung der Seele) und dogmatisch fixiert erscheint. Der Grundgedanke des Zwischenzustandes kann aber durchaus auf Jesus zurückgeführt werden.

des Prozesses erfolgende gerechte Enthüllung und Ausscheidung desjenigen Menschen (samt seiner Werke) bedeuten, der Gottes Zuwendung abschließend ausschlägt und auf keinen Fall in sein Reich eingehen *will* (s. auch S. 39)[197].
Diese Ausführungen über eine transzendente ›Hölle‹ und ein ›jüngstes Gericht‹ werden auch nicht von einer Reihe dem scheinbar entgegenstehender Worte Jesu widerlegt, die ebenfalls in diesem Zusammenhang oft genannt werden. Vielmehr entsprechen sie durchaus deren Intention.

Hier ist etwa auf Jesu Darstellung vom *Endgericht* und der ewigen Verdammnis hinzuweisen, wie sie besonders in den Gleichnissen vom Unkraut unter dem Weizen, vom Fischnetz und vom Scheiden der Schafe und Böcke, ferner von den anvertrauten Geldern und vom Gast ohne Hochzeitskleid begegnen (Mt 13,24–30; 13,47–50; 25,31–46; 25,14–30; 22,11–13; z.T. mit Par). Weiter muß auch eine Reihe von Wehe-Rufen Jesu genannt werden, so über die gesetzesfrommen Pharisäer (Mt 23,13ff Par), über einige unbußfertige Städte (Mt 11,20–24 Par) und allgemein über die Reichen und Satten (Lk 6,24–26). Schließlich gibt es nicht wenige Bildworte Jesu, die sich direkt mit der »*Hölle*« (Gehenna) und ihrem »ewigen Feuer« beschäftigen (vgl. etwa Mk 9,47.48 Par: »Wenn dich dein Auge zur Sünde verführt, so reiß es aus! Es ist besser, daß du einäugig in das Reich Gottes eingehst, als daß du zwei Augen hast und in die Hölle geworfen wirst, wo ihr Wurm nicht stirbt und das Feuer nicht verlischt (Jes 66,24)«; ferner Mt 5,29.30; 10,28 Par; 25,41; s. auch äthHen 90,26ff[198].

Alle diese Worte vom ›letzten Gericht‹ und der ›Hölle‹ (die freilich vielfach, besonders bei Matthäus, umgestaltet und erweitert worden sind) sind unter dem Aspekt der drängenden Naherwartung Jesu zu sehen und müssen wie diese – entsprechend Jesu eigenem Vorgehen – von ihrer mythologischen Einkleidung abgelöst werden. Wenn man dies berücksichtigt, *schließen* sie einen *›gnadenhaften‹ Aufschub des letzten Gerichts nicht aus, um die Menschen in die volle Freiheit und Mündigkeit zu führen* (s.S.157). Sie wollen allerdings drastisch klar machen, daß der Mensch ständig in die Entscheidung gestellt ist, ob er die ihm immer wieder angebotene Zuwendung Gottes annehmen *will* oder nicht (dazu S. 39). Jesus will mit diesen Worten energisch davor warnen, daß die Menschen sich von Gott entfernen, ihre eigentliche Bestimmung verfehlen und aus der mitmenschlichen Solidarität und Gemeinschaft her-

197 Die Voraussetzung der letzten Freiheit für das Endgericht, die abschließende Trennung von Gott wird oft nicht berücksichtigt. Sie folgt aber aus der Grundtendenz der Verkündigung und des Wirkens Jesu. Bes. seine Gleichnisse über die Suche nach den Verlorenen betreffen hervorragend die Sündenvergebung und die daraus jeweils fließende Freiheit zum Neubeginn. Deutlich auch das Gleichnis vom Schalksknecht (Mt 18,23ff), das vor dem Endgericht warnt, wenn Gottes Vergebung ausgeschlagen und Freiheit schließlich schmachvoll mißbraucht wird (s. Jeremias, Gleichnisse, 141). Schließlich sei auch hier der Macht von Kreuz und Auferstehung Jesu zur vollen Befreiung des Menschen gedacht, vgl. Kraus, Reich Gottes, 296 u.ö.

198 Vgl. zur Höllenvorstellung, die Jesus hatte, z.B. Jeremias, Theologie, 130; Braun, Jesus, 58, u.a.

ausfallen, weil dies nur zu ihrem Unheil bis hin zu einer Menschheitskatastrophe führen kann. Und Jesus will mit aller Schärfe aussprechen, daß die Menschen schließlich und zuletzt auch noch in voller Freiheit das Reich Gottes ablehnen können und damit sich selbst dem absoluten Nichts, also einer alle irdische Vernichtung transzendierenden ›Hölle‹ anheimgeben können (Gehenna = symbolisiert durch das Tal Hinnom bei Jerusalem, in dem der Abfall der Stadt vernichtet wurde).
Etwas anderes läßt sich insbesondere auch nicht aus dem oft als Paradestück traditioneller Höllenvorstellungen herangezogenen Gleichnis vom reichen Mann und armen Lazarus (Lk 16,19–31) entnehmen, das übrigens schon im Aufbau recht singulären Charakter hat und als wesentliches Stück ein zeitgenössisches Märchen wohl ägyptischer Herkunft enthält.

In diesem Gleichnis fällt zunächst auf, daß Jesus zwar bildlich von einem ›jenseitigen‹ Sein spricht, in dem der reiche Mann nach seinem Tode »Pein in einer Flamme« leidet, während der arme Lazarus »in Abrahams Schoß« ruht. Dabei ist aber zu beachten, daß Jesus sonst, z.B. in Mt 25,41, eine endgültige Verdammung erst nach dem Kommen des Menschensohns im Rahmen des sich vollendenden Gottesreichs für möglich hält; auch spricht die Darstellung im übrigen (s.V.23: »Totenreich«) eher dafür, daß es sich hier nur um einen Zustand der vorübergehenden Läuterung, aber nicht der ewigen Verwerfung handeln soll. Wenn man jedoch, was einer zutreffenden Deutung näher kommt, über das im Gleichnis verwendete Bild hinausfragt, so bezieht sich dieses überhaupt *nicht* auf ein ›jenseitiges‹ Sein, etwa nach dem Tode, sondern auf das Leben der Menschen nach dem Kommen des Reichs Gottes in Macht. Unter diesem Aspekt bedeutet das Gleichnis die eindringliche Warnung, dieses Leben im Reich Gottes nicht durch private Bereicherung und unsolidarisches Verhalten aufs Spiel zu setzen (s. im einzelnen S. 112). Außerdem enthält das Gleichnis den deutlichen Hinweis, daß es für das Kommen dieses Reichs sowohl nach den damit verbundenen Verheißungen als auch den Gefahren keinen Beweis wie etwa die vom reichen Mann erbetene Totenauferstehung gibt, sondern alles auf die vertrauensvolle Annahme und das Tun des Willens Gottes ankommt[199].

6.3
Die Vorherbestimmung der Menschen

Zum Abschluß dieses Exkurses über das ›Reich des Satans‹ und die ›Hölle‹ ist noch die *Frage der Prädestination*, d.h. der *Vorherbestimmung der Menschen zur Teilhabe am Reich Gottes oder an demjenigen des ›Teufels‹, der ›Hölle‹* zu erörtern. Auch hierzu bedarf es nur noch der Zusammenfassung, da das meiste über das Verhältnis beider schon gesagt ist.
Nach allem Besprochenen kann die ›Vorherbestimmung‹ Gottes nur in den Rahmen der *Zuwendung Gottes* an den Menschen und seine Gemeinschaft gehören. Dann aber ist davon auszugehen, daß Gott den Menschen *zum Heil im Reich Gottes ›erwählt‹* hat. Die Menschen sind

199 Vgl. Jeremias, Gleichnisse, 123ff; Bartsch, Jesus, 109; Ragaz, Gleichnisse, 25ff.

nur dann *zur Verwerfung ›vorherbestimmt‹*, sofern *sie selbst in Freiheit zuletzt die ›Gnade‹ Gottes ablehnen*[200].
Entspricht diese Darstellung auch der Predigt Jesu zur Prädestination?

Jesus redet gelegentlich von der ›Vorherbestimmung‹, so wenn er die ›Erwählung‹ zum Reich Gottes anspricht (s. z.B. Mt 22,14; 25,34; Mk 10,40 Par; 13,20.22 und 27; Lk 18,7; freilich str.). Er denkt auch an sie, wenn er die ›Verwerfung‹ erwähnt (s. etwa Mt 25,41; Lk 17,34.35 Par). Was das Verhältnis der ›Vorherbestimmung‹ zur Zuwendung und Liebe Gottes betrifft, so obsiegt bei Jesus aber stets die letztere. Das fällt z.B. bei der Geschichte vom reichen Jüngling auf, der allem Anschein nach, da er von seinen Besitztümern nicht lassen will, zur Verdammnis ›bestimmt‹ ist. Jesus widerspricht jedoch diesem Anschein und deutet an, daß auch er noch ins Reich Gottes kommen kann: »Bei den Menschen ist es (zwar) unmöglich, aber nicht bei Gott, denn bei Gott sind alle Dinge möglich« (Mk 10,27 Par). Allgemein drückt Jesus dasselbe in den Gleichnissen vom verlorenen Schaf, dem verlorenen Groschen, dem verlorenen Sohn und von den zwei Schuldnern aus. Auch hier wird dem Letzten, der zur Verwerfung ›bestimmt‹ scheint, nachgegangen, damit er am Reich Gottes teilnehmen kann (s. näher S. 24). Schließlich ist Jesu ganzes Leben und auch sein Leiden und Sterben auf dasselbe Ziel gerichtet gewesen. Er duldet seine Verfolgung in der endzeitlichen ›Drangsal‹, die dem Reich Gottes vorangehen muß, um die »Vielen« und somit alle, die ihr nicht gewachsen wären, vor dem Erliegen und letztlich vor der Verdammnis zu bewahren (s. dazu S. 87).

Damit wird offensichtlich, daß für Jesus ›Vorherbestimmung‹ nichts anderes als Erwählung zum Reich Gottes, man könnte auch sagen: Gnadenwahl *(Barth)*, bedeutet. Zur endgültigen Verdammnis in der ›Hölle‹ wird der Mensch dagegen nicht von Gott bestimmt, es sei denn, sie wird vom Menschen zuletzt frei gewählt. Jede sonstige vorläufige ›Verwerfung‹ des Menschen wie z.B. in ›Sünde‹, Unterdrückung und Entfremdung hat Jesus im übrigen als Durchgangsstadium enthüllt. Im einzelnen ist dazu bereits gesagt worden, daß die ›Sünde‹ des Menschen und alle damit zusammenhängende Entfremdung, besonders auch die endzeitliche ›Versuchung‹ der Menschen, als Aufruf zur Entscheidung und Befreiung verstanden werden müssen und damit nur noch der Beförderung der Gottesherrschaft dienen sollen (s.S. 52). Indem Jesus schließlich selbst den Tod als tiefste Form der Entfremdung durchgestanden hat und damit – mythologisch gesprochen – »ins Totenreich gefahren« ist, hat er nicht nur diese ›Verwerfung‹ auf sich geladen, sondern durch die Auferstehung ans Licht gebracht, daß der Tod nur vorläufiger Natur ist, daß er in Wahrheit Übergang zum Heil des Reichs Gottes ist.
Es zeigt sich nach alledem auch im Zusammenhang des Reichs des Bösen und der Prädestination, daß die *Zuwendung Gottes*, die *ständig weiter fortschreiten* und *das Böse hinter sich lassen* will, *alle Menschen, die ganze Welt, ergreifen* soll. Die *Herrschaft Gottes*, sein Reich wird *über*

200 Ausführlich, wenn auch einseitig zu dieser Frage Schweitzer, Leben Jesu, 411ff.423.431; ferner Weiß, Reich Gottes, 133ff. Zusammenfassend in Aufnahme von Thesen Barths Kraus, Reich Gottes, 108ff.

die Macht des Bösen und seiner Strukturen, die Vorläufigkeit und Entfremdung zuletzt siegen und *triumphieren.* Damit erweist sich die Botschaft Jesu wiederum in Wort und Sinn – auch hier über das Alte Testament noch hinausgehend – als eine gewaltige *Freudenbotschaft,* als *Evangelium* par excellence. Ihr Hauptthema ist und bleibt das Reich Gottes, die Gottesherrschaft als das große »Gnadenjahr des Herrn« (im Sinne von Lk 4,19 in Verbindung mit Jes 61,1) und nicht als ein »Tag der Vergeltung« (wie in Jes 61,1 und auch 35,4 hinzugesetzt und von Jesus einmal mehr weggelassen wird). Das muß auch in diesem Rahmen noch einmal hervorgehoben werden, so daß sich hier die Ausführungen von S. 197 bestätigen.

Abschluß

Zum Abschluß möchte ich noch auf eine letzte Frage eingehen, die sich im Zusammenhang der Verkündigung Jesu vom Reich Gottes stellt. Es geht darum, wie der Mensch überhaupt dazu kommt, von der Zuwendung Gottes oder, allgemeiner gesagt, einer ihm transzendenten Macht zu sprechen und auf sie hin zu leben. Gewiß haben wir gesehen, daß das Nahekommen der Herrschaft Gottes das zentrale Thema der Botschaft Jesu ist (»Kehrt um, denn das Himmelreich ist nahe herbeigekommen!«, Mt 4,17 Par). Jesus hat es auch nicht nur verkündigt, sondern er hat es durch sein Leben zu verwirklichen getrachtet und ist schließlich dafür gestorben. Das Nahen der Herrschaft Gottes ist damit nach Jesu Auffassung im Grunde das einzige, das es anzunehmen oder abzulehnen gilt. Aber diese Feststellung erübrigt trotzdem nicht die Prüfung, sondern erzwingt sie im Gegenteil, was denn nun den Menschen dazu veranlaßt, dieser Verkündigung Jesu zu glauben, und erfordert daher die Frage, ob dieses Vertrauen auch hinreichend begründet ist.
Dazu ist zunächst klar auszusprechen, worauf auch schon kurz verwiesen wurde, daß wir *keinerlei Sicherheit* für das Vorhandensein der Zuwendung Gottes und ihrer aufgezeigten Kulmination haben, die das Wesen der Gottesherrschaft ausmachen.
Es ist also im einzelnen festzuhalten: Wir haben keine Sicherheit in Gott. Es gibt bekanntlich keine wissenschaftlichen Beweise Gottes und seines Wirkens in der Welt. Jede objektivierende Anschauung Gottes geht fehl; Gott wird allenfalls zeichenhaft erkennbar in der Existenz des Menschen, in seiner Kommunikation mit seinen Mitmenschen, ferner in den Strukturen der Gesellschaft und Natur. Auch die Person Jesu gibt uns keine Garantien für die Zuwendung Gottes; denn auch durch ihn offenbart sich Gott nur verhüllt. Die mythologischen Geschehnisse von der Geburt Jesu bis zu seiner ›Erhöhung‹ und auch seine ›Wunder‹ sind

kein Nachweis, sondern stehen, soweit sie historisch sicher überliefert sind, durchaus im Einklang mit dem Kausalgeschehen, möglicherweise erweitert durch parapsychologische Gesichtspunkte. Besonders die ›Wunder‹ sind auch nach Jesu Meinung nicht als Beweis für etwaiges göttliches Wirken gedacht; er hat »diesem Geschlecht« ausdrücklich erklärt, daß ihm ein »Zeichen« im Sinne eines Beweises nicht gegeben werden soll (Mk 8,12 Par). Entsprechendes wie für die ›Wunder‹ gilt für die ›Weissagungen‹ oder ›Prophezeiungen‹ Jesu wie übrigens auch der anderen alt- und neutestamentlichen Zeugen. Die supranaturalistisch klingenden Titel Jesu wie z.B. ›Sohn Gottes‹, ›Menschensohn‹ u.ä. sowie seine menschlichen Qualitäten bedeuten für uns ebenso keine sichere Gewähr. Auch die Welt und der Lauf ihrer Geschichte von ihren Anfängen an liefert uns keinen Nachweis der Zuwendung Gottes und seiner Verheißungen. Im ›Jammertal‹ der Welt sehen wir neben befreienden Tendenzen auch immer wieder die Fülle entfremdeten und ›unerlösten‹ Daseins. Die Zukunft der Welt sieht allem Augenschein nach nicht anders aus; sie bedroht den Menschen in vielfältiger Weise und scheint selbst für bescheidene Utopien nur wenig Raum zu haben. Schließlich bestehen nicht nur in der weltlichen Geschichte, sondern auch in der durchaus zwiespältigen kirchlichen Praxis keinerlei Garantien für ein Wirken Gottes und ein Kommen seines Reichs.

Andererseits gibt es auch keinen wissenschaftlichen Nachweis, daß Gott *nicht* sei und seine Zuwendung und Führung eine Illusion. Es läßt sich kein Beweis führen, daß Gott als Macht, die Mensch und Welt umgreift, nicht existiere. Dies ergeben weder die modernen Naturwissenschaften, insbesondere auch nicht die Biologie darwinistischer Prägung, die nur einen begrenzten Raum der kosmischen Evolution erforscht hat. Noch können die moderne Psychologie, besonders die Psychoanalyse, oder die Soziologie einen entsprechenden Nachweis führen: Ihre Auffassungen über Gott als Projektion menschlicher Wirklichkeit treffen nur bestimmte Richtungen der christlichen Tradition wie den objektivierenden Supranaturalismus und schließen im übrigen keinesfalls aus, daß sich gleichzeitig im Menschen göttliche Wirklichkeit reflektiert. Gegen die Person Jesu von Nazareth werden von der historischen Forschung keine ernst zu nehmenden Zweifel erhoben. Das gleiche gilt für den – meines Erachtens wesentlichsten – Teil seiner Worte und seines Wirkens. Auch hier kann die Wissenschaft keineswegs ausschließen, daß in seiner Person Gott offenbar wird. Die uns umgebende Welt, ihre Herkunft und besonders ihre Zukunft, entziehen sich abschließender wissenschaftlicher Erfassung und Durchdringung. Hier können durchaus auch die Zuwendung Gottes und sein Heilshandeln erfahren werden. Dies gilt etwa für das private Ich-Du-Verhältnis und die Solidarität des Individuums mit seinem Mitmenschen, aber auch für den gesellschaftlichen Bereich des menschlichen Lebens, z.B. für den politischen Gewaltverzicht, die Versöhnung von Völkern und den Aufbau allgemeiner Friedensregeln.

Es bleibt somit dabei, daß eine wissenschaftliche Beweisführung wegen der Zwiespältigkeit und Partikularität aller dieser Erkenntnis weder für noch gegen das Wirken Gottes in oder gar außerhalb dieser Welt möglich ist. Möglich und meines Erachtens unumgänglich ist aber die persönliche und gesellschaftliche *Gewißheit* des Menschen (im Gegensatz zur Sicherheit), dem sich die Zuwendung Gottes in seiner Erfahrung deutlich macht.

Der Mensch erfährt zunächst, daß er in seiner Begrenztheit nicht aus sich selbst lebt, sondern aus einer ihn und die Welt *überschreitenden Macht*. So liegt der letzte Grund seines Lebens und des Daseins der Welt nicht in ihnen selbst. Sie werden auch nicht aus sich selbst in ihrer Fortentwicklung getragen und auf den rechten Weg gebracht. Sie gehen schließlich einem letzten Ziel entgegen, das den vorfindlichen Rahmen von Mensch und Welt überschreitet. Wenn man diese Erwägungen mitvollzieht, ist es gleichgültig, ob dieses Sein, das Mensch und Welt transzendiert, im Sinne der christlichen und übrigens auch außerchristlichen Tradition Gott genannt wird. Entscheidend ist, daß der Mensch in seiner Erfahrung über sich und die Welt in ihren bestehenden Dimensionen hinausgeführt wird zu einem letzten Sein, das beide umgreift.

Wenn der Mensch auf diese Weise des Seins einer transzendenten Macht innegeworden ist, bleibt aber weiterhin die Frage offen, ob dieses Sein als dem Menschen und der Welt *zugewandt* erfahren werden kann. Hier muß zunächst bedacht werden, daß dem Menschen zunächst sein Leben geschenkt ist, und zwar ist ihm nicht nur körperliches, sondern auch seelisches Wirken gegeben. Der Menschen empfängt ebenso immer wieder das Geschenk der sozialen Verbindung mit anderen Menschen. In alledem ist schon eine Zuwendung und Gemeinschaft der den Menschen überschreitenden Macht zu sehen. Andererseits darf man sich auch hier nicht die Realität der Todesgrenze verschleiern und muß die mannigfaltigen Einbrüche in ein erfülltes Leben, durch Leiden, Schuld und Sinnlosigkeit, im Blick behalten. Hier darf der Mensch nun nicht (gewissermaßen in Zuschauerpose) bei der unfruchtbaren Frage verharren, ob darin eine Zuwendung Gottes zu erblicken sei. Er ist vielmehr gehalten, von ihrem Vorhandensein auszugehen und so zu leben, als ob es sie gäbe, richtiger: daß es sie geben kann. Ohne sein Leben auf diese Liebe Gottes hin (oder auch in dieser ›Gnade‹ Gottes) kann es für ihn keine Erfahrung von ihr geben. Lebt der Mensch aber auf diese Zuwendung hin und handelt entsprechend, so entdeckt er sie auch als ihm von dem ihn überschreitenden Sein, das wir Gott nennen, geschenkt. Er begegnet dieser Zuwendung in seiner persönlichen Existenz als Individuum und in seiner Kommunikation mit dem Mitmenschen, wir können auch sagen: in der Praxis der mitmenschlichen Lebensführung in freier Selbstverantwortung. Er vermag sie ebenso auch in der Entwicklung der Strukturen der Gesellschaft und der Natur zu sehen.

In ähnlicher Weise macht der Mensch auch die Erfahrung dessen, was als Forderung Gottes bezeichnet wird. Wenn diese als zwangsweise durchzusetzender und vergeltender Anspruch einer anderen Macht, als deren Gesetz oder Herrschaft auftritt, wird sie von ihm als Fremdbestimmung empfunden. Sie wird abgelehnt und entfaltet keine echten und anhaltenden Wirkungen. Sie wird vielmehr nur dann innerlich akzeptiert und wirkt förderlich und heilend, wenn sie als Freiheit und Eigenverwirklichung des Menschen verstanden wird, die aus der Zuwendung Gottes in Dankbarkeit und Einsicht erwächst.

Eine weitere Erfahrung des Menschen, die mit den beiden vorgenannten verknüpft ist, ist die aus der Entfremdung befreiende und heilende Kraft der praktischen Weitergabe der Zuwendung Gottes an den Mitmenschen und ihrer Vermittlung an die menschliche Gesellschaft. Die dergestalt verstandene Liebe und Vergebungsbereitschaft gegenüber dem Mitmenschen ist wirksamer als jede Art von bloßer Anwendung eines Gesetzes oder Vergeltung. Sie ist förderlicher als die Ausübung von Herrschaft, Macht oder gar Gewalt. Die dem entsprechende Solidarität und Gemeinschaft Gleicher ist auch befriedigender als die Wahrung von Eigentumstiteln, Vorteilen und Privilegien. Die Zuwendung und Liebe zur Mitwelt zieht erfahrungsgemäß immer weitere Kreise, zumal wenn sie von vielen Menschen gemeinschaftlich ausgeübt wird. Sie kann gleichermaßen die persönliche Sphäre der Menschen wie die Gesellschaft und die Natur ergreifen und diese im Sinne einer durch Zuwendung, Freiheit und Gleichheit geprägten Ordnung verändern; gerade eine solche Struktur entspricht dem, worauf die Herrschaft Gottes hinausläuft.

Daß sowohl die Zuwendung Gottes als auch das sie weitervermittelnde Verhalten der Menschen bisher nur zeichenhaft und ansatzweise erwachsen sind, ist allerdings nicht zu bezweifeln. Lebt der Mensch aber in dieser Zuwendung, so darf gleichwohl erwartet werden, daß beide – die Solidarität und Gemeinschaft Gottes wie auch das antwortende Verhalten der Menschen – sich immer wieder entfalten und erneuern und damit auch der Erfahrung deutlicher werden können.

Dabei sieht der Mensch dieses Wirken Gottes und seine Übernahme durch den Menschen nicht etwa nur isoliert und gewissermaßen punktuell in der Gegenwart. Er erfährt vielmehr auch die Vergangenheit als damit erfüllt. Er erhofft im Wege der Extrapolation nach vorn und erstrebt damit tätig zugleich auch für die Zukunft das Fortwirken und Sich-Verwandeln dieser Kraft der Zuwendung, die in der Gegenwart schon als wirksam erkennbar geworden ist. Ja, er erwartet schließlich die volle Durchsetzung der Herrschaft Gottes, und zwar sogar als nahe vor der Tür stehend. Dabei ist ihm allerdings aus seiner Erfahrung klar, daß es in der Geschichte nur immer wieder zu einer stufenweisen Veränderung kommen wird und der ›Endpunkt‹ dieses Prozesses eher den Charakter des Grenzwertes (Limes) einer mathematischen Reihe hat. Auch hier ist jedoch eine Naherwartung keineswegs irreal, sondern lebensnotwendig, wenn anders der Umwandlungsprozeß zu einer Ordnung, in der Zuwendung, Freiheit und Gerechtigkeit herrschen, nicht stagnieren oder sogar rückläufig werden soll. Diese Naherwartung wird sich auf die immer wieder neue Überwindung der bisherigen Entwicklungsstufe und ihrer Entfremdungen und Begrenztheiten, also auf die tatsächliche Bewegung des Veränderungsprozesses aus der jeweiligen Vorstufe zum Endzustand der Gottesherrschaft hin, richten müssen. Sie wird dagegen den Endzustand selbst, die Vollendung des Reichs Gottes, sowohl auf dieser Erde als auch in den darüber hinausgehenden Bereichen Gott und seiner schöpferischen Macht überlassen dürfen.

Ähnlich wie in der ausgeführten Weise ist die Erfahrung von der Zuwendung Gottes auch von Jesus gesehen worden. Dies kann aus dem ihm zugeschriebenen Wort in Joh 7,17 entnommen werden: »Wenn jemand seinen Willen tun will, der wird erkennen, ob diese Lehre aus Gott ist oder ob ich von mir aus rede.« Auch hier ist deutlich ausgesprochen, daß es nicht auf eine theoretische Beweisführung durch scheinbar neutrale wissenschaftliche Forschung oder innerlich unbeteiligte und distanzierte Prüfung ankommt, sondern auf die persönliche und soziale Gewißheit, die sich nur in der praktischen Lebensführung des Menschen ergibt, der seine Vorläufigkeit und Begrenztheit überschreitet. Eine solche Lebensführung in dieser Gewißheit ist gleichzeitig die einzige Möglichkeit erfüllter menschlicher Existenz. Ohne diese Gewißheit kann sie nicht gelingen. Dies gilt nicht nur für den Menschen, der sich dieser Haltung bewußt ist, vielmehr kann eine solche Haltung auch durchaus unbewußt vorhanden sein. Entgegen allem äußeren Anschein kann daher sogar der scheinbar in bewußter Leugnung von Gott lebende Mensch in mehr oder weniger unzulänglicher Weise in dieser Gewißheit stehen; denn er kann, wenn er überhaupt annähernd erfüllt und menschlich leben will, gar nicht anders als, sei es auch noch so unzureichend, die Zuwendung des ihn umgreifenden Seins, also Gottes, anzunehmen.

Abkürzungen

a.M.	anderer Meinung
aram.	aramäisch
bes.	besonders
bestr.	bestritten
betr.	betreffend
dgl.	desgleichen
ff	folgende (ad infinitum)
griech.	griechisch
h.M.	herrschende Meinung
i.e.	im einzelnen
i.e.S.	im engeren Sinne
i.ü.	im übrigen
i.w.S.	im weiteren Sinne
Kap.	Kapitel
Log	Logion
Par	Parallele
sek.	sekundär
s.o.	siehe oben
sog.	sogenannte(r)
str.	streitig
u.ä.	und ähnlich
umstr.	umstritten
u.ö.	und öfter
u.U.	unter Umständen
u.v.m.	und viele mehr
w.o.	wie oben
zw.	zweifelhaft

Literaturverzeichnis

Kürzere Darstellungen und Taschenbücher

Bartsch, H. W., Jesus, Prophet und Messias aus Galiläa, 1970
Ben Chorin, S., Bruder Jesus, 1967
Betz, O., Was wissen wir von Jesus?, 1965
Blank, J., Jesus von Nazareth, Geschichte und Relevanz, 1972
Bloch, E., Auswahl aus seinen Schriften, 1967
– Karl Marx und die Menschlichkeit, 1969
– Atheismus im Christentum, 1970
Bornkamm, G., Jesus von Nazareth, [8]1968
Braun, H., Jesus, 1969
Bultmann, R., Jesus, [2]1951
– Jesus Christus und die Mythologie, 1958
Carmichael, J., Leben und Tod des Jesus von Nazareth, 1968
Cullmann, O., Jesus und die Revolutionären seiner Zeit, [2]1970
Dibelius, M., Jesus, [4]1966
Dodd, C. H., Der Mann, nach dem wir Christen heißen (The Founder of Christianity), 1970
Flusser, D., Jesus, 1968
Gloege, G., Aller Tage Tag, 1966
Gollwitzer, H., Veränderung im Diesseits, 1973
– Die kapitalistische Revolution, 1974
– Forderungen der Umkehr, 1976
Jaspers, K., Einführung in die Philosophie, 1953
– Die maßgebenden Menschen (insbes.: Jesus), [5]1975
Jeremias, J., Unbekannte Jesusworte, [4]1965
– Die Gleichnisse Jesu, [3]1969
– Jesus und seine Botschaft, 1976
Käsemann, E., Exegetische Versuche und Besinnungen I/II, 1960/1964
Lapide, P., Der Rabbi von Nazaret, 1974
Machoveč, M., Jesus für Atheisten, [2]1973
Marsch, W. D., Zukunft, 1969
Metz, J. B., Zur Theologie der Welt, 1968
Niederwimmer, J., Jesus, 1968
Ragaz, L., Die Bergpredigt, 1971

– Die Gleichnisse Jesu, 1971
Schäfer, R., Jesus und der Gottesglaube, 1970
Schweizer, E., Jesus Christus, 1968
Stauffer, E., Jesus, Gestalt und Geschichte, 1957
– Die Botschaft Jesu, damals und heute, 1959
Tillich, P., Der Mut zum Sein, 1968

Grundlegende Darstellungen

Barth, K., Kirchliche Dogmatik, 1932ff
– Das christliche Leben (Kirchliche Dogmatik IV/4, Fragmente aus dem Nachlaß pp), 1976
Bloch, E., Das Prinzip Hoffnung, 1973
Bultmann, R., Die Geschichte der synoptischen Tradition, ^{8}1970 (m. Ergänzungsheft, ^{4}1971)
– Theologie des Neuen Testaments, ^{7}1977
Conzelmann, H., Grundriß der Theologie des Neuen Testaments, ^{2}1967
Cullmann, O., Die Christologie des Neuen Testaments, ^{3}1963
Dibelius, M., Die Formgeschichte der Evangelien, ^{6}1971
Gollwitzer, H., Befreiung zur Solidarität, 1978
Goppelt, L., Theologie des Neuen Testaments, 1. Teil, 1974
Jaspers, K., Der philosophische Glaube, 1958
Jeremias, J., Neutestamentliche Theologie, 1. Teil, 1971
Klappert, B., Die Auferweckung des Gekreuzigten, 1971
Kraus, H.-J., Reich Gottes: Reich der Freiheit, 1975
Kümmel, W. G., Die Theologie des Neuen Testaments nach seinen Hauptzeugen, 1972
Lohmeyer, E., Kultus und Evangelium, 1946
– Das Vater-Unser, ^{5}1962
Manson, T. W., The Teaching of Jesus, ^{2}1935
Moltmann, J., Der gekreuzigte Gott, 1975
– Kirche in der Kraft des Geistes, 1976
– Theologie der Hoffnung, ^{10}1977
Perrin, N., Was lehrte Jesus wirklich? (Rediscovering the Teaching of Jesus), 1972
Schniewind, J., Das Evangelium nach Matthäus, ^{12}1968
– Das Evangelium nach Markus, 1968
Schweitzer, A., Geschichte der Leben-Jesu-Forschung, ^{6}1950
Teilhard de Chardin, P., Der Mensch im Kosmos (Le Phénomène humain), 1969
Tillich, P., Systematische Theologie (bes. 3. Band), 1964ff
Weiß, J., Die Predigt Jesu vom Reiche Gottes, ^{3}1964
Wrede, W., Das Messiasgeheimnis in den Evangelien, ^{3}1963

Spezialdarstellungen zum Thema ›Reich Gottes‹

Beißer, F., Das Reich Gottes, 1976
Bietenhard, H., Das tausendjährige Reich, 1955
Bonhoeffer, D., Dein Reich komme, 1958
Buber, M., Das Königtum Gottes, [3]1956
Duchrow, U., Christenheit und Weltverantwortung. Traditionsgeschichte und systematische Struktur der Zweireichelehre, 1970
Flender, H., Die Botschaft von der Herrschaft Gottes, 1968
Friedrich, G., Utopie und Reich Gottes, 1974
Gilson, E., Die Metamorphosen des Gottesreiches, 1959
Gollwitzer, H., Die Revolution des Reichs Gottes und die Gesellschaft, 1969
– Reich Gottes und Sozialismus bei Karl Barth, 1972
Gräßer, E., Zum Verständnis der Gottesherrschaft, ZNW 65, 1974
Honecker, M., Welche Bedeutung hat heute der Gedanke des Reiches Gottes, Zeitwende 4, 1979
Kišš, I., Wie wird das Reich Gottes real, Martin Luthers Position des Reichs Gottes, LM 11, 1979
Klein, G., ›Reich Gottes‹ als biblischer Zentralbegriff, EvTh 30, 1970
Knörzer, W., Reich Gottes, Traum, Hoffnung und Wirklichkeit, 1970
Kümmel, W. G., Verheißung und Erfüllung, [3]1956
Ladd, G. E., Jesus and the Kingdom, 1964
Lattke, M., Zur jüdischen Vorgeschichte des synoptischen Begriffs der ›Königsherrschaft Gottes‹, Schülergabe A. Vögtle, 1975
Lohse, E., Die Gottesherrschaft in den Gleichnissen Jesu, EvTh 18, 1958
Maisch, I., Die Botschaft Jesu von der Gottesherrschaft, Schülergabe A. Vögtle, 1975
Merklein, H., Die Gottesherrschaft als Handlungsprinzip, 1978
Michaelis, W., Täufer, Jesus, Urgemeinde. Die Predigt vom Reiche Gottes vor und nach Pfingsten, 1928
Morgenthaler, K., Kommendes Reich, 1952
Nigg, W., Das ewige Reich, 1954
Nordsieck, R., Jesu Botschaft vom Reich Gottes, Junge Kirche 37, 1976
Otto, R., Reich Gottes und Menschensohn, 1934
Pannenberg, W., Theologie und Reich Gottes, 1971
Perrin, N., The Kingdom of God in the Teaching of Jesus, 1963
Pesch, R., Von der ›Praxis des Himmels‹, 1971
Ragaz, L., Die Botschaft vom Reiche Gottes, 1942
Sartory, T. und G., Utopie Freiheit. Variationen zum Thema Gottesherrschaft, 1970
Schmithals, W., Jesus und die Weltlichkeit des Reiches Gottes, Ev Komm 1, 1968
Schnackenburg, R., Gottes Herrschaft und Reich, [4]1965
Schweitzer, A., Reich Gottes und Christentum, 1974

Schweitzer, W., Das Reich des Gekreuzigten in exegetischer und sozialethischer Sicht, ZEE 1976/77
Stähli, M. J., Reich Gottes und Revolution, 1976
Stendahl, K., Jesus und das Reich Gottes, Junge Kirche 30, 1970
Vielhauer, P., Gottesreich und Menschensohn in der Verkündigung Jesu, Festschrift G. Dehn, 1957
Walther, C., Typen des Reich-Gottes-Verständnisses, 1961
Wendland, H. D., Die Eschatologie des Reichs Gottes bei Jesus, 1931
Wenz, H., Theologie des Reiches Gottes, 1975

Texte, Lexika

Die Heilige Schrift des Alten und des Neuen Testaments (Zürcher Bibel), Württembergische Bibelanstalt Stuttgart, 1975
Die Bibel oder die ganze Heilige Schrift des Alten und Neuen Testaments. Nach der deutschen Übersetzung Martin Luthers, Württembergische Bibelanstalt Stuttgart, 1969
Peisker, C. H., Zürcher Evangelien-Synopse, ^{8}1968
Thomas-Evangelium in der Übersetzung von E. Haenchen, in: E. Haenchen, Die Botschaft des Thomas-Evangeliums, 1961
Thomas-Evangelium in der Übersetzung von H. Quecke, in: W. C. van Unnik, Evangelien aus dem Nilsand, 1960
Kautzsch, E., Die Apokryphen und Pseudepigraphen des Alten Testaments, 1921
Hennecke, E. – Schneemelcher, W., Neutestamentliche Apokryphen, ^{3}1959ff
EKL, Evangelisches Kirchenlexikon, 1959
RGG, Die Religion in Geschichte und Gegenwart, ^{2}1927ff und ^{3}1957ff
ThBL, Theologisches Begriffslexikon zum Neuen Testament, 1967ff
Strack, H. L. – Billerbeck, P., Kommentar zum Neuen Testament aus Talmud und Midrasch, 1922ff
Kittels Theologisches Wörterbuch, 1933ff
Bauer, W., Griechisch-deutsches Wörterbuch, ^{5}1958ff

Register der synoptischen Stellen

Matthäus

Register der Begriffe